Romain Sardou est né le 6 janvier 1974. Issu d'une longue lignée d'artistes, il se passionne très jeune pour l'opéra, le théâtre et la littérature. Plongé dans cette dernière passion, quasi exclusive, il abandonne le lycée avec l'intention de devenir auteur dramatique. Pendant trois ans il suit des cours de théâtre afin de mieux saisir la mécanique des textes de scène et de cerner le métier des comédiens. Il poursuit en parallèle de nombreux « exercices d'écriture ». Insatisfait, il compulse les classiques et les historiens, en quête de sujets. Il part ensuite deux ans à Los Angeles écrire des scénarios pour enfants.

Puis il rentre en France, où il se marie et se lance dans l'écriture de son premier roman, *Pardonnez nos offenses*, paru en 2002 chez XO Éditions, suivi de *L'Éclat de Dieu* (2004) et d'un roman-conte en hommage à Dickens, *Une seconde avant Noël* (2005).

# L'ÉCLAT DE DIEU

ou

Le Roman du Temps

# ROMAIN SARDOU

# L'ÉCLAT DE DIEU

ou

Le Roman du Temps

XO ÉDITIONS

© XO Éditions, Paris, 2004
ISBN : 2-266-15638-1

*Pour Jean-Pierre*

*L'Espace et le Temps sont des modes par lesquels nous pensons, non des conditions sous lesquelles nous existons. Le Temps que nous percevons à travers les montres et les calendriers est une invention qui ne concerne que l'homme et son interprétation du monde.*

Einstein

*Définir le temps par la révolution du soleil, c'est comme si, ne pouvant montrer ce que le mouvement est en lui-même parce qu'il échappe à la définition, on disait qu'il est mesuré par l'espace parcouru.*

Plotin

*Je fus, je suis, je serai, c'est là question de grammaire et non d'existence. Le destin – en tant que carnaval temporel – se prête à la conjugaison, mais, dépouillé de ses masques, il se dévoile aussi immobile et aussi nu qu'une épitaphe.*

Cioran

*Ouvrez votre fenêtre : ne voyez-vous pas l'infini ? ne sentez-vous pas que le ciel est sans bornes ? votre raison ne vous le dit-elle pas ? Cependant concevez-vous l'infini ? vous faites-vous quelque idée d'une chose sans fin, vous qui êtes né d'hier et qui mourrez demain ?*

Musset

*Il y a des secrets qui ne veulent pas être dits. Des hommes meurent la nuit dans leurs lits, tordant les mains des spectres qui les confessent et les regardant pitoyablement dans les yeux ; des hommes meurent avec le désespoir dans le cœur et des convulsions dans le gosier à cause de l'horreur des mystères qui ne veulent pas être révélés.*

Poe

# Prologue

*Ô vous qui placez votre confiance dans votre force et dans la longueur de votre existence, sachez que personne ne reste toujours dans le monde. Si les grandes richesses, les armées nombreuses, la science et la force faisaient rester quelqu'un dans le monde, Salomon, fils de David, ne serait jamais mort.*

TABARI, *Annales*

# Avertissement de l'auteur

*L'Éclat de Dieu* se propose de vous raconter les débuts du fameux Ordre des Templiers au XIIᵉ siècle. Nous connaissons tous leur fin spectaculaire, l'arrestation, le procès et l'exécution du dernier grand maître, le trésor prétendument caché... Nous sommes moins renseignés sur les premiers jours de l'Ordre, qui s'appelait alors plus explicitement la Milice du Christ.

Comme les légendes – et parfois les historiens – ne prêtent qu'aux riches, on a tout colporté sur ces moines-soldats trop discrets : qu'ils avaient découvert à Jérusalem la vraie croix du Christ, la coupe du Graal, l'or de Salomon ou l'arche d'alliance. Ce roman ne répond à aucune de ces hypothèses. Au contraire, l'objectif choisi ici pour expliquer la motivation des premiers templiers est volontairement indécelable par le lecteur et totalement inédit (enfin, je l'espère !). Mais gare : le sous-titre de ce livre est aussi *Le Roman du Temps*, et il n'est pas innocent. Au-delà d'une grande aventure qui va vous conduire de la Champagne à la Palestine à la suite des immenses convois de pèlerins chrétiens, au-delà d'une enquête sur la mort inexplicable d'un des premiers templiers, ce roman va aussi vous faire voyager dans le temps, explorer le temps, dans tous les sens du terme. Pourquoi?

Pourquoi une même histoire, des personnages identiques mais dans deux époques diamétralement opposées? Vous le découvrirez au moment où les personnages eux-mêmes vont s'en apercevoir.

Je souhaite que leur surprise soit aussi la vôtre.

Vous comprendrez alors que l'énigme de *L'Éclat de Dieu* nous concerne tous.

Bonne enquête!

Romain

# La Quête

La tombe était sculptée avec une telle magnificence
que je crains de ne pas réussir à la décrire,
je ne m'y hasarderai donc pas.

Anonyme, *L'Âtre périlleux*
(Le Cimetière du Grand Péril)

L e halo informe d'une torche à résine glissait lentement sur les parois du souterrain. La galerie, creusée à plus d'une
dizaine de mètres de la surface, était grise
et poussiéreuse; elle absorbait partout la lumière
blonde sans en rien refléter.

Un homme seul conduisait le flambeau. Grand,
âgé, il portait des haillons de caravanier, des sandales usées, une sacoche de toile et un turban
négligé qui lui tombait sur les épaules. Ses lèvres
étaient fines et décolorées, son front tout en
nœuds, le cou fermé par une barbe courte et
blanche. Il représentait assez un pilleur de sanctuaires ou un aventurier. Seule une bague à sa
main gauche, frappée d'un fragment du Coran et
d'un poinçon mystérieux, attestait d'une condition
plus digne.

L'homme était un savant de Dar-el-îlm,
l'ancienne bibliothèque de Tripoli.

13

En suivant la pente rapide, il apparaissait hésitant, inquiet, se défiant un peu plus après chaque pas de ce qu'il venait chercher, ou de ce qui l'attendait. La torche dans une main, un rouleau de textes dans l'autre, il longeait des chambres désertes reliées par des couloirs étroits ; il s'arrêtait, consultait son rouleau, repartait en arrière, poursuivait plus profondément. Autour de lui, tout se taisait, l'air douceâtre se raréfiait, la température baissait à mesure.

Il s'immobilisa devant un mur remarquable par une étoile à huit branches gravée à hauteur de genou. Là, d'une simple pression de la paume, il fit pivoter la façade, sans accroc, en dépit de son poids et du sable qui auraient dû gripper le mécanisme depuis longtemps.

Il traversa.

Une pièce circulaire ouvrait sur plusieurs issues dessinées en arceau. Chacune d'elles était flanquée d'une désignation en arabe gravée dans la pierre : *la Montagne de Qâf, Djâboulsâ, Magog, le royaume des Oiseaux, la muraille de Dsou'l-Qarnaïn, Djâboulqâ, l'Île des Émeraudes.* L'homme examina ces ouvertures noires comme des gueules et s'engagea sous la dernière appellation. En dépit de son air soucieux, il savait parfaitement où il allait.

De fait, c'eût étonné bon nombre de disciples entre Alep et Damas, si on leur avait rapporté que leur maître entrait dans des souterrains inviolés à la manière des profanateurs de tombes. S'il trahissait un pas méfiant, ce n'était pas par superstition ; il ne redoutait pas le surgissement d'un démon, il craignait de s'être trompé et de ne pas découvrir le bon tunnel. Toute sa vie, il avait œuvré à sa révélation, ne débusquant que des répliques, des *leurres*, habilement creusés en Terre sainte pour perdre les lettrés de son genre. À chaque indice qui confirmait aujourd'hui qu'il était sur la voie, il marquait une pause, inquiet que le prochain détail ne le détrompe et ne le ramène à l'énormité de la tâche dont il s'était seul investi.

Son nom était Hincmar Ibn Jobaïr.

Il emprunta un conduit assez bas, un pont de pierre fragile qui surplombait une faille creusée par un épanchement d'eau, enfin un escalier aux marches aussi courtes que des pieds d'enfant. Ses sandales roulaient sur de petites pierres enfouies sous un manteau de poussière.

Il aboutit dans une salle carrée soutenue par deux piliers centraux. Pour la première fois, l'endroit se présenta sous un désordre indescriptible. Les murs, le plafond et les fûts de pilier étaient percés comme des cribles. Des dalles étaient enfoncées, des pals et des lames pendaient au bout de chaînes enveloppées de toiles d'araignée, une grille de bois bardée de clous gisait sur des monceaux de flèches brisées. C'étaient les restes de mécanismes de défense prévus contre ceux qui osaient emprunter ce passage. À présent inoffensifs. Hincmar ne vit aucun ossement humain sur le sol ni embroché sur des pieux.

« Ceux qui m'ont précédé en savaient assez long », pensa-t-il.

Il reprit sa progression, plus lentement, redoutant qu'une tenaille encore tendue ne lui brise le talon.

La salle aux pièges défendait l'accès d'une seconde rotonde. Il n'y avait ici aucune apparence de porte ni d'ouverture. Seules quelques niches de statues ornaient la chambre vide. Le visage du savant se renfrogna. C'était là que tout se jouait. Les faux souterrains n'allaient jamais outre cette mauvaise fin. Les indices suivants, précieusement enregistrés dans son rouleau, étaient inutiles : il butait toujours contre cette impasse.

Le vieil homme s'essuya le front.

Il approcha des niches et des statues.

Hincmar Ibn Jobaïr était l'un des hommes les plus énigmatiques de l'islam du xi$^e$ siècle. Né en 1038 en Jordanie, sa renommée était double : il enseignait d'une part la cosmogonie et la science des gemmes à Alep ; de l'autre, il poursuivait une quête dont le monde ignorait tout. Le jour était à ses élèves, la nuit à ses recherches et le sommeil en grande partie reporté à une autre vie. On lui savait cette existence austère depuis près de trois décennies : des leçons généreusement soldées par ses maîtres et de longs voyages en solitaire pour ses études.

Pourtant, quelques mois auparavant, en mars 1096, son « jardin secret » devint subitement l'objet de tous ses soins ; il cessa d'enseigner et de conseiller aux princes. Une rumeur rapportait qu'une masse prodigieuse de Francs progressait en direction de Constantinople. Ce n'était pas à proprement parler une armée, les sentinelles avancées des musulmans affirmaient y avoir vu plus de femmes, d'enfants et de vieillards déguenillés que de soldats bardés pour la guerre. Les grandes familles ne voulurent pas s'inquiéter de ces chrétiens armés de manches de bois. Hincmar, lui, se montra catastrophé.

– ... Et s'ils venaient usurper nos terres ?

Son émotion agaçait les puissants cadis comme le petit peuple des boutiquiers. Jamais les infidèles n'oseraient s'aventurer en terre d'islam et, s'ils commettaient cette folie, tous seraient massacrés. Ce n'était pas l'avis de Hincmar. Il se claquemura dans son réduit d'étude, obsédé à l'idée que son œuvre ne puisse aboutir à temps. À temps avant que ces Francs ne viennent profaner leur sol et peut-être faucher l'autorité du Prophète.

– Eux aussi ont de bons savants, disait-il en parlant des chrétiens. De très bons savants...

Il se mit à travailler jour et nuit, oublieux de tout lien avec sa communauté d'Alep. Ses élèves s'inquiétèrent. Certains posèrent des fruits et des jus sur son seuil. Ceux qui réussirent à entrer restèrent dans un silence imposant. S'ils questionnaient, il ne répondait pas ; il grognait pour lui-même, écrivait, faisait des gestes d'impatience, passait d'un livre à l'autre dans sa longue bibliothèque. Un matin, bien que rendu de fatigue, jugé à l'article de la mort, il sortit de chez lui avec une petite sacoche. À la surprise de tous, il se mit en route, seul, vers le sud. Vers le désert.

De longues semaines avaient passé et personne ne le vit revenir.

Dans le souterrain, Hincmar secoua sa torche pour mieux l'enflammer et la brandit vers les statues. De gauche et de droite, leurs silhouettes de pierre se mirent en danse sous le jeu défaillant de la lumière. Certaines semblaient l'accompagner de leurs yeux vides, d'autres avaient l'ombre des lèvres qui se retroussait de manière inquiétante. Partout l'immobilité cédait à une vie trompeuse. Un scorpion devenait un vautour, la tête d'un serpent se transformait en loup, un Hermès à oreilles pointues se changeait en Anubis. Les sculptures étaient rongées par le temps et l'humidité qu'on sentait ici plus forte qu'aux degrés supérieurs.

Toutes sauf une.

Hincmar s'arrêta, surpris. Les formes étaient parfaitement conservées, recouvertes d'une épaisse couche de poussière. Le savant se pencha sur son parchemin. Le rouleau était entoilé, protégé par une chemise de cuir rouge. Suivant, feuillet après feuillet, une calligraphie bouclée comme une écriture d'alouette, il ne trouva aucune mention faite de ce nouvel indice. Ses plans suggéraient un passage incliné, mais pas de statue.

Il s'approcha et souffla sur la poussière. Les particules volèrent, laissant deviner le bronze d'origine. Le renflement d'un anneau à quatre faces dessiné à son annulaire rendait le sujet incontestable : c'était un Salomon. Le front grave, le poing tendu, une huppe debout à sa droite, une fourmi rongeant le bas du sceptre. Deux vautours sculptés dans la niche déployaient leurs ailes pour protéger le souverain des rayons du soleil. À la base du trône, Hincmar vit que le statuaire avait fait figurer de gros livres débordant d'une cache hâtivement pratiquée.

L'explorateur souffla pour révéler, pouce à pouce, d'autres détails. Des empreintes de doigts apparurent. Une main. Une main posée sur l'épaule droite de Salomon. Elle n'était ni sculptée ni gravée, mais préservée là, moulée dans la poussière, comme le pas d'un rôdeur sur une langue de sable. À combien de décennies, à combien de générations remontait la preuve de ce prédécesseur ? Personnage lointain qui avait sans doute enduré autant de peines et de privations que lui pour arriver jusqu'ici.

Hincmar plaça sa main gauche au même endroit. Une excitation nerveuse lui traversait le corps. Ses doigts étaient humides, moites ; eux aussi allaient marquer la vieille statue. Il risqua une légère pression. Aussitôt, le bras de Salomon s'abaissa, tirant un grondement du fond de la niche.

La sculpture disparut dans un nuage de cendres si dense que Hincmar crut que son souffle avait éteint le flambeau. Mais la lumière revint peu à peu, avec le silence.

En lieu et place du Salomon, une brèche s'était ouverte, suffisante pour laisser passer Hincmar. Le cœur battant, il essaya de garder l'esprit serein. Il franchit le seuil, inclinant la tête au passage des oiseaux protecteurs.

« La nouveauté ne présage rien de certain, se dit-il. Il faut attendre. Attendre encore un peu... »

L'escalier était si exigu qu'il manquait de se roussir la barbe ou de s'aveugler avec la fumée de sa torche. Il descendit une série interminable de marches. Il piquait droit dans les profondeurs. Au-dessus de lui, un lointain ronflement signifia que la statue reprenait sa place.

« Beau mécanisme de sablier », pensa-t-il.

Soudain ses sandales se posèrent dans une vase froide qui lui glaça les jambes jusqu'aux genoux. Hincmar sentit une odeur puissante, qu'il n'identifia pas tout de suite, mais qui lui bondit au visage. Il dressa son flambeau. C'était une nouvelle chambre. Ici la pierre et la terre étaient plus noires et de lourdes perles huileuses dégouttaient mollement sur les parois en creux. On eût dit une vaste coupole posée à plat. Un courant d'air faisait crépiter les flammes. Des flaques irisées maculaient le sol. Une masse sombre s'élevait au centre de la pièce. Sa forme avait les dimensions d'un tombeau humain.

– En vérité !

Sa voix ne résonna pas.

Malgré son âge et les années passées à lire sous un rien de lumière, Hincmar avait conservé la rétine perçante, vive comme une pierre d'agate.

Jamais elle n'avait autant brillé.

Il s'avança.

Un bloc de minerai brut, recouvert d'une pellicule charbonnée, apparut. On eût dit une pierre de feu, une météorite ou un quartier de lave. Pourtant, sous la cendre noire, il était certain de découvrir de l'émeraude : ses textes et son œil rompu aux gemmes étaient formels. C'était un rocher d'émeraude. Une pierre précieuse plus large qu'un mausolée de barbare.

Il approchait à pas lents.

Son regard fut attiré de côté.

Là, à terre, calées contre un mur, il aperçut deux silhouettes.

Deux hommes.

Assis l'un à côté de l'autre.

C'étaient des squelettes, noirs, figés, comme frappés par la foudre. Leurs os calcinés supportaient quelques restes d'habits anciens. Hincmar reconnut un hausse-col d'Égypte sur le premier et un casque romain sur le second.

Maintenant tout proche de l'émeraude, le professeur reporta ses yeux sur la pierre et repéra une ouverture de six pouces qui semblait conduire en profondeur. Sans attendre, il sortit de sa sacoche un objet roulé dans des étoffes. C'était une sphère, un globe à la rotondité parfaite qui tenait au creux de la main. Elle était aussi composée d'émeraude, finement creusée de stries sur toute sa surface.

Les doigts crispés, Hincmar l'introduisit au niveau de la découpe. La boule était de taille exacte. Elle s'enfonça, émettant un léger frottement : comme un vrombissement d'insecte.

Elle disparut.

Le silence revint.

Hincmar ferma les yeux.

Rien ne se passa.

Il rouvrit les paupières. Le bloc d'émeraude était inchangé.

Il contourna la roche pour comprendre ce qui arrivait, ou plutôt ce qui n'arrivait pas. Là, l'autre face de l'émeraude entra dans la lumière et le visage du musulman se décomposa. Il aperçut deux nouvelles trouées, identiques à la première.

Abasourdi, il revint à son point d'origine et reconnut une quatrième ouverture, à gauche de celle où il avait introduit sa sphère. Trois autres conduits. Trois boules supplémentaires ! Il pâlit. Sa quête entière s'anéantissait devant cette impardonnable erreur. Sa sphère péniblement arrachée aux années d'étude et de fabrique ne suffisait pas. Il fallait trois clefs de plus pour que le sarcophage d'émeraude daigne enfin céder. Quatre sphères pour libérer la Borne de Salomon, « l'Éclat de Dieu ».

Cette nouvelle tâche était au-dessus de ses forces. Il n'arriverait jamais à les façonner à temps.

Ses genoux fléchirent. Il respirait à peine. Las, il baissa sa torche, sa sacoche glissa. Il regarda autour de lui, une lueur dans l'œil, comme s'il eût été encerclé d'une foule de personnages dont il espérait un mot ou un geste de soutien. Mais il ne vit partout que les reflets de sa lumière dans les ténèbres. Les deux squelettes pétrifiés de l'Égyptien et du Romain conservaient leurs bras et leurs poings calés contre le torse, comme s'ils gardaient quelque chose à l'abri.

Le petit vent coulis avait complètement cessé dans la pièce.

Sans émotion, Hincmar observa son visage dans une flaque. Des miroitements violacés dansaient à la surface. L'odeur était toujours aussi entêtante.

Le savant voulut parler, mais aucun son ne sortit de ses lèvres. Il desserra la main ; la torche lui échappa et chuta en plein au cœur des flaques graisseuses.

Les flammes ne se mouchèrent pas comme au contact de l'eau. Au contraire. La rotonde se transforma en une gigantesque boule de feu, consumant tout ce qui s'y trouvait. Il n'y eut pas un cri. L'incendie dura quelques secondes, d'une intensité incroyable ; puis le calme, la sérénité et la nuit reprirent leurs droits dans le souterrain sacré.

Cette loge à la pierre d'émeraude, la plus précieuse, la plus convoitée, avait été creusée au bout du souterrain de la Tour de Salomon sous une nappe de naphte mêlée d'argile. Les très rares qui arrivaient à en profaner la paix sépulcrale entraient toujours dans cette souricière en emportant leur perte au bout des doigts.

En ce matin de l'an de grâce 1097, Hincmar Ibn Jobaïr rejoignait les dépouilles calcinées d'Anhour, prêtre d'Amon du VIIe siècle avant Jésus-Christ, et du centurion Tarquin, serviteur impérial de Marc Aurèle.

Le mystérieux courant d'air reprit son sifflement peu après l'effondrement du professeur. La fumée s'évacua en quelques instants.

Aujourd'hui encore, la Borne restait inviolée.

# Le premier voyage de Hugo de Payns

> À mesure que l'individu progresse en savoir, il
> discerne plus clairement combien est incommensu-
> rable l'étendue de la nature, et, en face d'elle, il
> prend conscience de sa propre insignifiance et de
> son impuissance. De cette reconnaissance il ne
> s'ensuit pourtant pas qu'il cesse de croire à la
> compétence de ces êtres divins ou surnaturels dont
> son imagination peuple l'univers. Au contraire, la
> conception qu'il se fait de leur omnipotence s'en
> trouve rehaussée.
>
> J. G. FRAZIER, *Le Rameau d'Or*

L es craintes de Hincmar au sujet des Francs
n'étaient pas infondées. Après sa disparition, les troupes chrétiennes envahirent
les territoires d'islam. Les loqueteux surpris quelques mois plus tôt par les éclaireurs
musulmans n'étaient que le front décousu de la
première croisade, des « pauvres » sans discipline
qui avaient devancé l'appel du Saint-Père et les
armées des barons. Mais les véritables soldats de la
Croix ne tardèrent pas et le feu chrétien s'abattit
en moins de deux ans sur tous les mahométans. Au
mois de février 1099, on estimait que Jérusalem
serait libérée à l'été.

Dans la ville sainte, les autorités se préparaient au siège. Les chrétiens furent expulsés, les habitants armés, les provisions accumulées dans les magasins, les remparts rehaussés de pierres et de sable pour refouler les tours d'assaut. Jérusalem se retranchait : pas un rat n'aurait pénétré ni quitté son enceinte sans être couché en joue par les archers.

En dépit de cela, ce 3 février 1099, alors que la lumière rasante du matin atteignait à peine les collines voisines, quatre chrétiens, et qui plus est quatre croisés, dissimulés sous des oripeaux de mendiants, arpentaient les ruelles désertes proches du mont du Temple. Bien que leur présence les exposât à une mort terrible, ils avaient atteint Jérusalem à la nuit, avec la complicité d'un juif aveugle qui leur ouvrit un passage près de la porte de Saint-Stéphane.

Le premier des quatre Francs se nommait Hugues de Champagne. Il était l'un des plus grands comtes du royaume de France : son domaine était estimé à cinq fois la fortune du roi. Il appartenait à ces seigneurs libres de dicter leurs lois, choisir leurs guerres et battre monnaie à leur profil. Nombre d'entre eux avaient emboîté le pas aux « marcheurs de Dieu » pour gagner leur gloire ou le salut de leur âme, sinon les deux. Toutefois Hugues, lui, l'avait fait en secret, en simple soldat. Tout le monde le croyait en retraite près de Provins. Il avait vingt-deux ans, le buste d'un lancier de tournoi. Sa foulée était ample et franche, un pas de maître. Il était jeune et aventureux.

L'homme qui le suivait au plus serré s'appelait Hugo de Payns, son vassal le mieux estimé. Plus âgé de sept ans, grand expert en l'art de la guerre, organisateur hors pair, fougueux mais réfléchi, il examinait de gauche et de droite lorsque son maître regardait droit face à lui, et c'était tout dire de la complémentarité qui unissait ces deux hommes.

Le troisième individu, légèrement en retrait, avait une démarche moins martiale. Son nom était Ismale Gui. Il était architecte. Il avait trente ans. Les grands initiés dont il était recouvraient l'Occident obscur d'un manteau blanc de cathédrales. L'architecture était devenue l'art total, le centre de toutes les inspirations, l'outil créatif le plus fécond ; il mêlait le spirituel et la matière, l'Universel reporté aux paramètres d'un plan. Parmi les architectes, Ismale Gui était celui qui présentait le plus de dons. Ses plans étaient tenus secrets, ses symboles comptaient parmi les plus impénétrables, son aura avait la portée d'un grand alchimiste. Il commandait d'une main de fer la Ghilde du Tabor, prestigieuse confrérie d'architectes. À ce titre, il s'était joint au mouvement de la croisade, convaincu que l'Orient avait lui aussi traduit ses mystères divins sur des monuments et que, là, tout restait à découvrir.

Le quatrième homme du groupe était son frère, Abel Gui. Plus jeune, mais plus solidement bâti, il ne quittait jamais Ismale qui était son parent et son maître.

Les quatre intrus étaient précédés de l'aveugle qui les avait introduits. L'homme ne parlait pas. Son visage en lame de couteau était sillonné de rides. Vêtu d'un habit montrant la corde et d'une toque jaune, ossu, il semblait accablé par les ans autant que par les jeûnes. Sa cécité ne l'empêchait pas de guider ces hommes aussi sûrement qu'un soldat dans sa ronde.

Les cinq hommes étaient la seule chose mobile dans ces rues silencieuses. Le muezzin n'avait pas

encore prononcé l'appel de la prière de l'aube.
L'aveugle marcha jusqu'à une très grande maison à
deux niveaux, aux fenêtres comblées de terre sèche
et de chiffons.

– Nous y sommes, dit-il.

Ismale Gui inspecta la façade délabrée.

– Que racontes-tu là ? Ce n'est pas ce que nous
t'avons demandé.

– Par les tables de notre Loi, je jure que cela est.
Suivez-moi.

Il sortit une clef qu'il introduisit sans faillir. La
porte était de triple épaisseur, bardée de clous à
tête carrée.

L'humeur des chrétiens dépeignait leurs caractères tout entiers : Hugues était impatient, Ismale
dubitatif, Hugo de Payns examinait partout pour la
sécurité du groupe et Abel se montrait prêt à se
battre.

Ils entrèrent.

L'intérieur n'avait rien d'un habitat ordinaire.
En plein centre s'élevait le haut d'une tour circulaire dont le mur d'enceinte de huit coudées
emplissait toute la maison. Elle était de pierre très
ancienne ; le vestige d'un autre temps émergé du
sol. La maison le cachait, comme le couvercle d'un
coffre.

Les Francs restèrent sans voix.

– Est-ce elle ? demanda enfin le comte Hugues.

L'architecte confirma d'un lent mouvement du
front. Il s'approcha et effleura de la paume la paroi
grisée du monument.

– C'est elle, dit-il.

– La Tour de Salomon ! s'exclama Hugo de
Payns.

– Je ne comprends pas, reprit le comte. Ce n'est
pas une tour, c'est à peine l'entresol d'un mauvais
fortin !

– C'est bien une tour, monseigneur, dit l'architecte. Elle a été construite il y a plusieurs millénaires. Elle faisait autrefois huit ou neuf mètres de plus. Peut-être davantage. Le reste est enfoui sous nos pieds. Mais il est bien là.

Hugues regarda encore. Il finit en effet par se figurer mentalement le sommet d'une tour assez efflanquée.

Près de lui, l'aveugle restait immobile et silencieux.

– Approchez ! dit de plus loin la voix de Hugo de Payns qui, la main sur l'épée cachée sous son travestissement, avait entrepris l'inspection des lieux.

Le groupe contourna l'édifice et découvrit avec Payns une fente pratiquée dans la tour. Des quartiers et des éclats de pierre gisaient sur la terre battue.

– Ceci est récent, jugea Ismale en introduisant sa tête dans le passage. Cela permet de rejoindre la rampe intérieure de la tour.

Il ressortit, s'agenouilla et saisit un fragment de roche qu'il étudia, fasciné.

– Entre-t-on ? demanda Hugues, toujours pressé.

Ismale acquiesça et s'engouffra dans la brèche. Hugo de Payns et son maître le suivirent, accompagné du jeune Abel, ne faisant plus aucun cas de l'aveugle qui les avait conduits. Celui-ci, après un temps de silence, quitta les lieux et se posta audehors, immobile devant la porte dont il avait refermé le verrou.

À l'intérieur de la muraille, les hommes gravissaient des marches étroites et poussiéreuses.

– C'est incroyable, répétait l'architecte pour lui-même.

Les quatre chrétiens se retrouvèrent au sommet, sur une surface plane, à peu de distance du plafond de la maison.

– À l'époque de Salomon, dit Ismale, cette tour était la construction la plus élevée de la citadelle. Tout ce qui se passait sur cette plate-forme était hors de vue des habitants. La base de la tour était gardée par des factionnaires et des chiens.

L'architecte sortit de sa robe un parchemin roulé dans un épais cuir rouge et le dénoua à même la pierre. Le texte était en arabe.

– Selon lui, il faut...

Mais Ismale s'interrompit.

– Attendez.

Il regarda au sol et tourna sur lui-même. Il pointa du doigt des entailles marquées dans la roche à différents endroits de la plate-forme.

– Hincmar Ibn Jobaïr a reconstitué seul tout l'agencement symbolique de la tour, Dieu sait comment ! Cet homme est prodigieux !

– Ensuite ? dit Hugues.

– Ensuite... ensuite, l'accès est là. Sous nos pieds.

Ismale reprit le parchemin et se mit à déchiffrer une longue suite de symboles et de croquis.

Un mois plus tôt, alors que Hugues de Champagne et ses compagnons étaient entrés dans la ville assiégée d'Alep, comme à chaque nouvelle conquête des Francs, Ismale Gui s'était enquis auprès de la population de l'identité des savants qui habitaient encore la cité. Tous avaient fui, mais un ancien élève de Hincmar évoqua la demeure abandonnée de son maître. Ismale s'y rendit et là, lisant parfaitement l'arabe, il découvrit dans les doubles fonds éventrés de la bibliothèque du professeur quatre énormes manuscrits et des notes qui le stupéfièrent. Il présenta ses découvertes au comte et à Payns. L'intrépide Hugues résolut aussitôt d'abandonner la croisade qui le lassait déjà et de fondre avant tout le monde vers Jérusalem pour vérifier les intuitions de ce « fou » de Jobaïr.

Sur la plate-forme, Ismale se plaça devant des points marqués par des étoiles à huit branches. Selon les entailles dessinées par Hincmar, l'architecte les fit pivoter à la manière de clefs. Cela dura de longues minutes. Les autres chrétiens l'observaient. Ismale vint ensuite se positionner au centre exact de la place. Il défit de sa ceinture un manche de bois noué de linges couverts d'amadou et fit rouler une pierre d'étincelle dessus. La torche s'enflamma. Dès lors, il attendit. Tous le regardèrent, indécis devant cette attitude. Mais un cliquetis retentit. La position où se tenait l'architecte s'enfonça, comme pressée sous son poids. Ismale Gui disparut.

Les trois hommes approchèrent. Ils virent leur architecte au fond de l'ouverture, souriant comme un enfant devant un tour d'ensorceleur. La dalle qui le soutenait venait de s'arrêter sur un palier. Des marches étaient creusées dans la paroi avec un jeu d'étoiles qui permettait de rouvrir le passage depuis l'intérieur.

– Descendez, dit-il. Ce n'est pas terminé.

Les quatre compagnons se retrouvèrent sur le même plan. Là, dans l'éclat nébuleux de la torche, ils aperçurent un escalier qui plongeait dans les profondeurs de la tour.

– Vous rappelez-vous l'adage du roi David que ce brillant Hincmar avait fait graver au-dessus de sa porte à Alep ? demanda Ismale. « *Détourne-toi des lieux où se pressent ceux qui croient qu'ils vont trouver ; quand ils regardent dans les ténèbres, scrute vers le ciel ; lorsqu'ils creusent dans les entrailles du monde, gravit les marches qui conduisent aux nues.* » Salomon, le fils de David, a

bien retenu la leçon. Pour entrer dans son souterrain le plus profond et le plus secret, il ne fallait
pas chercher dans les catacombes, mais monter au
plus haut degré de la citadelle. La mystérieuse
Tour de Salomon, c'était cela : l'entrée du souterrain où le roi avait dissimulé la Borne !

– La Borne, répéta le comte en serrant les
mâchoires. Si cela existe...

– Aujourd'hui, c'est à nous de le savoir, se
réjouit l'architecte. Si tout ce qu'écrit Hincmar à
son sujet est juste, nous tiendrons là la plus grande
découverte qu'un homme puisse accomplir.

– Dans les armées chrétiennes, il y a des exaltés
qui se vantent de venir exhumer des reliques, mais
là...

– La Borne n'est pas une relique, dit Ismale.
D'après les recherches de Hincmar, celui qui la
possède accède à un niveau de connaissances iné-
galé et par là, tient le monde et les hommes dans sa
main.

– Le monde dans sa main ? murmura le jeune
Hugues de Champagne.

– Si elle est si précieuse, elle doit être tenacement gardée, dit soudain Abel.

Tous se regardèrent. Le frère d'Ismale avait vu
juste. Mais Hugues coupa court à la gêne :

– Allons !

Là-dessus, les croisés descendirent de marche en
marche et disparurent dans l'obscurité.

Le plateau de pierre remonta et condamna de
nouveau l'accès.

Dehors, l'aveugle patientait toujours. Il semblait
deviner que ses protégés avaient trouvé ce qu'ils
recherchaient. Il fit un sourire aussi glaçant que
celui d'un masque de cire. Le jour montait. Il
s'écarta de la maison. Les premiers passants

commençaient d'occuper les ruelles. Aussi, là, sans le moindre mouvement ni le moindre mot ou souffle, le juif aveugle disparut. Intégralement. Il n'emprunta pas de passage secret, n'usa d'aucun artifice. Il s'évanouit, à la manière d'un diable, avec cette netteté et cette soudaineté que l'on n'éprouve que dans les rêves.

Seules les marques de ses sandales dans la poussière fine laissaient encore deviner son passage...

# Livre Premier

*Osvaldo Ferrari* : Quelles seraient les différences fonda-
mentales entre les littératures réaliste et fantastique ?

*Jorge Luis Borges* : Puisque nous ne savons pas si l'univers
appartient au genre réaliste ou fantastique, la différence serait
avant tout dans le lecteur, et aussi dans l'intention de l'écri-
vain. Mais malgré cela, selon l'idéalisme, tout est fantastique
ou tout est réel. Ce qui reviendrait au même.

Borges, *Littérature fantastique et science-fiction,*
in *Dialogues inédits*

# I

# Le retour de l'enfant prodigue

> Ce jeune homme entrait dans le monde sans la
> moindre crainte des dangers qui en assiègent toutes
> les avenues.
>
> WALTER SCOTT, *Quentin Durward*

'espace était constellé d'un infini d'étoiles,
certaines grosses comme des têtes d'épin-
gle. De loin en loin, des teintes rouges et
bleues suggéraient des nébuleuses ou d'autres galaxies. Plus proche, une coulée claire dessinait la Voie lactée.

Soudain, dans la nuit, un point cligna, le temps
d'une pulsation.

Un vaisseau arrivait.

L'appareil sortait du chenal des long-courriers
pour se diriger vers une station d'arrivée qui orbitait autour de la planète nommée Tabor.

C'était un petit croiseur assez puissant, capable
de couvrir de longues traites, mais qui ne pouvait
embarquer qu'un seul navigateur. Celui-ci observa
la formule automatisée d'abordage; lentement il
s'engagea sur un bras mécanique qui le conduisit
jusqu'à son quai final. Là, après de méticuleuses

inspections techniques, le pilote put s'extraire de sa cabine et franchir les sas de décontamination.

C'était un jeune homme. Son visage ne marquait pas vingt ans. Sa peau blanche était celle d'un être qui voyageait beaucoup ou qui vivait la plupart du temps sous lumière artificielle. Il était très blond, le front large, les yeux verts. Une combinaison vif-argent sur chrome seyait agréablement à sa silhouette haute et fine. Il se présenta au poste de contrôle de la station pour s'identifier. La salle était vaste et lumineuse, avec des comptoirs en rangs.

– Bonjour, monsieur. Heureux de vous revoir, lui dit l'un des andréides qui servaient à l'accueil. C'est une surprise vraiment. Vous n'étiez annoncé sur aucun de nos carnets d'arrivée.

Le visiteur s'appelait Cosimo Gui. Il était le neveu du fameux architecte Ismale Gui, le fondateur de la colonie qui vivait sur la planète : la Ghilde du Tabor.

– C'est une procédure d'urgence, dit-il. Voyez-en les termes avec le Conseil.

– Nous ferons cela, bien entendu. Bon retour à la Ghilde.

La station orbitale du Tabor appliquait le protocole galactique : aucun vaisseau n'était habilité à se poser sur la surface d'un astre. Pas même les véhicules gouvernementaux. Les voyageurs devaient transiter par une base, hiberner leur croiseur et attendre une nacelle autopilotée pour être conduits à terre. C'est ce que fit Cosimo Gui. Il s'installa dans l'appareil, fatigué par le voyage. Au cours de la descente, il observa le ciel de Tabor qui se déroulait à travers le hublot.

Dépourvue de plateau et d'océan, cette planète était la seule répertoriée à n'être composée que de montagnes. Renflée de forêts, crêtée par des sommets qui scintillaient comme de l'argent, Tabor avait longtemps été jugée impropre à la colonisation. Seize années plus tôt, les pionniers avaient dû proprement « décapiter » un sommet pour accueillir les convois de matériel.

La nacelle de Cosimo Gui atterrit sur le spacioport. En sortant, il refusa d'emprunter le convoi régulier pour rejoindre la citadelle. Il le trouvait trop lent. Il enfourcha un propulseur avec ses deux sacoches de voyage sur le dos et poussa l'engin au ras des arbres. Une légère brume survolait les forêts : il fendit la nue en laissant un long sillage derrière lui.

∞

Tabor était le siège galactique de la plus célèbre des Ghildes d'architectes, les « bâtisseurs de l'espace ». Ses membres avaient été les seuls à investir cette planète hostile où ils réussirent à édifier une citadelle dont le grand air et les défenses étaient vantés partout dans la galaxie. C'était l'unique point de vie de cette planète.

En ces temps du douzième siècle de siècle, l'architecture était de nouveau considérée comme l'art suprême. Sa primauté sur les autres disciplines réapparut au moment où les hommes posèrent le pas sur les premières planètes étrangères à leur système. Les lois de l'architecture, immuables sur la Terre, tombaient à rien dès lors qu'on changeait d'environnement planétaire. Les variations de masse, de vitesse de rotation, de gravité, de bombardement solaire suffisaient pour que l'ensemble des règles soit à redéfinir. Pour dresser des tours, ouvrir des villes, creuser des cités souterraines, bâtir des centres de vie permanents pour l'homme, il fallait se plier aux conditions de chaque monde. Aucune loi n'était applicable d'un système à l'autre. Aussi l'architecture redevint-elle l'art des arts, celui qui exigeait le plus de connaissance et d'inspiration.

Au Tabor, la Ghilde était la gardienne farouche du savoir de ses artisans. Leurs principes de fabrication, leur savoir spatial, étaient tenus à l'abri des profanes et des rivaux. L'immense forteresse était armée et dominait au sommet d'une montagne une chaîne de défilés et de ravins.

Le jeune homme arriva au pied du portail. Devant lui, deux vantaux de bois clair montaient vers le ciel. Des tourelles de vingt toises auraient pu franchir cette entrée. Sans un signe ni un quelconque échange d'identité avec un veilleur, le portail s'ouvrit dans un fracas de gonds. Le voyageur entra, guidant son propulseur à la main.

Au même moment, le nom de Cosimo Gui s'inscrivit sur tous les écrans de contrôle de la Ghilde.

Il fut surpris de ne trouver personne sur la place. Pas une âme. Seul un garde andréide vint récupérer le propulseur.

Cosimo attendit.

« Absentez-vous six années et voilà l'accueil qu'on vous réserve », pensa-t-il.

Il haussa les épaules et avança vers le haut de la cité.

Le cœur de la citadelle ressemblait à un village de l'ère ancienne. Des allées et des maisons à deux niveaux étaient aménagées selon la pente de la montagne. Tout était bâti avec cette roche d'ardoise qui se trouvait sur Tabor, ce qui lui donnait une unité troublante. C'était plutôt rare. De fait, ce n'était pas une cité mais une école. En trois ans, la Ghilde instruisait entre ces murs ses plus jeunes disciples, vêtus d'une robe ample dont la couleur unie les départageait selon leur niveau ou leur spécialité. Cosimo passa devant le fronton des classes de dessin, d'histoire, de géologie, d'ingénierie, de chimie des matériaux. À travers les fenêtres, il reconnut les polyèdres, les équerres, les cordeaux, les sphères, les compas. Mais à sa grande surprise, une paix, un calme inhabituel régnait partout.

Il monta jusqu'au dernier degré de la citadelle, en face d'une bâtisse à pignon aigu plus petite que les autres. Il contempla la façade : les fenêtres étaient condamnées depuis l'intérieur. La maison de son oncle était close et sans vie. Devant la porte d'entrée, comme au grand portail, le jeune homme fut passé au scanner de métabolisme. Son identité reconnue, la porte à diaphragme se déroula dans un souffle.

L'intérieur était sombre, les capteurs de mouvements coupés, aucune lumière n'accompagna les pas du visiteur. Cosimo posa ses bagages, se tourna vers la première fenêtre et libéra un volet.

Tout était immobile et silencieux. Pas un objet ne traînait. Les placards et les tiroirs des commodes étaient scellés par des cachets de cire. Intrigué, Cosimo se dirigea vers l'étage supérieur où l'obscurité reprenait, mais le jeune homme connaissait l'endroit. Il poussa une porte et entra dans une chambre. Comme au rez-de-chaussée, il ouvrit la fenêtre. La maison surplombait la citadelle et visait au-delà des remparts. Il posa ses coudes sur la rambarde, songeur, le regard fixe.

– Pourquoi m'ont-ils demandé de revenir si vite ? Que se passe-t-il ? Personne ne se presse à présent pour venir s'expliquer...

Il se redressa et sentit ses forces qui l'abandonnaient, abattues par les heures du voyage. Il se tourna vers le lit. Sans défaire ses vêtements, il s'allongea et s'endormit comme un moine.

∞

Au réveil, il trouva la chambre rendue à une activité plus ordinaire. La fenêtre était refermée, des lampes bioluminescentes scintillaient faiblement, ses sacoches avaient été montées du rez-de-chaussée et alignées au pied du lit. Le jeune homme s'assit. Une note était posée sur le chevet.

Les autorités de la Ghilde du Tabor l'attendaient au centre de commandement.

Cosimo revêtit une robe claire de disciple et quitta la maison pour descendre vers la cité souterraine. C'était là que se trouvaient les postes vitaux de la Ghilde, à plusieurs centaines de mètres de la surface. Dans la ville, chaque toit possédait une rampe qui piquait loin dans le cœur de la montagne. D'immenses ascenseurs permettaient d'atteindre les niveaux qui constituaient la véritable cité, un univers autonome et indécelable où des milliers de personnes œuvraient. Lorsque Cosimo accéda au degré le plus profond, il reconnut le crépitement familier des instruments de calcul et les croquis de planètes ou de vaisseaux spatiaux. Il marcha jusqu'à un bureau aux parois de verre.

La pièce était vaste. Une table noire trônait au centre, encadrée par huit fauteuils. Quelques meubles bas longeaient les murs transparents.

Le jeune homme entendit des pas qui le rejoignaient.

– Bonjour, Cosimo.

C'était une voix douce, légèrement chevrotante. Il se retourna et aperçut un Taborite d'un âge avancé, vêtu d'une longue robe marine, couleur insigne des professeurs du dernier cycle. Il portait une barbe courte, son crâne était rasé jusqu'au cuir. Il souriait. Son nom était Ruysdael, il était le fidèle second d'Ismale Gui, le Grand Maître Architecte de la Ghilde et oncle de Cosimo.

– As-tu fait bon voyage? demanda-t-il en entrant dans le bureau.

– Oui, merci. Mais la traversée est toujours aussi pénible.

Le vieil homme s'installa dans un fauteuil.

– Nous avons cru que tu aurais besoin de reprendre des forces avant de te parler, dit-il. Il y a longtemps que tu ne t'es trouvé parmi nous.

– Six ans.

– C'est cela. Six ans. Je conservais l'image d'un enfant, je redécouvre un homme. Il va me falloir un peu de temps pour m'adapter.

Il dit cela d'un ton paternel. Ruysdael s'était toujours montré très bon envers le jeune Cosimo.

Trois nouveaux personnages entrèrent dans la pièce, chacun portant la robe noire du Conseil de Tabor. Ils se présentèrent, la mine froide, le regard inquisiteur. Il y avait là le Haut Conseiller, le dignitaire politique le plus élevé de la planète après le Maître Architecte, et ses deux suppléants. Âgés, la peau fortement collée sur les os, leur pose sérieuse tranchait avec la détente de Cosimo; cela ajoutait au malaise immédiat de l'entrevue. Le jeune homme regarda à travers les vitres du bureau et compta les regards qui s'étaient tournés vers la réunion.

– On s'intéresse à mon retour à la Ghilde.

Ruysdael pressa un contact : les parois devinrent opaques.

– En effet.

Tous s'assirent.

Un andréide entra dans la pièce et posa une carafe d'eau et un verre devant chaque personnage, ainsi qu'un coffret près de Ruysdael. Il sortit en refermant le sas. Un silence absolu, presque sous-marin, envahit le bureau.

Le Conseil prit le temps d'examiner son interlocuteur. Cosimo était fort pour son âge, le front carré surplombait un regard intelligent et fixe. Ses traits étaient encore adolescents, mais l'homme paraissait peu impressionnable. On sentait que les études, la méditation et les sciences avaient déjà assis ses premières certitudes.

Ruysdael dit :

– Cet intérêt pour ton retour est compréhensible. Dans quelques jours, nous allons élire le nouveau Grand Maître Architecte de la Ghilde.

Le jeune homme le regarda sans sourciller.

– C'est pour cela que vous m'avez fait revenir ? Il s'est passé quelque chose. Ismale a démissionné ?

– Non.

– Il est malade ?

– Cosimo...

– Il a été renversé ?

– Non, il est mort, Cosimo.

C'était le Haut Conseiller qui avait parlé.

– Assassiné.

Le jeune homme blêmit. Il y eut un long silence.

– Que s'est-il passé ? Qui est le meurtrier ?

– C'est... c'est encore difficile à dire, répondit Ruysdael.

Il pressa un second bouton. Les lumières du bureau se tamisèrent jusqu'au noir : les quatre murs de verre dépoli se transformèrent en larges écrans bioluminescents. Une suite de codes numériques s'afficha. Intrigué, Cosimo les déchiffra sans difficulté. Ils traitaient d'un message dont la date de transmission remontait à une semaine. Les codes laissèrent la place à une image en cours de défragmentation.

– C'est le dernier message que nous avons reçu de ton oncle, dit Ruysdael.

La qualité de la projection était telle qu'elle permettait de s'insérer intégralement dans un événement enregistré. La première image se dévoila autour de Cosimo, de Ruysdael et du Conseil.

Un homme apparut

En dépit de son habit austère qui faisait songer à un juge ou à un évêque, Cosimo le reconnut : c'était son oncle.

Ismale Gui avait maintenant une cinquantaine d'années, le cheveu grisonnant coupé court, le visage creusé. Il tenait dans les mains un petit écran représentant le planisphère assez sommaire de la planète qu'il foulait pour la première fois au moment de l'enregistrement.

– Je ne comprends pas, dit Cosimo. Qu'est-ce que cela veut dire ?

Mais il ne reçut aucune réponse. Le Haut Conseiller lui fit signe de suivre avec attention.

Au-dessus d'Ismale, des vents convergents poussaient des chuintements et des plaintes aiguës. Une trajectoire lumineuse parcourait le ciel à intervalles réguliers. C'était celle de son vaisseau individuel resté en orbite. Le sol avait une couleur noire et vitreuse. La croûte tellurique apparaissait rase comme un étal de travail, érodée depuis des millions d'années par les vents déchaînés. Au sud, un océan verdâtre révélait la rotondité de la petite planète. Ismale observait attentivement autour de lui. Cette terre était vierge et hostile. Pas une plante, pas un seul germe de vie n'avait encore pris racine. Un architecte ne pouvait rêver mieux. Sur ce monde, tout était encore possible. Se substituer à l'évolution du vivant était le fait des grands bâtisseurs dont Ismale faisait partie. Des centaines de chantiers avaient poussé sous ses ordres. Des millions d'humains vivaient aujourd'hui dans des colonies fondées selon l'art d'Ismale Gui.

D'ordinaire, l'architecte était accompagné de disciples et de spécialistes, mais ce jour-là, personne.

– La planète qu'il étudiait ici, dit le Haut Conseiller, ne faisait partie d'aucune commande officielle.

De fait, cette planète nue avait été choisie par Ismale seul. Elle portait le nom de Draguan.

Draguan. Ce nom n'était pas inconnu au neveu de l'architecte. C'était une petite terre isolée dans un système lui-même diablement excentré. Cette planète avait la particularité de n'appartenir à personne, ce qui était peu courant parmi les systèmes reconnus à cette époque. Aucun royaume, aucun seigneur, aucun groupe scientifique n'avait voulu payer le droit d'annexion de cette base. Draguan ne possédait pas de minerai de valeur, elle n'offrait pas d'intérêt stratégique ni militaire. Pour cela, Ismale Gui avait pu l'acquérir à un modeste prix auprès des galactographes.

Sur les parois lumineuses, Cosimo suivait son oncle en train d'accomplir son repérage. Il enregistrait l'analyse des données in situ et notait ses indications à l'intention des ouvriers du Tabor. Les codes architecturaux s'inscrivaient à vive allure ; ses doigts étaient agiles comme ceux d'un peintre accomplissant une œuvre trop longtemps retardée et mûrie de bout en bout. Derrière les froids libellés géométriques sortaient de l'imagination d'Ismale une ville aux rues circulaires, une église à double fond, treize petits points de vie répartis sur toute la planète, ordonnés avec soin. Tel style ornemental serait marié avec tel autre, tel matériau devait être importé à grands frais.

Mais, brusquement, Ismale s'interrompit; il regarda loin devant lui.

Il connaissait Draguan. Depuis plusieurs semaines, il avait fait orbiter des sondes de cartographie. Leurs données étaient formelles : il n'y avait aucune vie, pas même prébiotique, sur les terres émergées de Draguan. Tout était confiné à l'océan primitif.

Pourtant, sur la mire de sécurité de son écran portatif, il vit apparaître deux voyants rouges. Deux êtres. Animés. Accompagnés d'un signal d'alerte. Les points amorcèrent un mouvement symétrique. Ils allaient vite. Très vite.

Droit sur lui.

Cosimo tourna la tête vers Ruysdael et les membres du Conseil; aucun d'eux ne lui rendit son regard.

Le jeune homme vit son oncle se précipiter vers son appareil de descente. C'était une coque translucide qui lui avait servi pour atterrir sur Draguan. Il y chercha un objet de défense. Au cas où. Mais il ne trouva rien. Au reste, quelle raison l'aurait poussé à s'armer sur une planète aussi pauvre que Draguan ?

Il n'avait plus le temps de décoller et de rejoindre son croiseur. Les deux entités étrangères arrivaient.

Leurs appareils s'immobilisèrent à une cinquantaine de mètres. Il y eut un long temps d'attente et de silence. Puis les coques noires et sphériques s'ouvrirent pour laisser deux individus se dégager. Ismale fronça les sourcils.

Voyant ce qu'il voyait, Cosimo fit exactement de même.

Les hommes étaient vêtus de pied en cap d'une combinaison noire et luisante, à la manière des mercenaires du Sud. Ils avancèrent calmement vers l'architecte, sans proférer le moindre mot. Leurs traits étaient dissimulés sous une capuche profonde.

Ismale enclencha la fonction d'alerte de son capteur portable. Les données précédentes et présentes enregistrées sur Draguan étaient consignées en lieu sûr. C'étaient celles-là même que les écrans de Ruysdael lisaient actuellement.

Aucune parole ne fut échangée entre les hommes. Les vents continuaient de hurler au-dessus de leurs têtes. Les inconnus dégainèrent des armes.

Ismale recula de deux pas, mais un double trait aveuglant de particules s'arracha des bouches de feu et vint le percuter de plein fouet. Les faisceaux brouillèrent un temps la retransmission. Lorsque le point fut rétabli, le capteur vidéo était tombé au ras du sol. Le dernier plan fut celui de la botte d'un des assassins en train d'écraser l'appareil. L'écran se grisa à mesure que les coups redoublèrent. Puis le noir envahit le bureau.

La lumière revint lentement, sans qu'aucun ose parler.

– Personne ici ne s'explique cet assassinat, dit enfin Ruysdael.

Cosimo était resté impassible tout au long du film. Il était bouleversé, mais pas un de ses traits ne trahit ses sentiments. Le Conseil savait que les relations de l'oncle et du neveu connaissaient une période de froid depuis quelques années, mais il n'en admira pas moins cette contenance fière chez un homme aussi jeune.

– Quels indices a-t-on sur le crime ? demanda-t-il.

– Aucun, répondit le Haut Conseiller. Nous n'avons retrouvé sur Draguan que sa combinaison, son capteur et son appareil de descente. Nous avons analysé la formule du faisceau d'arme : ce sont des particules d'effondrement. Ismale a été désintégré sur le coup.

– Où conduisent les traces de vol des deux mercenaires ?

– Le vaisseau principal du maître a sans doute intercepté et enregistré leurs coordonnées, mais pour descendre par dégravitation, Ismale avait dû le placer en orbite basse. L'appareil s'est écrasé sur Draguan quelques heures après l'assassinat, avec toutes ses données et bien avant que le message d'alerte nous parvienne pour que l'on puisse dévier sa trajectoire. Nous n'avons aucune autre information. Draguan est une planète trop isolée pour être sous la surveillance d'un gouvernement ou d'une confédération voisine. Ton oncle l'avait choisie pour ces mérites. Ils lui ont été fatals. Nous n'avons aucune trace de ses assassins.

– Pas de relevé spatial, pas de témoin. Le meurtre parfait en quelque sorte. Qui savait qu'il travaillait dans ce secteur ?

– Tout le monde, dit Ruysdael. Le fait que la Ghilde se porte acquéreuse d'une nouvelle planète avait fait grand bruit. Mais Ismale était resté très secret à son sujet. Il pilotait seul cette entreprise. Ce qui était nouveau, mais pas étonnant. Depuis quelque temps, beaucoup de choses changeaient dans ses habitudes.

Ruysdael se tourna vers le Haut Conseiller, qui reprit :

– Nous pensons que ton oncle préparait quelque chose. Une sorte de voyage.

– Un voyage ? Pour la Ghilde ?

– Non. Un voyage personnel.

– Il ne s'en est jamais ouvert à nous, ajouta Ruysdael en hésitant. Aussi... mais nous avons surpris quelques-uns de ses préparatifs. Et puis des hommes sont venus au Tabor.

– Des hommes ?

– Des chevaliers. Nous n'en avions jamais aperçu de la sorte autour du maître. Les guerriers faisaient rarement appel à ses services, l'architecture militaire ne l'intéressait pas. Pourtant ils étaient présents. Huit ou neuf chevaliers. Leurs conversations se sont déroulées à huis clos, dans sa maison.

Ruysdael évoqua brièvement ces hommes accueillis par le maître avec des faveurs inhabituelles ; jusque-là, même des dignitaires ou de riches clients n'avaient pu obtenir autant d'attention de sa part en arrivant au Tabor. Certains de ces chevaliers revinrent. Mais personne ne découvrit de quel chantier ni de quel projet ils s'entretenaient.

– Et les préparatifs de voyage ? demanda Cosimo.

– Surtout des classements. Ismale rangeait ses textes, ses épreuves de travail. Il ordonnait ses livres, se débarrassait de certaines affaires courantes. Il brûlait aussi. Je l'ai vu faire disparaître des manuscrits et des dessins.

– À côté de cela, de nombreux colis ont quitté le Tabor, dit le Haut Conseiller. Il les empaquetait lui-même et les conduisait sous sa garde jusqu'au spacioport.

– Des colis ?

– Des livres essentiellement. Des Disk de données et des manuscrits anciens. Nous sommes certains qu'il ne les cédait pas à une bibliothèque ou à
une université, ils étaient trop rares et trop précieux à ses yeux pour qu'il s'en défasse. Nous pensons qu'il les envoyait rejoindre son point
d'appareillage.

– Quand tout cela a-t-il commencé ?

– Il y a un peu moins d'un an, dit le Haut
Conseiller.

Cosimo réfléchit ; durant cette année, pas une
seule fois son oncle n'avait évoqué ces préparatifs.

– Dernièrement, Ismale déclinait tous les nouveaux chantiers qu'on lui proposait, dit Ruysdael,
les renvoyant sur ses élèves. Lorsque je l'ai interrogé sur ce comportement, il a éludé la réponse.
C'est incontestable, pour une raison connue de lui
seul, et peut-être de ces chevaliers, il comptait terminer son œuvre sur Draguan et abandonner le
Tabor et la Ghilde. Pour longtemps.

Il y eut de nouveau un silence.

– Inutile de chercher une piste ici, reprit le Haut
Conseiller. Tout le monde l'aimait et le respectait.
S'il faut imaginer une raison à sa disparition, nous
ne pouvons nous empêcher de songer à ce voyage,
à ces rencontres, à ce mystère qu'il gardait pour
lui.

– Aujourd'hui, que sait-on de ce prétendu
voyage ? demanda Cosimo.

Ruysdael ouvrit le coffret que l'andréide avait
posé près de lui où un parchemin était roulé dans
un cuir rouge accompagné de quelques feuillets
épars. Il saisit le tout et l'étendit devant Cosimo.

Il y avait dans le rouleau des cartes géo-
graphiques et des dessins mystérieux de sphères.

À la lecture des cartes, pour la première fois, un trait de surprise traversa le front du jeune homme.

– Comment ? Un pèlerinage ? s'exclama-t-il. Il partait en pèlerinage ?

Ruysdael oscilla la tête. Pour lui aussi, cette révélation était étrange. Ismale n'était pas un croyant assidu. Il avait seulement suivi dans sa jeunesse ses propres cultes, autour du roi Salomon pour la plupart, qui l'avaient tous échaudé. On savait qu'il s'était rendu en Terre sainte une vingtaine d'années auparavant aux côtés du comte Hugues lors de la Grande Croisade, mais rien n'avait jamais laissé entendre son intention d'y retourner.

– Ces papiers sont authentiques ? demanda Cosimo.

– Ils le sont. J'ai passé les quatre derniers jours à tracer les autres colis qui avaient quitté le Tabor. Ils ont rejoint la suite d'un certain Hugo de Payns, en route pour la Planète des Origines. Payns est un chevalier. Peut-être un de ceux qui sont venus ici.

– Et ces documents ?

Cosimo montra le coffret.

– Nous les avons retrouvés alors qu'ils étaient expédiés vers Troyes, la lune de départ du pèlerinage. C'était le dernier envoi d'Ismale, le jour même de son envol pour Draguan. Mais nos hommes ont dû se battre pour les récupérer. Des inconnus voulaient eux aussi s'en saisir. Sans doute des voleurs de chemin. La Ghilde a eu finalement gain de cause.

– Que contiennent-ils ?

– Ce sont des plans de souterrains annotés en arabe et des dessins de sphères. Ils n'appartiennent pas au registre de la bibliothèque du maître.

Sur la couverture rouge, Cosimo vit un titre en arabe et lut en dessous, reconnaissant l'écriture de son oncle, le nom de Hincmar Ibn Jobaïr. Il lui était inconnu. Il ignorait aussi qu'Ismale lisait l'arabe.

– Que pense Alp Malecorne de tout cela ? demanda-t-il. Il doit être au courant. C'est lui qu'il faut interroger en premier.

Alp était le disciple favori d'Ismale. Sans doute l'homme qui le connaissait le mieux. Ruysdael hocha la tête. Les trois hommes du Conseil échangèrent des regards embarrassés.

– Alp n'est plus parmi nous, dit Ruysdael. Ton oncle l'a exclu de la Ghilde il y a un an. Brusquement. Nous ne l'avons pas revu.

– J'ignorais cela. Pourquoi ?

Le vieil homme haussa les épaules.

– Alp est parti et n'est jamais revenu. Nous ne savons rien de plus.

– Mais vous savez où il se trouve ? insista Cosimo.

– Une enquête est en cours. Alp fait évidemment partie de nos premiers suspects. André de Montbard doit arriver chez nous sous peu. C'est lui qui a la charge d'élucider le meurtre d'Ismale. Il est réputé pour ses dons de limier. Il t'en dira davantage.

Le Conseil questionna encore Cosimo sur divers points d'ordre familial. Mais Cosimo n'avait rien à répondre qui pouvait éclaircir l'affaire.

– Mes communications avec Ismale étaient limitées à mon parcours scolaire.

Hormis quelques points qu'ils connaissaient déjà, les Taborites ne tirèrent rien de lui.

– Quelles sont tes intentions ? demanda le Haut Conseiller. Comptes-tu rester au Tabor ?

– Je ne sais plus. Tout est très confus à présent. Je dois réfléchir. Quand aura lieu l'élection du nouveau maître ?

– Dans dix jours. À la fin de la période de deuil.

– Alors je vous répondrai avant ce jour.

– Bien.

Les suppléants du Haut Conseiller lui firent signer quelques papiers administratifs, puis ils quittèrent tous les trois le bureau.

Il y eut un moment de silence entre Cosimo et Ruysdael.

– Je suis désolé, dit ce dernier. Vraiment.

– C'est étrange pourtant.

Le garçon demanda qu'il lui rediffuse l'enregistrement de l'assassinat. Ruysdael relança les images et Cosimo ne manqua aucun des détails de la planète, ni des mouvements de son oncle.

# II

## La Sainte Famille

Au temps de Noé et au temps d'Abraham
Et à celui de David que Dieu aima tant,
Le monde était bon ; jamais il ne sera aussi vaillant
Il est vieux et frêle, en tout il décline :
Ainsi il a empiré, tout bien va cessant.

THIBAUT DE VERNON, *La Vie de saint Alexis*

En cette nuit d'été de l'an 1118, une petite embarcation de pêcheur en provenance d'Irlande aborda sur une rive du comté de Bretagne. Elle emportait six personnages ; quatre d'entre eux passèrent sur la grève : un homme, une femme et deux enfants. Soulevant chacun un sac et un bâton de pèlerin, ils s'engouffrèrent sur une sente qui gravissait la falaise en surplomb.

Plus bas, en dépit de ses joints rongés de sel et fatigués par les tempêtes, le bateau reprit la mer sans attendre.

Ces débarquements se répétaient depuis plusieurs semaines, de jour comme de nuit, en tous points de la côte. Les Anglais et les Irlandais les plus modestes, ceux qui ne pouvaient payer leur passage sur les navires officiels, s'aventuraient sur les flots pour rejoindre le continent. Certains

53

allaient jusqu'à confectionner eux-mêmes des cha-
loupes; d'autres, plus chanceux, troquaient une
place avec des pêcheurs transformés en passeurs
clandestins.

L'annonce du grand pèlerinage de Troyes pour
Jérusalem était à l'origine de ces mouvements.
L'appel du comte Hugues de Champagne s'était
répercuté dans toute l'Europe et les fidèles répondirent enthousiastes. Chaque pénitent, quel que fût
son pays d'origine, s'efforçait de rejoindre la ville à
temps pour le grand départ.

C'était l'objectif de cette famille irlandaise qui,
pour arriver jusque-là, avait essuyé de grands
coups de lame et manqué de chavirer quatre fois.
Elle portait le nom de Columban, originaire d'une
paroisse de la péninsule de Corca Duibhne. Le
chef de famille était un homme de la terre, rudement bâti, le visage constellé de points de rousseur,
les cheveux d'un rouge fulgurant; il s'appelait
Létald. Sa femme, Rowena, l'accompagnait, ainsi
que leurs enfants : Tescelin, le garçon de onze ans,
et Anx, l'aînée, âgée tout juste de quatorze ans.
Ces deux derniers avaient hérité de la blondeur de
leur mère et de sa peau lisse et claire. Tescelin
avait encore la mine joufflue, enfantine; Anx montrait déjà toutes les qualités d'une femme. Elle
avait gardé la grâce immaculée des jouvencelles, la
silhouette fine et bien proportionnée, et on sentait
à la voir un charme inexprimable, mais son œil
avait perdu l'éclat rêveur des enfants. Elle trahissait, tant dans sa démarche que dans son maintien,
une intelligence précoce. Elle pouvait avoir le
regard subitement fixe et redoutable.

La vie des Columban était de celles qui réjouissaient les curés avides d'exemples à présenter en
chaire. Ces chrétiens n'espéraient qu'en leur salut

et avaient tout abandonné pour répondre à l'appel de la Terre sainte.

Ainsi, comme des milliers de frères et de sœurs, ils se conduisirent à pied, de pays en pays, de domaine en domaine et de bois en bois. Plus ils convergeaient vers la Champagne et la ville de Troyes, et plus les routes se chargeaient d'hommes et de femmes remarquables à leurs longs chapelets, poussant des charrettes pleines d'enfants et de grand-mères, l'air gai et toujours une prière en train.

En dépit de cette affluence, levés tôt et couchés tard, les Columban se retrouvaient souvent seuls sur les routes. Un soir qu'ils avançaient isolés sur un sentier de forêt, ils virent cinq étrangers montés sur des baudets arriver en face d'eux. Ils n'avaient rien de commun avec les pénitents déjà rencontrés ; ils étaient crasseux, la mine déterminée, le cuir des chausses vieilli par le frottement des armes et les taches de sang.

Le plus gros d'entre eux prit la parole, avec le ton sec d'un petit chef. Il était le seul à avoir sa monture propre, les quatre autres se partageaient deux ânes courts sur pattes.

– Seriez-vous des pèlerins pour la Terre sainte ? demanda-t-il. Montrez-nous vos étoffes.

Létald serra le poing. Il savait ce que recherchaient ces brigands. Les étoffes étaient des croix de tissu bénites par les évêques qui, selon le sigle qu'elles comportaient, attribuaient à leur propriétaire une place dans tel ou tel convoi officiel du pèlerinage. Les fidèles les conservaient pieusement sous leurs linges, à la place du cœur. Elles étaient appréciées des détrousseurs qui les revendaient au prix fort à ceux qui n'avaient pu s'assurer une place au départ de Troyes.

– Allons, ne nous force pas à venir dégrafer ton gilet.

– Auquel cas, nous n'emporterions peut-être pas que les croix, ajouta un deuxième brigand en lorgnant du côté d'Anx et de sa mère.

Létald s'écarta, haussant son bâton de pèlerin. Sur un signe du chef, les cinq hommes posèrent pied à terre. Ils libérèrent leurs armes. Tescelin se blottit contre Rowena qui lui fit un voile de ses mains blanches. Anx, les dents serrées, resta à regarder fixement les marauds s'avancer.

– Allons, ne fais pas l'entêté, reprit le gros. Tu n'es pas de taille, nous sommes sans pitié et tu risques de finir le crâne et le corps à trois pas l'un de l'autre. Au reste, nous sommes aussi en partance pour Jérusalem, nous n'allons pas nous mutiler entre pénitents !

Létald secoua la tête, d'un air de mépris.

– Qu'est-ce qui te chagrine ? s'exclama le brigand. Que nous soyons des chrétiens qui pillent et qui tuent ? Il est dit que l'on doit se présenter en Terre sainte l'âme aussi claire qu'une eau de source. Vrai, il n'est rien dit de l'état au moment du départ ! Neuf mois de voyage, cela nous laisse quelques semaines avant les premières contritions.

Il voulut approcher de la poitrine de Rowena, mais un mouvement vif du bois de l'Irlandais manqua de l'atteindre au visage. Il recula. À l'instant, la jeune Anx brandit son propre bourdon et le frappa au niveau des reins. Tout fut consommé en un éclair. L'homme s'effondra en hurlant. Ses compagnons se précipitèrent. Enragés, ils allaient répondre aux deux Irlandais lorsque, au même moment, des bruits répétés, des déplacements dans les bois, des brindilles brisées, des respirations de bêtes se mirent à tournoyer auprès du chemin. La lumière horizontale du soir semblait tomber plus vite que d'ordinaire, les ombres s'étendirent. Les quatre brigands debout s'immobilisèrent.

Au bout du chemin, une silhouette apparut, avançant vers eux. On ne pouvait deviner s'il s'agissait d'un homme seul ou s'il était accompagné.

– Qu'est-ce que cela? demanda l'un des brigands.

La forme avançait.

Un homme à cheval.

– Je n'ai pas trop envie de le savoir, dit le chef, qui voyait au-dessus de lui la forêt battre comme sous une tempête alors qu'il n'y avait pas un brin de vent. Ne restons pas là. Cela sent le diable. Redressez-moi, vous autres.

Ils l'aidèrent à se mettre en selle et déguerpirent en maugréant.

Les Columban ne saisirent rien à ce qui venait de se passer. Autour d'eux, le calme se rétablit, aussi paisible qu'un instant auparavant; la lumière retrouva son niveau de clarté comme après le passage d'un orage. La silhouette approcha. C'était un homme très âgé. En selle sur un cheval gris. Aveugle. La figure creuse et ascétique, passée comme du plâtre jaunie, couverte de petites rides. Le cheval s'arrêta devant les Columban qui lui barraient involontairement le chemin.

– Qui que vous soyez, pouvez-vous vous écarter? demanda l'aveugle avec politesse. C'est mon cheval qui me conduit et il n'aime pas à bousculer les étrangers.

Létald fit un geste et la famille exécuta un pas de côté. La monture reprit sa route.

– Merci, dit l'homme.

Là-dessus, il s'éloigna et s'évanouit dans le soir aussi sereinement qu'il était apparu.

– Cela est bien mystérieux, murmura Rowena. Ne dirait-on pas une sorte de saint ? Et ce brigand qui parlait du diable !

– Remercions seulement le ciel qu'il ne nous soit rien arrivé, dit Létald, et n'essayons pas de comprendre ce qui n'est pas pour nous.

Il lança un regard terrible vers sa fille, indiquant qu'il n'appréciait pas du tout son intervention dans la bataille. Anx baissa le front.

– Sur ta vie, ne refais jamais cela, lui dit-il. Pendant le voyage qui doit suivre, je t'interdis de te faire remarquer. M'entends-tu ? Tu ne dois pas t'exposer. Cela est trop dangereux.

– Père, protesta Anx en levant la tête.

– Jamais !

La fille rebaissa le regard.

La troupe s'agenouilla, récita un psaume, se signa, la main droite posée sur leur cœur et leurs étoffes bénites, et reprit sa longue marche vers Troyes et Jérusalem.

∞

Quelques jours plus tard, lors d'une halte à quinze lieues de la ville de Bar, Anx descendit vers le grand lac de Source-Dole, au petit matin. Le reste de la famille dormait sous le gîte sauvage qu'elle avait aménagé pour la nuit. D'ordinaire, la jeune fille prenait son bain avec sa mère, mais aujourd'hui, elle avait été réveillée tôt, la région était déserte, les Columban n'étaient pas accompagnés de pèlerins, la rive restait à portée de voix en cas d'incident : Anx alla au lac sans inquiétude.

L'onde était paisible. L'horizon blanchissait à peine. Une brume survolait à hauteur de poitrine toute l'étendue limpide et laquée. Bien assurée d'être seule, Anx se défit de son bliaud et de ses linges, se retrouva nue et se coula dans l'eau froide. Le tressaillement ne la fit pas reculer : les eaux de ce pays étaient douces comparées à la morsure glacée de celles du village d'Irlande où elle avait grandi. Anx scruta une dernière fois autour d'elle : sous la brume, personne ne pouvait la surprendre. Elle plongea et nagea de longues minutes.

Tout ce temps, le jour montait.

La jeune fille se laissait porter à la surface, à une cinquantaine de brasses de la rive ; seuls le bruit de son souffle court et un léger clapotis l'enveloppaient. Mais soudain, elle se recroquevilla tout entière. La brume s'était dissipée ; une silhouette apparut. De l'autre côté du lac, une forme se déplaçait lentement. Anx retint sa respiration, le visage englouti à moitié sous la ligne d'eau. Elle distingua bientôt la carrure d'un cheval qui s'abreuvait. Il cachait peut-être un bataillon. Anx voulut s'effacer sans être découverte, mais la robe de l'animal lui revint subitement en mémoire. C'était une haute monture grise, la même que chevauchait ce mystérieux aveugle qui les avait sauvés des brigands.

Au lieu de s'éloigner, elle décida de traverser le lac et d'en découvrir plus sur l'étrange personnage. Elle se convainquit qu'un homme seul et aveugle ne pouvait guère de mal contre une fille capable de fendre l'onde à toute vitesse. Même un soldat encombré de ses fers et de ses pelisses ne parviendrait jamais à la rattraper. Elle avança sans bruit.

Ce tempérament boutefeu n'était pas un caprice du moment. Létald et Rowena avaient souvent eu à souffrir du caractère de leur fille. Un jour de ses neuf ans, elle apprit par son père qu'une brebis avait disparu du troupeau familial. Alors que les adultes avaient renoncé à retrouver la bête, la jeune Anx partit seule, au couchant, déterminée à la rattraper. Après la brebis, la région se mit à traquer la petite fille. Elle fut tout aussi introuvable. Ce n'est qu'au troisième jour qu'elle reparut, avec l'animal, rieuse et pleine de vie, un peu fière du coup qu'elle venait de jouer à son monde. Une autre fois, sur ses douze ans, elle entendit parler de l'apparition magique d'un vieux moine irlandais mort depuis un siècle, en haut d'une colline de la région. Sans hésiter, elle partit s'assurer de la véracité du conte. La colline se trouvait à plus d'une semaine de marche. Elle revint au foyer en ayant accompli son voyage, un peu fatiguée mais sans mal. Elle décréta que cette histoire était une fadaise et qu'un moine qui voudrait se montrer depuis l'au-delà devrait se choisir un meilleur endroit que ce pauvre mamelon dégarni où l'herbe elle-même se racornissait d'ennui...

Anx franchit lentement l'étendue qui la séparait du cheval. Elle nageait de traverse afin d'atteindre la rive à l'écart de l'endroit où devait gîter l'Aveugle. Elle voulait s'assurer qu'il était seul. Prudemment elle posa le pied sur le bord vaseux, baissant la tête, prête à regagner l'eau au moindre danger. Elle fit trois pas, dissimulée par un vêtement de broussailles. Sa peau ruisselait, ses cheveux dorés assombris ressemblaient à de la paille humide.

Près du cheval, la rive était déserte. Seul un petit feu brasillait qui surprit la jeune fille. Elle ne vit aucune branche, aucun bois en train de se consumer. Un tas de cendre semblait animer les flammèches rouge et bleu. Des marques de pas prouvaient qu'un homme était proche. Anx finit par discerner un échange de paroles. Si l'Aveugle était là, il n'était plus solitaire.

– Je n'ai besoin d'aucune aide, dit une voix qu'Anx reconnut pour celle d'un vieillard.

– Où allez-vous, l'ami ?

Ce ton était plus grave et annonçait un homme dans la force de l'âge.

– Je vais où mon cheval me porte. Je n'ai pas de destination particulière.

À ce moment, Anx découvrit les deux hommes qui avançaient vers le feu. Au premier coup d'œil, elle reconnut la figure marmoréenne de l'Aveugle de l'embuscade. À côté de lui, un homme d'une cinquantaine d'années lui soutenait le bras. Il avait une barbe fournie et un visage aussi hiératique que son voisin. Il était vêtu d'un mélange inaccoutumé d'attributs militaires et de haillons propres aux mendiants ou aux moines reclus. Un cheval puissant reprenait son souffle derrière lui.

Cet homme était Hugo de Payns. Il avait à présent quarante-huit ans, toujours au service de son maître, le comte Hugues de Champagne. Ce dernier lui avait enjoint de rejoindre secrètement la vallée de Clairvaux où officiait un nouvel abbé. C'était sur cette route qu'il avait croisé le vieil aveugle et s'était arrêté pour lui venir en aide.

– À vous dire le vrai, dit ce dernier, je cherche la paix. Les routes sont infestées ces temps-ci, encombrées de pèlerins et de marcheurs. C'est invivable pour un vieux malade comme moi. Alors je m'écarte des chemins. Je guette un coin de silence et de repos.

– En ce cas, je m'en veux de troubler votre retraite, protesta Hugo en faisant mine de repartir.

– Mais je sens à la sueur piquante de votre cheval que vous avez chevauché toute la nuit. Ne me quittez pas ainsi, vous me vexeriez. Venez partager une galette de son. Les errants comme moi sont soumis comme les autres aux devoirs de l'hospitalité. Je serais fâché de ne pas honorer la coutume.

– Merci, j'ai ce qu'il me faut.

L'Aveugle avança comme s'il n'avait pas entendu. Hugo regarda le soleil montant et se résolut à rejoindre le feu. Les deux hommes s'accroupirent. Ils étaient si près d'Anx qu'elle ne pouvait plus hasarder le moindre mouvement sans risquer d'être découverte. Elle frissonna, inquiète.

– Au pas de votre monture, dit l'Aveugle en donnant une tranche de pain à son hôte, je devine que vous remontez le chemin des Pleureuses.

– Le chemin des Pleureuses ?

– Celui-là même qui vous a conduit à travers la forêt jusqu'ici et qui longe ce lac avant de redescendre vers le sud.

– J'ignorais qu'on lui donnait ce nom.

– C'est un baptême tout récent. Si vous suivez cette route sans quitter le sud, elle s'achèvera à la porte d'une petite abbaye qui s'est construite nouvellement.

– Eh bien ?

– Ce lieu de piété est assez redouté dans la région, surtout des femmes. On rapporte qu'un jeune abbé y officie et que tous les hommes qui tombent sous le feu de ses discours se retrouvent convertis dans la journée ; ils abandonnent le siècle et partent grossir les rangs de son ordre. Il en impose tant que les mères interdisent à leurs fils de chasser dans cette région, les épouses retiennent leurs époux et leurs amants, les sœurs craignent pour leurs frères, et les filles pour leurs pères.

– En effet, je marche vers la nouvelle abbaye de Clairvaux, dit le chevalier. Mais je n'ai aucun désir de me laisser séduire par l'abbé Bernard, quelle que soit son éloquence. J'ai d'autres plans. J'appartiens à cette masse de pèlerins qui vous sont si importuns.

– Allons, c'est donc à Jérusalem que vous vous destinez ?

L'Aveugle dessina des figures géométriques sur la terre avec le bout de son bâton.

– Si vous avez l'illusion, comme d'autres avant vous, de recueillir la bénédiction de Bernard de Clairvaux pour votre marche, reprit-il, vous vous en retournerez avec la satisfaction d'avoir rencontré un grand homme, mais sans qu'il vous ait rien cédé d'autre que ce haut sentiment de sa personne.

– Vous le connaissez ?

L'Aveugle hocha la tête.

– Sa famille est célèbre dans la région. De bons guerriers. Des femmes courageuses. Vous savez, à mon âge, il suffit de se remémorer le père et le grand-père pour décrire, tout tracés, la vie et le caractère du dernier rejeton. Les filiations humaines marquent rarement par leur originalité. Au mieux, elles se contentent de ne pas dégénérer.

L'Aveugle releva le front. Anx crut un instant que le blanc de ses yeux était concentré sur elle.

– Allons, reprit le vieillard. Vous allez à Jérusalem, vous ne pouvez qu'être pressé et je m'en veux à présent de vous avoir retenu. Le soleil vient. Je vais reprendre ma route.

– Comment faites-vous pour vous orienter ?

– La fortune a bien voulu ne pas me plonger intégralement dans la nuit. Je perçois assez de lueur pour suivre le cours du jour. Mon cheval connaît les sentes du pays. J'atteins souvent ma destination avant des cavaliers plus jeunes que moi, qui, parce qu'ils ont les yeux bien ouverts, s'égarent pour des vétilles. La vue n'est pas toujours le meilleur allié de l'esprit.

Le chevalier se releva.

– Je tâcherai de me rappeler le conseil. Quel est votre nom ?

– Clinamen.

– Clinamen ? C'est un nom qui ne s'oublie pas. Merci pour le pain. Je peux vous abandonner sans remords ?

Le vieux fit un signe affirmatif.

– Comme vous avez jugé bon de ne pas vous nommer, lui dit-il, je présume que vous êtes quelque grand seigneur qui chemine sans sa cour en secret. Je connais les hommes. Vous pouvez me laisser. Mais, si un jour vous entendiez que le bon Clinamen est en peine, mandez-lui quelque aide. Ce sera une belle façon de vous faire connaître.

Hugo de Payns sourit.

– Compliment, dit-il, vous êtes perçant comme un Chaldéen.

– Un devin ? Non, non, un homme comme les autres. Il suffit d'écouter ; c'est un don qui est consenti à profusion aux aveugles. Nous écoutons. Mieux : nous entendons. Au demeurant, à votre place, messire, si c'est à Clairvaux que vous vous transportez, j'abandonnerais ce chemin des Pleureuses. Je renoncerais à passer par Gyé et je remonterais un peu plus loin vers Bar.

– Mais c'est doubler la distance !

– L'important ce n'est pas d'aller, mais d'arriver. Ce n'est qu'un conseil, au vrai vous êtes libre.

– Je ne suis pas assez superstitieux pour m'inquiéter d'un simple oracle, dites-moi ce que vous avez entendu, cela sera plus clair.

– Non, non. Votre choix de route, c'est à vous de l'arrêter. Bonne course, l'ami.

Il tourna la tête et ne fit plus attention à Payns, effleurant le sol avec son bâton.

Celui-ci le regarda. Cet aveugle lui rappelait le vieux juif qui l'avait fait entrer dans Jérusalem vingt ans plus tôt. Le même air absent et énigmatique. Les mêmes yeux. C'était un sentiment étrange. Il se hissa sur sa monture.

– Que Dieu vous conserve en sa bonne garde, lança-t-il.

Il haussa les épaules devant le silence de l'Aveugle, ramena sur son visage un masque de course couvert de poussière et piqua des deux. Il disparut. Son cheval rendit un son roulant dans la forêt.

L'Aveugle étira ses bras et se releva. Au bord de l'eau, il flatta le col de sa monture en répétant la phrase du chevalier, imitant son ton ferme et assuré.

– Je ne suis pas assez superstitieux, je ne suis pas assez superstitieux. Nous verrons cela.

Anx profita du recul de l'Aveugle pour chercher à fuir. Elle regarda le chemin qu'avait emprunté le chevalier, puis revint vers le vieillard afin de décider du moment.

Mais l'Aveugle avait disparu.

Avec son cheval.

Le feu était éteint. Il n'y avait plus la moindre trace du foyer. Pas un seul résidu de cendre. Effarée, la fille plongea dans le lac comme une flèche et retourna à tour de bras vers l'autre rive où elle se rhabilla fébrilement. Autour d'elle, le jour avait bouleversé tout le paysage. Elle pensait sortir d'un rêve.

Elle ne raconta rien de son aventure à sa famille, de peur d'avoir été le jouet d'une vision. Pourtant, alors que son souvenir du matin s'estompait et qu'elle arrivait avec les siens aux abords de Gyé, elle apprit qu'une bande de six mercenaires, habillés en noir, le visage dissimulé sous un capuchon, cherchaient un chevalier accoutré comme un mendiant, avec une barbe épaisse. Ils interpellèrent tous ceux qui ressemblaient de près ou de loin à ce signalement. L'un d'eux fut même près d'être égorgé. À la tombée de la nuit, ne voyant personne venir, ils abandonnèrent. Anx se dit que l'inconnu qui se dirigeait vers le père Bernard et sa nouvelle abbaye de Clairvaux ne saurait sans doute jamais qu'en suivant le conseil fantasque d'un vieillard qui s'évanouissait sous l'azur il avait peut-être sauvegardé sa liberté, sinon sa vie.

La jeune fille était enchantée. Le chemin de Dieu commençait à tenir ses promesses. Elle savait que ce voyage jusqu'à Jérusalem devait lui présenter des phénomènes plus fabuleux encore que l'épisode de l'Aveugle. Elle était persuadée qu'un pèlerinage ne pouvait être qu'une suite ininterrompue de miracles.

Cette nuit-là, elle pria avec plus de conviction que jamais, sollicitant des anges et des saints qu'ils ne lui cachent rien de leurs puissances et de leurs feux.

# III

## Le Djinn châtié

> Vouloir toujours de volonté unique et certaine,
> c'est le signe du sage ; l'inconstance de vœux est la
> preuve de sottise la plus flagrante ; je ne cesserai
> pas de répéter ce mot de Sénèque : « Pour qui ne
> sait quel port gagner, il n'y a pas de vent favo-
> rable. »
>
> PÉTRARQUE, *La Vie solitaire*

Toute la citadelle du Tabor bruissait de la prochaine élection du Grand Maître. Les architectes avaient été rappelés des confins de la galaxie pour participer aux assemblées. Partout, les conversations étaient passées de l'assassinat d'Ismale aux pronostics sur son successeur.

Cosimo n'y participa pas. Il demeura la plupart du temps dans la maison de son oncle, au sommet de la cité. Là, il réfléchissait à la réponse à rendre au Conseil sur son avenir, il songeait au meurtre et s'acquittait des démarches concernant l'héritage d'Ismale Gui.

Cosimo était son dernier parent. Le jeune homme était le fils unique du frère de l'architecte, Abel, et il naquit en Terre sainte lors de la Grande Croisade. Il ne connut jamais ses parents qui périrent dans une embuscade de mahométans quelques jours après sa naissance. L'enfant fut confié à Ismale qui l'éleva comme son premier-né. Lui-même n'eut jamais ni femme ni autre héritier. L'oncle et le neveu s'entendaient à merveille ; le grand architecte l'emmenait sur ses chantiers, il lui présentait les maquettes et les prototypes de la Ghilde. Cosimo vénérait cet homme qui semblait connaître le fond de toutes les choses mais qui restait curieux, vif et pressé d'apprendre. L'intelligence de Cosimo était telle que l'envisageait Ismale : « Un esprit pénétré n'est pas celui qui sait, mais celui qui sait faire parler ceux qui savent. N'apprends pas, observe et interroge. » Cosimo retint la leçon. Son oncle le proposa à une brillante académie ; avant l'âge requis, il put rejoindre ses rangs. Il y passa les six dernières années. Mais à compter de cette séparation, la relation de l'oncle et du neveu se détériora. L'adolescent ne revint jamais au Tabor. Ils s'écrivaient mais ne se voyaient plus. Cette indifférence subite surprit ceux qui les connaissaient.

S'il était l'héritier présomptif de son oncle en biens, Cosimo ne l'était pas en statut. Le jeune homme n'avait jamais étudié l'architecture. Très tôt, le maître l'orienta vers la cosmogonie, science jugée à l'époque comme mineure : « Depuis que nous maîtrisons les théories spatiales de la galaxie, les hommes sont convaincus qu'ils en ont percé tous les mystères, regrettait-il. Fariboles. Une loi de la physique n'en dissimule-t-elle pas systématiquement une autre ? » Il avait transmis le goût de cette discipline à son neveu qui fut admis à Cori Occlo, dernier refuge académique où l'on enseignait encore le passé des sciences. Mais, dans le même temps, Cosimo avait décidé d'être initié à l'art militaire et aux règles de la chevalerie. Cette volonté farouche était à l'origine de la « rupture » avec Ismale. L'architecte voyait d'un très mauvais œil cet intérêt pour les armes. Mais le jeune homme ne rogna pas sa double ambition et devint un cosmologue et une lame émérite. Il venait d'achever son dernier cycle lorsqu'il reçut l'appel de Ruysdael consécutif au crime de Draguan.

Cette petite planète fatale représentait du reste la majeure partie de l'héritage d'Ismale. L'architecte l'avait achetée sans l'aide de la Ghilde. Draguan était à lui. Le jeune homme ne savait quoi décider à son sujet ; mais quelques jours après son arrivée, il reçut une visite inattendue et une réponse à cette question.

Sur le seuil de la maison, il aperçut sept hommes habillés de robes claires, sans insigne, ce qui était surprenant au Tabor. Parmi eux, Cosimo reconnut seulement le plus âgé. Grand et rudement bâti, il avait une barbe sombre et dense, un œil qui l'impressionnait déjà aux temps où il grandissait à la Ghilde ; cet homme se nommait Balthéus. Il était le chef d'un modeste groupe d'architectes religieux qu'au Tabor on appelait la Secte. Tout bâtiment, tout plan, toute colonie devait être pour eux une expression du pouvoir de Dieu. Leur enthousiasme et leurs récriminations spirituelles étaient mal perçus par les autres membres de la Ghilde. Balthéus s'était quelquefois opposé brutalement aux directives d'Ismale Gui.

Balthéus s'avança.

– Bonjour, Cosimo.

Le jeune homme répondit d'un salut de la tête.

– Je devine la peine qui doit être la tienne, aussi serai-je bref. D'un mot : nous voudrions bâtir Draguan.

– Draguan ?

– Avec quelques autres architectes dans la Ghilde, nous avons pu examiner le projet d'Ismale pour cette planète : une église, un diocèse de treize paroisses. Ce monde est pauvre et isolé. Il convient parfaitement à l'esprit de notre communauté. Nous pourrions vivre éloignés de tous et peupler cette nouvelle terre. Ici, personne ne voudra s'en charger, je crois. Elle est trop misérable. Draguan te revient en héritage, tu peux seul nous permettre de nous installer sur son sol.

Cosimo fut surpris d'une demande aussi directe.

– Vous abandonneriez le Tabor ?

– Rien ne nous retient ici. Nos convictions sont chaque jour plus incomprises par nos frères. Qu'importe l'identité du prochain maître de la Ghilde, ce sera toujours un de ces hommes qui inclinent à la forme plutôt qu'au fond. Pour nous, il est préférable de nous écarter maintenant et de construire un monde selon nos principes.

Il y eut un silence, tout imprégné de la grosse voix de Balthéus.

– Il ne faut pas laisser cette planète se perdre, reprit-il. Ce serait un geste à la mémoire d'Ismale que d'accomplir son dernier dessein, ne crois-tu pas ? Je peux te promettre que nous le suivrons à la lettre.

Lorsqu'il avait songé à Draguan, Cosimo avait hésité entre le fait de la vendre ou de la céder simplement au Tabor. En sachant qu'elle resterait inhabitée. Elle n'avait aucune valeur particulière. Au mieux, la Ghilde aurait voté l'élévation sur place d'un monument commémorant la disparition tragique de son maître architecte.

– Tu pourrais te joindre à nous, ajouta Balthéus. Tu es jeune. C'est un projet noble. Il peut fonder une vie. Un nouveau monde...

Cosimo parcourut du regard chacun des hommes autour de lui. Il trouvait l'idée touchante. Il ignorait si Ismale lui-même serait très ravi de savoir son projet aux mains de la Secte, mais il trouvait plus d'avantages que d'inconvénients à s'en défaire de la sorte.

– Je ne partirai pas avec vous, dit-il, mais je vous laisse libres de rejoindre la planète et de la coloniser. Dès que les formalités seront accomplies, vous pourrez partir.

Balthéus remercia.

Le sort de Draguan en était jeté.

Les jours suivants, Cosimo chercha à réunir de nouveaux éléments sur les préparatifs du départ secret d'Ismale.

Son assassinat était une énigme retorse. Il n'y avait aucun mobile apparent. Le neveu cherchait à se rappeler les inimitiés de l'oncle, mais il en comptait peu. Il y avait bien ce voyage en Orient où Ismale fut fait prisonnier par une escadre de musulmans ; il fut délivré par des chrétiens qui traversaient la région ; mais il emporta avec lui des objets de culte appartenant à ses ravisseurs. Il affirma longtemps que ceux-là les recherchaient. De nombreuses années avaient cependant passé depuis cet incident, de même que depuis son affiliation à l'étrange culte du roi Salomon auquel il avait renoncé sans plus vouloir entretenir de lien avec sa communauté passée. À cette époque, Ismale avait fait détruire tous les documents qui le reliaient à son ancienne croyance, ne gardant que quelques colifichets décoratifs.

« Le coffre ! » se dit soudain Cosimo.

Il quitta la maison, se rappelant la cavité que son oncle avait pratiquée lui-même dans son bureau pour conserver ces reliques. Il se souvenait aussi qu'à part lui personne à la Ghilde n'était au courant de son existence.

Il se présenta au plus profond de la montagne où siégeait le bureau du maître du Tabor. Mais il fut refoulé par un garde. Toutes les affaires d'Ismale liées à la Ghilde étaient mises sous scellés jusqu'à l'arrivée d'André de Montbard. Comme les rangements dans la maison du maître. Tout le monde espérait la venue de l'enquêteur avant le jour de l'élection afin de lever les doutes sur l'assassinat de Draguan.

Cosimo dut renoncer. Il repartit en direction du bureau du bon Ruysdael.

Le vieil homme était seul.

– Je suis content de te revoir, dit-il. As-tu décidé de ce que tu voulais faire ?

– Le Conseil est-il impatient ?

– Non. Mais il aimerait savoir...

– Pour l'heure, je voudrais seulement entrer dans le bureau de mon oncle.

Ruysdael parut embarrassé. Cosimo insista.

– Des affaires à moi sont restées à l'intérieur. Comme je vais certainement repartir, je veux pouvoir les récupérer.

– Il faut attendre le passage de Montbard...

Cosimo insista de nouveau.

– L'enquête ne me concerne pas. Je n'ai aucune raison d'être suspecté ni de vouloir entraver ses travaux. Je suis le dernier parent en vie d'Ismale. J'ai certains droits, je pense.

Ruysdael rechigna encore. Il ne savait comment refuser ni comment accepter.

– Je ne peux demander de faveur au Haut Conseiller, dit-il, il refusera et se posera des questions à ton sujet. Il pourrait ensuite t'interdire de repartir.

– Il suffit qu'il n'en sache rien. Je serai rapide.

Le vieil homme finit par se laisser convaincre. Plus proche collaborateur d'Ismale, il possédait les clefs du bureau ; il dut cependant tromper le garde en faction.

– Je réponds aujourd'hui à des demandes pressantes venues de l'enquêteur, lui dit-il. Cosimo doit recouper des informations qui se trouvent ici. Surtout, tu n'en parles à personne. Entendu ?

Le garde avait été désigné en présence de Ruysdael. Il obtempéra.

Cosimo entra.

Le vieillard resta sur le seuil avec le soldat pour prévenir toute surprise.

Le bureau s'ouvrait sous un chapiteau de pierres blanches où les voûtes croisées étaient marquées des différents sigles des artisans de la confrérie. Lorsque Ruysdael avait conté qu'Ismale avait rangé et éliminé certaines de ses affaires, il n'avait pas menti : le jeune homme ne retrouva rien ici du désordre artistique dans lequel il avait joué enfant. Tout avait été soigneusement emporté ou détruit. Il vit partout des scellés de cire identiques à ceux posés dans la maison.

Cosimo se précipita sur l'emplacement qu'il se rappelait être celui du coffre d'Ismale. Il était dissimulé derrière un tableau suspendu au-dessus de la cheminée. C'était une scène issue de l'imagerie légendaire du roi Salomon : la condamnation du Djinn affranchi. La fable voulait que ce diable ait usurpé la place du roi en lui subtilisant son anneau sacré. Mais, juste avant d'être châtié par Salomon, il réussit à transcrire dans quatre livres les secrets et les mystères magiques octroyés au roi par son anneau et à dissimuler hâtivement ce trésor dans la base du trône royal. On disait que tout le savoir du monde était rapporté dans ces quatre livres que personne n'avait retrouvés. Le Djinn fut condamné à une éternité de damnation, enfermé dans un immense vase d'airain. Cosimo alla examiner la peinture. Sur le trône, des reliures de manuscrits étaient surlignées au fil d'or. Le jeune homme connaissait le mécanisme d'ouverture, il fit glisser la pulpe de ses doigts ; une saillie l'arrêta. Il pressa et le tableau s'ouvrit en deux.

Dans le renfoncement, il aperçut une écharpe et un sigle écarlates de la secte salomonienne. Il retrouva aussi une petite pierre sertie dans un écrin de cuivre. C'était un éclat de roche très ancienne rapporté par Ismale de son voyage en Terre sainte. Il accordait beaucoup de prix à ce fragment qu'il disait être un éclat de la Tour mythique de Salomon. À côté, Cosimo découvrit un paquet de lettres. Il s'en saisit et s'installa sur la table pour les examiner. Il était persuadé que personne n'avait encore connaissance de ces lettres.

Les pièces étaient signées d'un seul et même nom : Hugo de Payns. Cosimo avait entendu ce nom dans la bouche de son oncle mais ne l'avait jamais rencontré.

Il décida d'enfouir les lettres sous sa robe blanche, prit avec lui la pierre fétiche de son oncle, referma le tableau où Salomon condamnait le Djinn à une éternité de châtiments et quitta le bureau en indiquant à Ruysdael et au factionnaire qu'il n'avait rien trouvé.

Il partit se claquemurer dans la maison pour lire en paix.

Le jeune homme mit un certain temps à cerner le sujet des lettres de Payns. Enfin, les quelques points abordés avec Ruysdael et le Conseil prirent une résonance nouvelle. Ismale Gui avait bel et bien en projet un pèlerinage vers la Terre des Origines, la planète sacrée délivrée vingt ans plus tôt par les Grands Croisés. Mais il ne l'était pas en tant que simple pèlerin. Il s'était allié avec plusieurs chevaliers pour une mission de protection des convois de pèlerins. Une mission de police des routes. Pourtant Hugo écrivait curieusement :

« L'heure est venue, Ismale, vingt ans plus tard ! Nous savons maintenant ce que Hincmar Ibn Jobaïr savait, nous pouvons aujourd'hui ce qu'il pouvait. Il n'y a plus un instant à perdre. La Borne est à notre main. Y songes-tu, se retrouver à Jérusalem après toutes ces années de préparation ! »

La « Borne » ? Qu'est-ce que ce mot désignait ? Quel rapport avec le pèlerinage ? Et Hincmar ? Cosimo songea aux textes retrouvés par les hommes de Ruysdael et signés d'un nom identique.

Les lettres de Hugo de Payns ne s'étendaient pas sur ce sujet. Elles étaient factuelles sur les convois des pèlerins tout en faisant sans cesse allusion à un traître qui minerait les projets de la confrérie naissante.

« L'abbaye où travaille le bibliothécaire Flodoard a été prise d'assaut la nuit dernière. Plusieurs ouvrages indispensables nous manquent. Qui connaissait son existence ? (...) Nous avons entrepris cette aventure ensemble, c'est à nous de garantir qu'elle ne périsse pas par la faute d'un seul. Nous sommes neuf. Il faut que le coupable ait une connaissance de nos agissements au plus haut niveau. Soit il est l'un d'entre nous, soit il est l'un de nos proches. Étudions chacun successivement. Cela doit être réglé avant le départ. »

Hugo et Ismale unissaient leurs forces. En l'espèce, tout le monde pouvait être soupçonné, répétait Payns. Plus les lettres étaient récentes, et plus Cosimo comprenait que les deux compagnons approchaient de la vérité.

« Les faits qui se dessinent sont trop inquiétants pour qu'ils ne t'effarouchent pas autant que moi. Attendons d'autres confirmations avant de dresser un plan. (...) Les premiers pèlerins se présentent à Troyes. »

La dernière lettre, datée de deux jours avant l'assassinat de Draguan, annonçait l'imminence de la révélation. Hugo de Payns louait Gui pour ses efforts dans l'enquête.

Cosimo réfléchit. Un traître. Un complot. Aussi impénétrables fussent-ils pour le moment, des mobiles commençaient d'apparaître. Ismale était sans doute arrivé trop près de la vérité ; lui avait-elle coûté la vie ?

« Le traître de l'union, pensa-t-il. Jérusalem ? Des ouvrages indispensables ? Des faits inquiétants ?

La « Borne » ?

Ce n'était pas tout. Hugo de Payns s'inquiétait des informations qui lui parvenaient sur les mahométans gravitant encore autour de la Terre des Origines. Ces hordes de clans divisés qui n'avaient pas tenu devant la déferlante des croisés deux décennies plus tôt commençaient de s'allier sous l'impulsion d'un homme, une figure dominante. On le désignait par une appellation assez énigmatique : l'Homme sans main et sans visage.

« Ce nom revient souvent. As-tu des éléments à son sujet ? Serait-ce un mythe ? Tes indicateurs permettraient-ils de le localiser ? Est-il une menace pour notre ordre ? Connaît-il l'existence de la Borne ? Faudra-t-il le neutraliser ? (...) Je quitte Troyes pour aller requérir l'appui de Bernard de

Clairvaux. Le roi Baudouin nous attend sur la Terre sainte. L'homme est bon et il est prévenu de tout. Il nous fait garder la maison de l'Aveugle et les écuries du Temple. Carl et Saint-Amant sont arrivés. Tout est prêt. Prendras-tu la tête d'un convoi avec Saint-Amant comme cela a été convenu ? »

C'était la dernière lettre.

Deux jours plus tard, Ismale était assassiné.

Cosimo termina sa lecture. Perplexe. Les réponses de son oncle manquaient pour une compréhension complète ; le jeune homme n'avait lu nulle part le nom du traître démasqué par les deux hommes. Mais il avait retenu le nom d'un ennemi : l'Homme sans main et sans visage. Il pensa alors au renvoi d'Alp Malecorne, ce disciple autrefois si estimé par Ismale. Et puis cette phrase de Payns lui revenait comme une antienne : « En l'espèce, tout le monde doit être soupçonné. » Si ces mystères aboutissaient au meurtre de Draguan, la route restait longue pour celui qui voudrait en démêler les nœuds. Qu'est-ce que Hugo et Ismale allaient « retrouver » ensemble à Jérusalem ? De quoi le roi de Jérusalem était-il prévenu ? Pourquoi serait-il dangereux que l'Homme sans main et sans visage connaisse l'existence de la Borne ?

∞

Après avoir passé la nuit à réfléchir, Cosimo se présenta devant le Haut Conseiller.

– J'avais arrêté un choix avant mon retour à la Ghilde, lui dit-il. J'ai décidé de m'y tenir, en dépit de ce qui s'est passé. Je pars pour Eerl. C'est une lune réduite dans la dernière spirale de la galaxie.

– Je connais Eerl, dit le Haut Conseiller. La lune des Pensifs. C'est un monde très austère.

– C'est pour cela qu'il me convient. Je veux continuer d'apprendre et de travailler à mes recherches de cosmologue sur la gravité. En paix. Je ne veux ni croupir dans un cloître, ni tenter de changer le monde pour y imprimer ma marque. Je préfère le refuge des livres. À Eerl, je passerai une existence loin des heurts de la galaxie, et je travaillerai. Quant à la disparition d'Ismale, lui-même m'avait autrefois enjoint de ne jamais me perdre à essayer de comprendre ce qui était arrivé à mes parents en Terre sainte. Il avait raison. Je ne doute pas que l'enquête finisse par aboutir. Je laisse à ceux dont c'est la charge la résolution de cette énigme. Vous me tiendrez au courant des conclusions. Je pars pour Eerl.

– Patiente jusqu'à l'arrivée d'André de Montbard. Il a demandé à t'interroger.

– Soit.

En sortant, il rencontra Ruysdael et lui résuma son entrevue. Le vieil homme se montra déçu.

– Je pensais que tu chercherais à en découvrir davantage sur l'assassinat de ton oncle et son pèlerinage. Seul quelqu'un qui a bien connu Ismale peut arriver à percer ses intentions cachées. Qui mieux que toi pourrait accomplir cette tâche ?

– Était-ce le désir secret du Conseil ? demanda Cosimo.

– C'était le mien... Ici, nous allons bientôt avoir un nouveau maître, des bouleversements sont à prévoir. Ismale sera vite oublié.

– Je sais. Mais un jeune homme comme moi ne peut décidément rien à une telle affaire...

– Tu as peut-être raison.

Avant qu'ils se séparent, Cosimo demanda :

– As-tu jamais entendu parler d'un objet appelé la Borne ?

– La Borne ? Non. Jamais. Je ne sais pas.

∞

Deux jours plus tard, comme annoncé, André de Montbard se présenta à la Ghilde. Le grand enquêteur demanda à questionner Cosimo. Le jeune homme s'attendait à un homme malingre, l'air blasé, la vue affaiblie par les rapports d'interrogatoire : il vit apparaître un géant, un front de seigneur, des poings de lutteur, une tenue de chevalier. Montbard portait une barbe sel, des cheveux mi-longs. Il avait une cinquantaine d'années, robuste, impressionnant.

– Ismale Gui était un grand artiste, dit-il en préambule. Je l'ai peu connu, mais sa réputation le précédait.

L'entretien avait lieu au Didascalion, un des amphithéâtres de l'école d'architecture. Les tribunes étaient vides, seuls Cosimo et Montbard étaient présents, avec un greffier assis à une table qui enregistrait la conversation. Une caisse de dossiers était posée à ses pieds, marquée au nom du maître architecte. Le greffier tendit une chemise à Montbard qui se mit à la parcourir en s'approchant de Cosimo.

– Je vois que vous êtes né en Terre sainte, dit-il.

– Oui.

– Votre père Abel était avec Ismale lors de son voyage à Jérusalem. C'est là qu'il a rencontré votre mère, une chrétienne de Damas. Vous avez vu le jour un an plus tard. Mais vos parents ont été assassinés dans une embuscade de résistants sur la route d'Hébron. C'est bien cela ?

– Oui.

Montbard tourna la page.

– Ismale vous a gardé avec lui, reprit-il. Il a bâti le Tabor où vous avez grandi. Vous êtes ensuite parti à treize ans pour Cori Occlo. Qu'avez-vous étudié ?

– L'histoire des sciences. En dernier cycle, je me suis spécialisé dans l'étude des champs de force. La gravité en particulier.

– La gravité ?

– C'est un sujet qui n'a pas été traité depuis des siècles. Il reste beaucoup de découvertes à faire dans ce domaine.

– Sans doute. Je ne connais pas ces choses.

Montbard changea de feuillet.

– Vous n'êtes pas retourné au Tabor depuis six ans, lut-il. Plus de contact direct avec Ismale ?

– Nous étions en désaccord sur mon éducation. Je suivais un enseignement d'armes qui ne lui convenait pas.

– J'ai appris que vous étiez particulièrement bien noté en ce domaine.

Il releva son regard vers Cosimo.

– Un savant et un soldat. C'est assez rare. Vous êtes jeune, vous pourriez être utile à bon nombre de confréries ou de généraux. Des connaissances, de la force. Mais tout cela pour aller s'enfermer... sur la lune d'Eerl, comme m'en a averti ce matin le Conseil ? C'est du gâchis, il me semble.

– Je ne cherche à être *utile* qu'à moi-même, dit Cosimo.

Il avait répondu sèchement.

– Je vois, reprit Montbard. Jeune et déjà plein de certitudes. Vous êtes un beau garçon, Cosimo. Vous devez plaire aux femmes. Ce n'est pas sur la lune des Pensifs que vous trouverez une personne du sexe.

– Cela n'est pas ma priorité.

– À votre âge ?

– Cela viendra en temps voulu.

Montbard fronça les sourcils, indisposé par le ton du garçon. Il jeta les feuillets sur la table de greffier.

– Bien, dit-il avec humeur, comme quelqu'un qui revient à des priorités. Connaissez-vous Alp Malecorne ?

– Oui. Il est arrivé au Tabor un an avant mon départ. C'était un disciple très doué. J'ai été étonné d'apprendre son renvoi.

– Votre oncle l'avait surpris en train de céder des secrets de la Ghilde à des espions musulmans qui voulaient attaquer des colonies chrétiennes en Terre sainte. Il l'a renvoyé.

– Vous pensez qu'il est impliqué dans le meurtre d'Ismale ? demanda Cosimo.

– J'en suis même convaincu. Il aura voulu se venger. Cet homme est très difficile à suivre. Il voyage beaucoup. Nous ne savons pas précisément où il se trouve en ce moment. Du reste, son apparence a changé. Il n'a plus le même visage. Un rapport indique qu'il aurait une cicatrice au milieu de la face qui le rend méconnaissable.

– Une cicatrice ?

Montbard acquiesça.

– Hormis la vengeance probable de cet ancien disciple, nous ne voyons aucun mobile apparent à la mort d'Ismale. Et vous ?

– Non, dit Cosimo, bien qu'il pensât aux lettres de Hugo de Payns et aux allusions sur le traître aux chevaliers.

– Ne vous inquiétez pas, nous retrouverons Malecorne tôt ou tard. Cette enquête est sur sa fin. Courte et simple.

Cosimo jeta un œil sur l'amas de dossiers dans le coffre aux pieds du greffier. Pour une *petite* enquête, cet ensemble était plutôt conséquent.

– Et le pèlerinage d'Ismale ? demanda le jeune homme. Il ne vous intéresse pas ?

Montbard haussa les épaules.

– Il n'y a pas là de mobile pour un meurtre. Alp est notre seul mais notre meilleur suspect.

Pourtant il revint plus tard sur le sujet du voyage.

– Savez-vous quelque chose sur cet engagement d'Ismale dans le pèlerinage de Troyes ?

– Il ne m'en a jamais parlé.

– Jamais ?

– Je suis comme tout le monde. Je ne sais rien.

– Bien.

Cet entretien très formel s'acheva peu après sur la signature des dépositions.

André de Montbard se fit ouvrir le bureau d'Ismale. Il n'y trouva rien. Il ne récolta que quelques informations sur les six années de passage d'Alp à la Ghilde, puis quitta la planète.

La culpabilité d'Alp Malecorne dans l'assassinat de Draguan fut donnée pour officielle.

∞

Avant d'abandonner la citadelle, Cosimo fit don de la maison d'Ismale aux orphelins du Tabor. Il n'emporta avec lui que l'argent qui restait sur l'héritage. Dans son sac de voyage il glissa précieusement les lettres de Hugo de Payns, l'éclat de la Tour, une arme et deux ceintures. Ces dernières étaient des prototypes issus de son travail sur la gravité. Il ne s'en défaisait jamais.

Il partit avant le dépouillement des votes du nouveau Grand Maître.

Au moment de son arrivée au spatioport, une longue nuit tombait sur les montagnes. Le jeune homme avait prévenu les autorités : un vaisseau de liaison était appareillé. Il chargea ses sacs et s'installa dans le cockpit. Sur le tableau de contrôle, il enclencha le retour automatisé vers la station orbitale. L'ascension fut progressive et douce. Cosimo jeta un dernier regard sur la planète. Deux points scintillaient dans la nuit : le spatioport et la citadelle conçus par Ismale Gui.

Il savait qu'il ne reviendrait jamais au Tabor.

Quelques minutes plus tard, il était de retour aux commandes de son croiseur. L'autorisation de route fut accordée. Il avait déposé les coordonnées de la lune Eerl avec les étapes nécessaires à sa traversée. Désamarré, il poussa ses réacteurs et rejoignit le corridor des long-courriers.

Tabor ne fut bientôt plus qu'un point dans la nuit. Mais le jeune pilote attendit encore quelques heures avant d'entrer en hyperespace. Il rédigea trois messages codés, destinés à des correspondants anonymes, les expédia et attendit la confirmation des envois ; puis il vérifia que sa position était hors de portée des traceurs situés sur Tabor. Assuré de son immunité, il braqua le vaisseau et dévia franchement de sa route, entrant en infraction avec le pan-règlement qui interdisait à tout croiseur de quitter les chenaux des long-courriers et de voyager à vue.

Cosimo Gui plongea en hyperespace. Il s'engouffra dans l'obscurité froide. Son vaisseau marqua une lumière brève, une étincelle dans le cosmos, puis disparut...

# IV

# L'Homme sans Main et sans Visage

> Pythagore déclare que « tout est matière à discuter pour et contre avec des arguments également valables, qu'on peut même discuter pour savoir s'il est possible de discuter également de tout »... Socrate disait : « Je ne sais qu'une chose, c'est que je ne sais rien. » Très humble profession d'ignorance, à laquelle Archésilas reproche pourtant l'audace, affirmant qu'on ne peut même pas savoir qu'on ne sait rien.
>
> PÉTRARQUE,
> *Mon ignorance et celle de tant d'autres*

Un vaisseau amiral long d'un kilomètre accosta sur la base stellaire de Hâschem. Dans une des salles de réception mises à la disposition des hôtes, un homme et une femme attendaient. L'homme était d'une taille au-dessous de la médiocre, enveloppé dans une combinaison grise. Sa peau était vitreuse, le front barré de mèches filasse et le nez tranché au ras. Les chairs de la cicatrice étaient répugnantes. Il piétinait sur place, mal à l'aise, jetant des regards inquiets vers sa partenaire.

Il s'appelait Alp Malecorne.

À sa droite, la femme, haute, tenue dans une robe sombre aux reflets de soie, se dominait avec plus d'empire. Ses cheveux noirs lissés aux huiles d'Arabie tombaient jusqu'au pli de l'aine, dessinant sur son front une frange droite et fière, à la limite des sourcils, marque des courtisanes. Ses yeux avaient l'amande céleste des houris. Sa bouche était petite et vermeille. Elle portait au cou un ruban aussi fin qu'une lame de couteau. Sa pâleur, ses doigts blancs jusqu'aux ongles peints, ses seins, tout découvrait chez elle une beauté invincible, un appât lancé aux hommes qui opérait par l'envoûtement et par la peur.

Elle portait un nom de sorcière : Erichtô.

Ils suivaient sur un écran le module qui pénétrait à l'intérieur de la station. À mesure qu'il se rapprochait, la tension entre eux se faisait plus forte. Une chaire attendait le voyageur. Elle était relevée d'arabesques incrustées dans l'ivoire. Sa taille démesurée présageait de la grandeur de la personne qu'on attendait. Hors ce trône, la pièce avait été vidée de tous ses meubles. Les murs étaient noirs, l'éclairage montait depuis le sol par des dalles lumineuses.

Dans un grondement feutré, les lourdes portes coulissèrent. Une silhouette de géant se dessina au bout de la coursive, grandissant comme une ombre qui s'étire sur un parquet.

Le passager entra.

Il n'avait rien de l'apparence d'un humain. Il mesurait près de trois mètres, recouvert d'un vêtement noir, ample et sans trame. Ses épaules avaient les proportions d'un joug de bœuf. Une capuche profonde masquait son visage, ses manches tombaient sans laisser paraître ses mains et le bas de sa robe glissait à terre en absorbant toute impression de pas.

Cette silhouette était fameuse. Peu de fidèles avaient pu l'apercevoir, mais tous n'avaient que son évocation à la bouche. Le personnage était rude, violent, intransigeant sur les matières de la foi et du Prophète. Il incarnait pour le petit peuple ce rassembleur qui rendrait à la communauté de l'islam son unité entamée par les querelles familiales et les invasions franques. On racontait qu'il déchiffrait l'avenir, qu'il entendait le langage des oiseaux, qu'il devinait les pensées de chacun par l'odorat des corps ; on rapportait qu'il avait autrefois combattu les premiers croisés et que s'il cachait ses mains, c'était parce que les chrétiens les lui avaient sectionnées pour le seul plaisir de le voir se vider de son sang. Un jour d'entre les jours, sa silhouette noire apparut au pied d'une montagne, à l'heure où passait une caravane de marchands. Depuis, personne ne put découvrir son visage, ni la moindre partie de son corps. Son nom était tenu aussi secret que la date véritable du Jugement. Pour les croyants, prompts à baptiser les légendes, il devint l'Homme, mais encore l'émir, le général, le grand, l'aide de Dieu, le mahdi, le triomphateur, le protecteur des êtres, la grandeur de la nation, l'appui des sultans, le soleil des mérites, le colosse des ombres.

Ces adversaires l'appelaient simplement l'« Homme sans main et sans visage ».

Son ascension au sein de la communauté musulmane était fulgurante. Son dernier coup d'éclat datait de la période du jeûne : devant une assemblée de califes et de professeurs de la Foi, l'Homme avait violé deux des cinq commandements, en refusant la prière obligatoire et en rompant l'abstinence du jour. L'émoi fut à la mesure de la provocation. On se chahutait, on s'interpellait, prêts à l'arrêter ou à le violenter. L'Homme répondit en tonnant :

– Que me voulez-vous, hommes de peu de foi?

Le silence fut immédiat. Tous les regards étaient tournés vers lui.

– Quels croyants faites-vous pour vous émouvoir de la sorte? Vous vous bouleversez comme des femmes parce que l'un de nous ose briser le jeûne et dédaigner la prière? Mais ce péché approche-t-il seulement ceux qui se perpétuent en votre nom, depuis si longtemps et sans qu'un seul d'entre vous élève la voix!

Personne ne bougeait.

– Vous rugissez pour un fidèle qui manque à la prière? Vous voulez le traîner en justice, le lapider? Comment jugerez-vous alors l'indifférence qui est la vôtre depuis tant d'années et qui insulte notre Dieu? Voilà vingt ans que les Francs ont usurpé nos Lieux saints. Voilà vingt ans qu'ils prolifèrent et qu'ils s'enrichissent.

Il écarta ses bras immenses.

– Où se cache votre colère lorsque vous entendez que ces infidèles progressent dans nos terres, créant à leur convenance des royaumes? Où est votre honneur humilié quand, des milliers de musulmans massacrés par la croisade, pas un n'est encore vengé? Où sont vos cris d'indignation devant ces convois de peuplement qui viennent de l'Occident pour s'approprier nos femmes et nos troupeaux? Où est votre impatience violente lorsque les tombeaux de nos pères sont éventrés, lorsque le trésor de nos sciences passe aux mains des infidèles? Par votre incurable bêtise et votre incapacité à vous entendre, vous laissez les affronts s'abattre sur notre culte et vous venez vous gonfler d'importance parce qu'un fidèle enfreint deux de nos lois? Que doit-Il penser de vous, hypocrites?

Ce discours eut un effet foudroyant. Avec quelques exhortations enflammées, l'Homme se retrouva à la tête d'un rassemblement pour la défense de l'Islam et le recouvrement des terres perdues. L'adhésion de la foule fut d'autant plus forte que sa colère avait été sincère. C'était un coup d'adresse. Les divergences de clan s'évanouirent et les hommes se trouvèrent un chef spirituel unique pour les conduire à la reconquête.

L'Homme sans main et sans visage n'était plus une légende, ni une image confuse qui agitait l'imagination du peuple ; il était devenu une voix, et un bras armé.

À son apparition dans la station de Hâschem, Alp et Erichtô s'inclinèrent jusqu'au sol. Il s'installa sur le trône. Alp fit un pas.

– Doit-on faire descendre le cercueil du vaisseau ? demanda-t-il.

Aucune fioriture d'obligeance, aucune étiquette superflue n'était tolérée en présence de l'Homme.

– Non, il n'est pas encore temps, répondit la voix d'ombre.

Il tourna sa face vers la courtisane et étendit son bras. Le regard d'Erichtô se rida. L'occultation des mains du maître était presque aussi illustre et controversée que celle de son visage. Les traits d'Erichtô se contraignaient pour rester immobiles alors que ses doigts entraient dans la manche obscure du géant. Elle les fit avancer jusqu'à mi-bras. Lorsqu'elle retrouva sa main, elle vit rouler au creux de sa paume une petite pierre noire, glacée comme une goutte d'eau, sertie au bout d'une chaînette en or. Sa poitrine se relâcha.

– Merci, maître.

Elle recula, le cœur battant. L'Homme se tourna vers Alp. Celui-ci commanda aussitôt l'ouverture d'une porte. Deux hommes apparurent dans l'encadrement. Ils portaient une combinaison pressurisée noire et luisante, une capuche et une arme au ceinturon. Ils marchèrent droit vers le trône. Ces deux mercenaires appartenaient à la troupe commandée par Malecorne. Ils ne défendaient aucune cause, ni chrétienne ni musulmane : c'étaient des tueurs qui se vendaient au plus généreux ou au plus cruel des chefs. Ils accomplissaient les missions souterraines de l'Homme. À genoux devant lui, ils rejetèrent leurs capuchons. Ils avaient un profil identique, un crâne rasé, la peau blafarde.

C'étaient les deux assassins d'Ismale Gui.

– Vous avez bien œuvré, leur dit l'Homme. Ce que vous avez accompli sur la planète de Draguan est juste et vrai selon la foi.

Les hommes plièrent le buste.

L'Homme fit un geste vers Alp, qui énuméra les privilèges et les récompenses dévolus à ses tueurs. C'était une montagne d'or, d'argent, de rubis, de topaze, de bois d'aloès, de chevaux de Chayzar et de titres guerriers longs comme le bras. Le compte fait, l'Homme dit :

– Réjouissez-vous, car je jure par le Prophète que tout cela vous sera remis.

Il fit un second signe, pour Erichtô cette fois. Elle vint se placer près des mercenaires.

– Allez en paix, dit l'Homme.

Les deux hommes saluèrent et sortirent en reculant, la face tournée vers le trône, escortés par la courtisane. La porte se rouvrit. Ils découvrirent dans le sas une fille magnifique qui les attendait, à peine vêtue, la gorge fine, la poitrine dégagée, le regard irrésistible. Elle s'appelait Lÿs, et elle était la plus perverse des recrues d'Erichtô qui comptait un aréopage de beautés vouées à tous ses ordres. Les mercenaires n'en crurent pas leurs yeux.

Dans la salle du trône, la porte se referma sur eux en train de se laisser enlacer par les deux femmes.

Au bout d'un court instant, elle se rouvrit pour laisser revenir Erichtô. Derrière elle gisaient les cadavres des mercenaires, leurs gorges déchiquetées par ses coups de serre et ceux de Lÿs. Les belles avaient les bras et le buste souillés de sang. Elles soufflaient comme des bêtes de combat. La porte se ferma sur Lÿs et les deux morts.

– Si tes protégées sont toutes comme celle-ci, dit l'Homme sans main et sans visage, elles feront d'excellentes pèlerines chrétiennes. J'ai espoir, Erichtô, qu'elles seront aussi efficaces au cours du voyage jusqu'en Terre sainte.

– Elles le seront, maître, dit la femme.

– Combien sont-elles ?

– Vingt-quatre. Je les commanderai personnellement.

– Bien.

Alp revint devant son maître.

– Ces deux mercenaires sont les seuls témoins de l'assassinat d'Ismale Gui. Ce qu'ils savaient restera à jamais inconnu.

– Que leurs biens soient cédés à leurs familles, comme promis, dit l'Homme.

Alp baissa la tête pour signifier que l'ordre serait appliqué sans délai.

– Je suis satisfait, reprit le géant. Cette opération de Draguan a été parfaitement réfléchie. Il a fallu la décider dans la précipitation. C'était une occasion unique. C'est à toi que je le dois, Alp. Je ne l'oublierai pas. Nous avons frappé comme il se devait. Ismale disparu, la Milice ne s'en remettra pas.

– Malheureusement, dit Alp, le dernier envoi d'Ismale Gui qui devait rejoindre le convoi de

Hugo de Payns n'a pu être intercepté par mes hommes. Ruysdael, son second au Tabor, a fait pister le chargement et envoyer des hommes de la Ghilde pour le rattraper. Les miens sont arrivés trop tard. Ils ont bien essayé de récupérer les documents, mais ils ont échoué.

Il jeta un regard embarrassé vers Erichtô et reprit plus bas pour son maître :

– Il est possible que le manuscrit de Hincmar Ibn Jobaïr que possédait Ismale fasse partie de ce dernier envoi, vous savez...

– Alors il doit être au Tabor avec ce Ruysdael.

– Je le pense.

L'Homme hésita. Puis il ordonna :

– Retourne à la Ghilde des architectes. Ce sera pour toi une occasion d'y reparaître après ces mois d'éloignement. Tu as carte blanche.

– Bien, maître, dit l'ancien disciple d'Ismale Gui, un sourire ignoble sous sa cicatrice.

– Vous partez tous les deux sur l'heure, dit l'Homme. Alp au Tabor, toi Erichtô, à Troyes. J'attendrai tes rapports sur le pèlerinage. Je veux être tenu au courant de toutes les étapes, de tous les changements de route. Que tes filles usent de leurs charmes pour récolter les informations nécessaires.

– Oui, maître. Ce sera fait.

Les deux personnages reculèrent vers la sortie.

– Avant de partir, ajouta leur maître, instruisez le commandant de la station que je souhaite me rendre sur la planète de Kirk. Et que le cercueil ne bouge pas de mon vaisseau.

– Doit-on faire annoncer votre arrivée au maître de Kirk ? demanda Alp.

– Non. Je préfère ménager l'effet de surprise.

Alp et Erichtô quittèrent la salle.

L'Homme resta seul, un long temps immobile.

« À présent que les musulmans sont à mes ordres, pensa-t-il, maintenant que mes pions se dispersent au cœur du pèlerinage des chrétiens, je n'ai plus qu'à attendre et je me baisserai bientôt pour récupérer la Borne ! Quelle ironie vraiment. Le plus vaste pouvoir de tout l'univers qui vous tombe dans la main comme un fruit... »

# V

# L'Âge du Moine et du Soldat

> On n'innove jamais, ou du moins rarement, sans
> provoquer de grands périls.
>
> JACQUES DE MOLAY

L a petite hypernef de Hugo de Payns se
posa sur la station orbitale de la planète
de Clairvaux. Suivant finalement les
conseils de l'Aveugle rencontré au bord
du lac, il était passé par la lune de Bar. Sitôt arrivé,
il traversa les sas de décontamination puis descendit vers l'abbaye.

Dans la salle du chapitre qui servait aux entre-
vues, le jeune père abbé Bernard était seul, tenant
entre les mains un feuillet où était inscrite une
déclaration solennelle en écriture ancienne. Son
abbaye avait à peine trois années d'existence, mais
elle connaissait un succès retentissant. L'abbé avait
déjà arrêté la fondation des deux premières « filles
de Clairvaux » sur les astres proches de Fontenay
et des Trois-Fontaines.

Un diacre ouvrit la double porte qui donnait sur
le cloître. Hugo de Payns entra et marcha droit à
l'homme d'Église juché sur un trône de bois
modeste. Dès que le diacre eut quitté les lieux, le

père abbé, après de brèves formules de bienvenue, attaqua l'entretien en ces termes :

– Hugo de Payns, on vous dit un homme direct et précis ; je vous demande de ne pas faillir à cette réputation dans vos réponses.

Quel que soit le rang de son interlocuteur, Bernard de Clairvaux l'entretenait toujours comme s'il l'avait personnellement convoqué. Ce qui n'était pas le cas aujourd'hui.

– J'ai là une déclaration qui émane de vos services, dit-il en montrant le feuillet.

Il lut :

– *À la suite de la libération de la Terre sainte, tandis que, de toutes les parties du monde, riches et pauvres, jeunes gens et jeunes filles accourent pour visiter les Lieux sacrés, nous, chevaliers agréables et dévoués à Dieu, brûlant de charité, renonçant au monde, jurons de nous astreindre par une profession de foi et des vœux solennels à défendre les convois de pèlerins contre les bandes pillardes et les hommes de sang qui infestent les routes spatiales. Nous jurons de combattre, en vivant, comme des chanoines réguliers, dans l'obéissance, dans la chasteté, et sans propriété.*

L'abbé s'interrompit. En dépit de ses vingt-huit ans, il était déjà usé et malade. Le travail et les privations qu'il s'infligeait lui consumaient la santé et creusaient ses traits jaunis.

– Que dois-je entendre par là ? demanda-t-il d'une voix qui, elle, n'avait rien perdu de la force de son âge.

Hugo sentit que la conversation ne prenait pas du tout le cours qu'il attendait.

La voix de Bernard résonna dans la grande salle vide.

En ces temps où l'architecture parlait au plus grand nombre, où elle imprégnait l'âme des fidèles plus que toute autre forme d'art, Bernard avait décidé de diffuser ses principes dans la pierre. À Clairvaux, point de vitrail bariolé de couleurs, point de croix ornementée, ni de vierge coiffée d'un nimbe d'or. À l'abondance des églises du temps, Bernard opposait une retenue froide et rigoureuse. Ses murs blancs, honorés seulement de quelques crucifix en bois clair et de badigeon orangé, stupéfiaient le cœur des croyants. Ici, dès le premier pas, le fidèle comprenait tout : Bernard avait ordonné de revenir à l'essentiel. Par là, il s'opposait aux autres ordres religieux et à nombre de vanités ecclésiastiques. Sa défense de l'humilité du culte contre les abus du temporel lui avait donné une stature unique et rebelle, une aura qui commençait d'empiéter sur celle du pape.

– Je vous écoute, répéta Bernard. Que dois-je penser de cette déclaration ?

Hugo de Payns hocha la tête.

– N'entendez rien de plus que ce qui est écrit, mon père. Vous connaissez les dangers qui assaillent aujourd'hui les pèlerins. Depuis que les Grands Croisés ont libéré les Lieux saints, les pénitents sont chaque année plus nombreux à se précipiter vers la Terre des Origines pour visiter les sanctuaires sacrés. Ces masses de fidèles, livrées à elles-mêmes, sont la cible des brigands, des infidèles qui les pillent ou les massacrent bien avant qu'elles n'atteignent leur but.

– C'est ce que l'on rapporte.

– Notre déclaration est sans équivoque : nous ne demandons rien d'autre que d'assumer la défense des pèlerins.

– Je sais cela... Et ce n'est pas cet engagement, pieux s'il en fut jamais, qui motive ma question. Je voudrais plutôt comprendre pour quel motif vous

vous sentez obligés de fonder un « ordre » ? Car c'est de cela qu'il s'agit, m'a-t-on dit : la Milice du Christ, un nouvel ordre militaire chargé de la sûreté des routes ?

– Oui, mon père.

– À ma connaissance, il existe de nombreuses ligues qui œuvrent depuis la Grande Croisade au bien des pèlerins et à la préservation des sanctuaires de la Terre sainte. Nous avons les Hospitaliers, l'ordre du Saint-Sépulcre, les Éternels du Renoncement, bien d'autres encore. Certains accepteraient de vous compter dans leurs rangs. Pourquoi vouloir vous dissocier ? Avant même d'avoir entamé votre mission ?

Bernard reprit le texte qu'il avait gardé à portée de main.

– *Dévoués et agréables à Dieu*, lut-il, *en vivant comme des chanoines réguliers, dans l'obéissance, dans la chasteté, et sans propriété.* Pour des hommes d'armes, des soldats appelés à combattre pour les pèlerins de Dieu, c'est une déclaration bien singulière. C'est même un vœu de moine, mon fils, pas un serment de guerrier.

Hugo de Payns acquiesça.

– *Nous, brûlant de charité et renonçant au monde,* reprit l'abbé, *nous jurons de combattre.* À vous lire, mon fils, il semble que vous et vos amis cherchiez à nouer un lien bien étrange entre le statut de moine et celui de soldat. Un lien « contre nature » serait-on tenté de croire. Car quoi, si l'on vous écoute, quel serait ce guerrier qui pourrait à la fois trancher la tête d'un homme et l'instant d'après prêcher la Parole de Dieu ? Quel serait ce moine oint selon le Seigneur qui pourrait d'une main ôter la vie et de l'autre bénir une sépulture ?

– C'est pourtant ce que nous souhaitons faire, dit Hugo avec aplomb. Allier la douceur du moine et la bravoure du guerrier, la contemplation et la force. Mais ce n'est pas pour le souci de notre gloire ni de notre puissance, ce sont les temps qui l'exigent. La nécessité impose l'avènement de ce type d'homme *nouveau*.

– Vraiment ? Cette « nécessité » avait échappé à mon attention. Et pourtant je passe pour un abbé éclairé.

– Pour mieux vous faire comprendre, je peux vous soumettre un exemple. Prenons le Tombeau de notre Sauveur qui se trouve sur la Terre sainte : afin de garantir sa défense et son intégrité, sur qui compteriez-vous le plus ? Une confrérie de moines ? Sans doute ces hommes purs, voués à la prière, sont-ils les mieux placés pour prendre en charge un endroit aussi sacré. Ils seront pourtant massacrés par la première bande de pillards un peu organisée. Voulez-vous vous reposer sur une compagnie de soldats ? Sans doute défendront-ils le Tombeau contre toute attaque, mais bientôt, licencieux et frivoles par nature, ils le souilleront de leur seule présence ou l'abandonneront quelque jour pour une solde meilleure. Vous souhaitez que ces deux parties se joignent pour mieux préserver le Tombeau ? L'une essaiera toujours de dominer l'autre et l'issue en sera fatale. Quoi que vous choisissiez, rien ne satisfera vos exigences.

– Hmm, sauf si l'Église se munissait de ces hommes nouveaux qui uniraient « la douceur du moine et la bravoure du guerrier » ?

– Je vous l'ai dit : c'est une nécessité. La croisade a bouleversé l'ordre ancien. On ne peut espérer revenir en arrière. Aujourd'hui, nous sommes neuf chevaliers, neuf hommes ayant choisi de nous vouer à cette mission d'encadrement des pèlerins. Chacun de nous a renoncé à sa fortune, à son bien et à sa famille. Nous vivons selon une règle très sévère dont...

– Qui l'a écrite ? demanda soudain l'abbé. Votre règle ?

– Elle n'est pas encore écrite, mon père, mais consentie mutuellement par les membres de notre Milice. Nous souhaitons l'éprouver avant de la rédiger.

– C'est assez sage. Continuez.

– Nous sommes neuf chevaliers prêts à partir pour assurer la sécurité des fidèles réunis en ce moment sur Troyes. Notre entreprise est magnifiquement accueillie par les pénitents...

– ... Mais elle coûte cher et nécessite des appuis de prestige pour inciter aux dons. Voilà, me semble-t-il, la raison avouée de votre voyage jusqu'à ma petite personne.

Bernard enclencha une commande incrustée dans le bras de son fauteuil. Aussitôt une immense carte virtuelle se dessina au centre de la pièce. La simulation représentait des systèmes et des groupements d'étoiles sur une vaste partie de la galaxie. L'ensemble se mouvait lentement. Le père abbé se leva.

– Si je comprends bien, vous allez partir d'ici, dit-il en pointant une petite planète, pour aller jusque-là.

Il contourna entièrement Hugo afin d'atteindre une autre planète, beaucoup plus massive mais dans un système isolé. La Terre.

– Entre ces deux points, que de royaumes, de peuples hostiles, de ravitaillements périlleux. Je connais peu d'hommes assez audacieux pour s'engager dans une équipée aussi incertaine. Il y a les fidèles bien sûr, ceux qui sont convaincus qu'ils y gagneront leur salut ; il y a aussi les voyous qui trouvent là un expédient pour se racheter ou fuir leurs dettes. En revanche, les raisons qui poussent les autres hommes sont beaucoup plus obscures.

Bernard vrilla son regard dans celui de Payns :

– Il y a ceux qui partent pour trouver de l'or, mais cela ne compte pas vraiment, ils existeront toujours, avec ou sans pèlerinage. Il y a également ceux qui sont assurés de mettre la main sur les trésors que la Terre ne saurait manquer de receler depuis la nuit des temps. Que n'a-t-on pas entendu au sujet de ces expéditions ! Elles s'engageaient pour la conquête de l'Arche d'alliance, de la Vraie Croix, du Graal, des Tables du Trismégiste, de la Molécule Une. Que sais-je encore ? Mais vous, vous partez avec le *seul* souci de la préservation de nos pauvres pèlerins, c'est entendu...

Bernard retourna s'asseoir. D'une pression, il fit disparaître la carte virtuelle.

– Combien seront-ils, ces pèlerins ?

– Nous en espérons un million. Les premiers convois sont déjà arrivés sur la planète de Troyes. Ils attendent les détachements du Nord avant de prendre le grand départ. Mais les rangs du pèlerinage grossissent de jour en jour.

– Oui, je sens bien cela ; Troyes est assez proche. Je vois passer de plus en plus de cohortes de pénitents.

– Un pèlerin en mouvement en emporte toujours deux dans son sillage. Cela opère comme une contagion. Le voyage va durer près de neuf mois, nous ignorons combien de fidèles vont s'agréger au cours de notre marche.

– Et combien abandonneront ou périront en route !

Le père abbé saisit une seconde feuille.

– Vous êtes neuf. Pierre de Montdidier, Étienne de Saint-Amant, Robert de Craon, Godefroy de

Bisol, Benoît Clerc, Jean du Grand-Cellier, Ismale Gui, Carl de Ruy et vous-même. C'est peu pour une mission d'une telle envergure.

– Nous sommes chacun à la tête d'excellents régiments. L'encadrement du pèlerinage ne souffrira d'aucun manquement.

Bernard reprit l'expression sombre qu'il avait au début de l'entretien.

– Aussi, dit-il, mis à part quelques appréhensions sur votre statut de moine et de soldat qui pourront être aplanies le jour où votre règle sera rédigée, je ne devrais voir aucune raison de vous refuser mon soutien, c'est cela ?

La voix de l'abbé avait forci. Hugo de Payns ne savait comment répondre à ce trait acerbe.

– Sinon, tonna d'un coup le père abbé, sinon que vous ne m'avez pas tout dit !

Bernard jeta au sol la liste des neuf chevaliers.

– J'ai beau être isolé, occupé à fonder une bibliothèque et à améliorer l'ordinaire de mes frères, je reste à l'écoute du monde. Et l'on m'écrit de toute la galaxie. Je sais, pour exemple, que cette expédition que vous me présentez aujourd'hui comme étant motivée par les attaques récentes des pèlerinages est en fait minutieusement planifiée... depuis vingt ans !

Pas un muscle du visage de Hugo ne tressaillit.

– Vous n'avez pas daigné me dire qu'un grand nombre de savants et de traducteurs a été regroupé et doit vous accompagner. Vous emportez une bibliothèque avec vous ! Vous me cachez que ces savants travaillent sur des œuvres rapportées par vos soins et ceux de Hugues de Champagne lors de votre premier voyage en Terre sainte, il y a vingt années de cela, et que leurs décryptages attisent les convoitises ; on complote contre vous, au sein même de vos chevaliers. Des hommes sont morts. Votre Maître Architecte Ismale Gui, si précieux semble-t-il pour qu'il fasse partie de vos neuf fondateurs, n'est-il pas le dernier en date ? Pourquoi me demander mon soutien et me dissimuler tout cela, Hugo ?

Hugo de Payns croisa ses mains dans le dos.

– Nous sommes des chevaliers dévoués à Dieu, mon père, ayant promis solennellement de nous consacrer à la défense des pèlerins en route pour la Terre sainte. Tout le reste n'est que roman. Si je viens solliciter votre soutien, c'est uniquement afin d'inciter les dons qui nous seront indispensables pour assumer notre mission, nourrir les fidèles et payer nos troupes.

– Vraiment, vous ne me rendez pas justice, dit Bernard. Vous apparaissez chez moi pour obtenir mon nom, soit ; persuadés que pour me convaincre il ne vous est pas essentiel de me révéler vos intentions premières. C'est votre droit le plus entier. Je jouerai donc de gré à gré avec vous, et vous n'emporterez rien de Clairvaux aujourd'hui. Pas même une messe. Et je camperai sur cette position tant que je n'aurai pas *compris* les motifs véritables qui vous animent. J'espère me tromper sur le compte de votre « Milice du Christ », mais je n'y crois guère.

Bernard de Clairvaux se leva et s'approcha de Hugo. Il articula d'une voix basse :

– Vous devriez parler, Payns. Vous savez que je suis riche en ressources. Dites-moi votre but secret et je vous soutiendrai.

Hugo le regarda droit dans les yeux. Sans un mot.

Le front de l'abbé s'empourpra.

– Vous pouvez partir...

Hugo salua. En retournant à la porte, il entendit la dernière remarque vociférée par l'abbé :

– N'oubliez jamais qu'aussi bas que vous tombiez ce sera toujours dans la main de Dieu !

Hugo de Payns rejoignit son hypernef. À la sortie de l'abbaye, il rencontra des fidèles qui l'avaient reconnu et qui venaient lui réclamer une entremise pour intégrer un des convois protégés du pèlerinage. Mais Hugo, tout à ses pensées, quitta la planète-monastère de Clairvaux sans rien promettre à personne. Lorsqu'il disparut dans l'espace en direction du système de Troyes, il doubla de longs défilés d'appareils qui convergeaient eux aussi vers la planète du grand départ.

# VI

## Les Champs de Croix

Encore jusqu'en l'an 1000, tant que le peuple fait
ses saints et ses légendes, la vie du jour n'est pas
sans intérêt pour lui. Ses nocturnes sabbats ne sont
qu'un reste léger de paganisme. Il honore, craint la
Lune qui influe sur les biens de la terre. On tue à la
Saint-Jean le bouc Pirape-Bacchus, pour célébrer
les Sabasies. Nulle dérision dans tout cela. C'est un
innocent carnaval du serf.

Mais, vers l'an 1000, l'église lui est presque fermée par la différence des langues. En 1100, les
offices lui deviennent inintelligibles. Des Mystères
que l'on joue aux portes des églises, ce qu'il retient
le mieux, c'est le côté comique, le bœuf, l'âne, etc.

Il en fait des Noëls.

MICHELET, *La Sorcière*

Après une longue marche, la famille Columban pénétrait enfin dans le pays du comte
Hugues de Champagne, l'hôte du pèlerinage. Ses vastes terres, brûlées par un
soleil d'août plus cuisant que de coutume, ressemblaient aujourd'hui à des provinces d'Orient. Partout passaient dans l'air des bouffées d'épices, de
vin de palmier d'Égypte et de noix de muscade.
Les balles de coton s'amoncelaient entre des toiles
d'Antioche et de la verrerie de Tyr. Cet exotisme

n'avait rien d'une kermesse ni d'une foire. Les autorités du Grand Pèlerinage avaient décidé de déployer devant leurs « partants » les somptuosités qui les attendaient au bout de leur périple à Jérusalem. Il était question de séduire le plus de monde possible. Vingt ans après la croisade, l'Orient ne se limitait plus à ses monuments sacrés, c'étaient surtout des terres à cultiver, des villes à étendre, des colonies à conforter. Il n'était plus temps de libérer la Terre sainte, mais de la *peupler*.

Cela faisait près d'un an que l'appel au pèlerinage avait été lancé à travers la chrétienté. Si celui-ci fut mieux reçu que les dizaines qui l'avaient précédé, c'est qu'on rapportait partout que les convois allaient être mis sous la protection de braves chevaliers. Réconfortés par la Milice sur la sûreté du voyage, les pèlerins accoururent. La ville de Troyes fut assiégée dès le début de l'été. Des paroisses entières, des grandes familles, des hobereaux, des infortunés et des malades arrivaient en masse, toujours plus pressants, toujours plus nombreux.

Le plus fort de la concentration hors de Troyes se tenait autour du lac de la Tour, qui portait ce nom depuis le premier voyage en Terre sainte du comte Hugues. Là, des campements de « routards de Dieu » s'étaient constitués et attendaient le départ. Personne n'ignorait que les chefs de l'expédition espéraient l'arrivée de contingents venus du nord, en particulier une masse importante descendue du royaume de Boulogne. Les convois réunis se mettraient ensuite en mouvement.

Au lac officiait chaque jour un personnage qui répondait au nom de Marcabru et qu'on trouvait couramment dressé sur un théâtre de barriques. Cet homme haranguait les foules pour les garder enthousiastes lorsque l'attente se faisait trop longue et que le renoncement gagnait. Sa mise étonnait ; il n'avait rien sur lui d'un chrétien ni d'un Occidental. Marcabru était un gars ventru, la peau assombrie par des poudres grasses, le nez épaté, les cheveux longs et lustrés. Il portait un caban, une capuche en pointe et des anneaux sonores aux poignets. Il fumait à grandes bouffées une pipe de bois noir rapportée d'Anatolie. Son grand air et sa voix captivaient les nouveaux arrivants. Son discours ne manquait pas de surprendre lui aussi ; il était en tout point différent de celui des hommes d'Église :

– *Occidentaux, regardez-nous*, disait-il en parlant des quelques Francs revenus de Syrie et d'Antioche. *Nous voilà de retour de l'Orient. Là-bas, l'un possède maison et domesticité. L'autre a déjà pris pour femme une Syrienne ou une Arménienne, et il habite avec toute une belle-famille indigène. Chaque jour des parents et des amis viennent d'Occident nous rejoindre. Pour cela, ils n'hésitent pas à abandonner tout ce qu'ils possédaient. Celui qui en France était pauvre atteint là-bas à l'opulence, celui qui n'avait que quelques deniers se trouve à la tête d'une fortune. Pourquoi demeurer ici un jour de plus ?*

Selon la nature de son auditoire, Marcabru n'hésitait pas à évoquer les bordels prestigieux de Tyr, à colporter les simagrées sur Mahomet et l'islam, même à vanter les richesses dont étaient gorgées ces terres sans hiver, où – pour comble – la ronce partout distillait le miel et la marmelade. Ce discours n'était pas du goût de tous les publics. En ce jour du 6 août 1118, alors que Marcabru était particulièrement remonté, la famille Columban, à peine arrivée, s'arracha à la foule des croyants qui l'entourait. Ce n'était pas pour des vues aussi basses qu'ils avaient quitté leur terre natale et qu'ils se transportaient à la sueur du front jusqu'au tombeau du Christ.

Les quatre Irlandais avaient atteint les rives du lac de la Tour. Le volume, l'étrangeté, le nombre des pèlerins les avaient stupéfiés. Ils n'attendaient pas une pareille confusion : à deux foulées d'écart, on pouvait croiser un moine en extase en train d'avaler ses larmes et un buveur de cidre qui pissait en sifflant dans une rivière. Des croix s'ébrouaient partout, sur les sacoches consacrées, sur les épaulettes, portées à bout de bras ou négligemment jetées à terre. Le pire et le meilleur se combinaient. Les Columban observaient cela avec fascination, tout en recherchant leur campement.

Sur une route en contrebas, Anx aperçut une succession impressionnante de chariots bâchés et surveillés par des hommes en armes. Un capitaine à l'encolure d'hercule, pestant et tonnant, s'ébrouait de bout en bout en faisant claquer sa houssine. Anx, intriguée par tant de précautions, suivit de l'œil la route empruntée par le défilé de chariots : celle-ci contournait un grand fort quadrangulaire pour entrer dans un chemin de forêt.

Mais soudain, des cris se firent entendre, en même temps qu'un craquement de bois. C'était le gros capitaine qui hurlait et l'essieu d'un chariot qui éclatait en versant sa cargaison. L'accident attira la foule sur le bord de la route. Anx n'eut que le temps de voir que la charrette était remplie de livres. Des volumes gisaient dans la poussière et de jeunes clercs en habit bleu se précipitaient pour les ramasser. Anx en resta là de ses observations, son père voulait profiter du désordre pour presser la marche à travers les curieux.

Comme tous les pèlerins enregistrés depuis leur paroisse, les Columban errèrent parmi les regrou-

pements et les carrioles, cherchant parmi les éten-
dards celui qui correspondait au sigle de leurs
« étoffes ». Enfin ils trouvèrent l'abbé Soffrey, personnage ouvert et plaisant, Irlandais comme eux,
mais d'une région plus au nord. Le village dont il
avait la charge avait déserté ses terres pour
prendre la route avec lui. Plusieurs diocèses en
Occident avaient subi le même sort, laissant des
seigneurs désemparés devant leurs champs prêts
pour la moisson. Soffrey accueillit chaleureusement les Columban.

– Installez-vous, leur dit-il, nous vous atten-
dions. Nous ignorons encore la date du départ,
mais elle est pour bientôt. Notre convoi est sous la
protection des chevaliers de Ruy et de Craon. Ce
sont des hommes de grande piété qui nous conduiront jusqu'à Jérusalem.

Le campement de Soffrey se trouvait près de la
route principale qui conduisait à Troyes. C'est au
bord de ce chemin que Anx, ses parents et son
frère passèrent leur première nuit en compagnie
des pèlerins.

Le lendemain, les routards de Troyes se réveillèrent sous un déluge de pluie. La première depuis
des semaines. L'orage inattendu creva à flots et
força les pèlerins qui campaient à la belle étoile à
se consolider rapidement un abri. Ce changement
de temps, d'abord accueilli dans la liesse, n'allait
pas tarder à rendre la Champagne aussi boueuse
qu'un lit de torrent. La foule se bouscula. L'activité
la plus vive se sentait au quartier de l'abbé Soffrey.
Depuis son arrivée, un mois plus tôt, la communauté des Irlandais avait décidé d'occuper son
temps à la confection d'une cloche de bronze où
seraient inscrits les noms des saints de leur pays.
Soffrey avait annoncé que ce bourdon sonnerait

une première fois à la messe du grand départ de Troyes, puis resterait muet jusqu'à son arrivée à Jérusalem où il retentirait pour célébrer la clôture du pèlerinage. Aussi, chaque jour, les Irlandais travaillèrent-ils à la fonte, guidés par les artisans et les nombreux carillonneurs de Troyes. Ce jour de pluie compromettait le calendrier de la fusion. Tous les chaudrons et les feux allumés depuis une semaine manquaient d'être noyés. Les hommes valides furent retenus pour protéger les feux, déplacer les creusets rougis au bout de manches de bois. Certains se renversèrent sous les cris.

Dans l'empressement, personne ne fit attention à deux silhouettes qui se faufilaient hors du campement. C'étaient Anx et son frère Tescelin qui échappaient à la surveillance de leurs parents.

Libre, la jeune fille se précipita au-delà des limites prescrites. Le cadet suivait et protestait avec véhémence.

– Il ne fera pas bon rentrer si notre père apprend que nous nous sommes aventurés aussi loin, dit-il.

– Je ne t'oblige en rien. C'est toi qui as choisi de me suivre.

– On ne sait jamais...

En dépit de son âge, Tescelin revendiquait déjà la protection de sa sœur aînée comme un devoir, et cela bien qu'elle fût toujours la plus prompte à assurer leur défense.

Les deux enfants arrivèrent sur la route principale qui conduisait d'un côté à Troyes, et de l'autre, tout près, au grand château fortifié aperçu la veille. Depuis une éminence, en partie dissimulés par des feuilles de sureau et des broussailles, ils purent observer le défilé qui progressait sous leurs pieds. Des chariots identiques à ceux de la veille continuaient d'avancer sous les trombes d'eau. L'orage n'avait pas fait que précipiter les mouvements des Irlandais, il en allait de même pour les dames et les nobles de cour qui se brusquaient pour rejoindre le château. D'autres pèlerins installés au même endroit que les Columban profitaient du spectacle. Des paysannes saluaient la vue de quelque belle étoffe, ou de quelque cheval joliment caparaçonné. Mais la panique de l'orage donnait à ce monde un air comique qui n'échappait pas aux badauds. Les dames qui n'avaient pas l'accommodement d'une litière fermée pour échapper aux sarcasmes recevaient une pluie de compliments en plus de la saucée.

– Ce ne sont que des grandes bêtes que ces femmes-là ! grommela Anx, nullement impressionnée ni intéressée par les tenues lumineuses ou les belles coiffes.

Elle était plus curieuse des chariots bâchés entourés de soldats qui peinaient sur le chemin. Les ornières s'approfondissaient à vue d'œil.

– Ils n'ont pas terminé, murmura Anx.

Tescelin hocha la tête.

– C'est juste. Cela continue. Maintenant que tu es satisfaite, rentrons. Je suis trempé jusqu'aux os.

Mais Anx ne bougea pas. Elle attendit que le groupe de pèlerins à sa gauche s'éloigne.

Soudain...

– Toi, reste ici, dit-elle à son frère.

... d'un bond, elle passa à travers les broussailles et dévala la butte en direction du cortège, droit sur les soldats et les chariots. La hâte perturbait leur disposition. Elle profita de la confusion et atteignit l'autre bord du chemin ; de là, elle se cramponna à une charrette et essaya de voir à l'intérieur, mais il était obscur.

Grâce à sa taille de lance, elle parvint à se glisser dans la jointure de deux toiles et entra.

Les gouttes de pluie cognaient sur la toile de tente, des infiltrations arrosaient le front de la jeune fille. Le chariot était rempli de caisses en bois clair hermétiquement closes. Un chrisme noir était dessiné sur chacune d'elles.

Anx sortit un petit couteau de sous son bliaud. La lame était extrêmement tranchante et assez épaisse pour libérer les couvercles de leurs clous. Les boîtes étaient neuves, fraîchement fermées : elles s'ouvrirent sans effort. C'étaient des livres, soigneusement alignés. Comme ceux aperçus la veille lors de l'accident. Le façonnement était neuf. Les tranches étaient frappées aux armes des comtes de Champagne.

Anx déchiffra quelques inscriptions marquées au minium ou à la feuille d'or.

– La *Rétrogradation des planètes* d'al-Kindi, la *Théorie de l'atome* d'Ali ben Soulaïman, *Le Livre royal* d'al-Abbas. Qui sont-ils, ceux-là ?

Ces noms et ces titres sonnaient comme des contes.

– Je n'ai jamais entendu père parler de ces ouvrages.

Elle décloua un second couvercle. Vingt gros volumes. L'*Al-Haoui* d'Ar-Rasi. Elle défit des agrafes au hasard. Ces textes à consonances perse et arabe étaient traduits dans le plus pur latin. La netteté des caractères et le grain des pages prouvaient que les traductions ou les copies étaient récentes.

Anx ouvrit le *Livre des rois* de Firdûsî où des enluminures de trois pouces semblaient inonder de lumière le chariot pris sous l'orage. La fille, fascinée, suivait, ces minces colonnes de phrases parfaitement découpées.

Mais soudain, une roue buta ; le chariot s'immobilisa. Elle entendit des pas précipités de part et d'autre du véhicule. Des hurlements arrivaient et commandaient une nouvelle manœuvre.

– Dépêchons ! Il n'est pas temps de s'arrêter. Il faut engouffrer les derniers avant que l'on s'embourbe jusqu'au crâne !

La voix ressemblait à celle du capitaine de la veille. Lentement le convoi se remit en route, poussé par des gardes. Anx glissa un œil : des soldats s'étaient approchés et encadraient les roues du chariot.

Elle retourna aux livres et attendit un peu, interdite. En refermant les couvercles, elle trouva une compilation en petit format des *Annales* de Tabari. C'était le seul qui était de taille à être emporté. Sans hésiter, elle l'enfouit sous sa robe. Ensuite, elle se rapprocha des bâches pour inspecter de nouveau : la situation empirait. Elle ne reconnaissait plus les lieux. Elle entendit le raclement des roues sur une portion de bois et devina au-dessus de sa tête les voûtes d'une barbacane entourées de deux tours latérales. Elle pénétrait dans la cour centrale du château. La place était circulaire et bondée de soldats et de clercs en robe bleue. Il n'échappa pas à Anx qu'il n'y avait aucune femme à la ronde. De nombreuses carrioles étaient alignées près des étables.

Le branlement sur les pavés cessa. La voix de stentor qui avait hurlé plus tôt reprit sa litanie d'ordres. Anx ne savait quoi décider. Elle brandit la lame de son couteau.

D'un coup, la bâche arrière s'ouvrit en grand. Trois jeunes clercs bondirent à l'intérieur. L'un d'eux tenait un gros registre : il s'appelait Erich, il était le premier assistant de Flodoard, le bibliothécaire attitré du comte Hugues.

– Les caisses prennent l'eau de partout! dit un des clercs. Où les porte-t-on?

– Celles-ci sont pour Flodoard, dit Erich. Elles doivent pour l'instant rejoindre les cargaisons de messire de Payns.

Mais aucun de ses compagnons ne lui répondit. Ils étaient immobiles, hébétés. Le clerc releva la tête et découvrit une jeune fille aux boucles d'or debout entre les caisses de livres. Sa beauté était saisissante. Une véritable vision. Il y eut un instant de surprise, puis il cria :

– Capitaine!

Mais le capitaine n'eut pas le temps d'apparaître : Anx avait tranché la bâche sur sa gauche et sauté sur la carriole voisine. Une seconde plus tard, de la même façon, elle bondissait dans une troisième charretée, puis dans une quatrième. Les jappements de colère du soldat se mirent à la suivre. Anx sautait dans un cinquième chariot, lui aussi chargé de caisses à livres. Là, elle tomba sur un homme, assis, penché, auscultant des ouvrages avec un verre grossissant. Il releva lentement le regard. Âgé d'une quarantaine d'années, il était emmailloté dans une robe sombre à capuchon, le front rasé en demi-cercle comme au temps des premiers prêtres. Il observa la jeune fille sans surprise. Elle vit qu'il était occupé sur les caisses et les livres qui avaient été endommagés la veille.

Sans attendre, Anx déguerpit derrière la bâche suivante. L'homme ne bougea pas. C'était Flodoard, le bibliothécaire. Il vit une silhouette gigantesque entrer, celle du capitaine de la garde. Le soldat avait un physique de titan. En arrivant, il aperçut la bâche à nouveau éventrée par un coup de canif. Il gronda et, après avoir rapidement salué Flodoard, reprit sa course. Malhabile s'il en fut. Le soldat était trop massif pour lutter dans cette suc-cession de bonds. À chaque appui sur une caisse, il l'éventrait, emprisonnant sa semelle dans les planches et hurlant un monceau d'injures avant de se dégager.

Anx arriva au bout de sa course. Essoufflée. Le dernier chariot butait contre un mur. Une poterne close par un battant apparaissait au bas de quel-ques marches. La fille voulut s'y engouffrer mais se ravisa. D'un saut, elle se suspendit à la base d'une meurtrière accessible seulement depuis le chariot ; elle pivota et se laissa retomber derrière le rang des charrettes, devant une resserre à bois qui joux-tait les écuries.

Le capitaine arriva, hors d'haleine. Sans réflé-chir, il défonça la petite porte et s'engouffra en appelant ses hommes.

Au même moment, Anx se glissait dans une charretée qui quittait le fort.

Quelques minutes plus tard, elle retrouvait son frère et retraversait avec lui la campagne inondée pour rejoindre leurs quartiers.

– Tu es une démente, dit Tescelin en courant. Démente !

La fille s'arrêta. Elle tira de sous son bliaud le petit exemplaire de Tabari. Le livre n'avait pas trop souffert de l'aventure. Elle essuya quelques gouttes de pluie, sourit pour elle-même et reprit sa course. Elle passa sans le voir sur la route d'un jeune cavalier qui se dirigeait à francs étriers dans la direction du lac de la Tour...

# VII

## Le Premier Paradoxe

> Son esprit était encore agité de différentes pen-
> sées, comme il arrive d'ordinaire dans les grandes
> entreprises.
>
> CARDINAL DE RETZ, *La Conjuration de Fiesque*

C'était Cosimo Gui. Il avait mis quatorze jours de galop, plaqué contre l'encolure de son cheval, pour rejoindre la capitale des comtes de Champagne alors que tout le monde le croyait en route pour l'ermitage d'Eerl. L'isolement de la forteresse des architectes, retirée dans les Alpes sur le mont Tabor, l'avait contraint à emprunter des routes pénibles, manquant de perdre chaque soir sa monture sous lui. Il était épuisé, errant depuis plusieurs heures sous la pluie à la recherche d'un gîte où il pourrait se loger et faire panser sa bête. Mais les auberges de Troyes et ses alentours étaient prises d'assaut par les pèlerins. Cosimo fut renvoyé de tous les comptoirs des convois. Il n'appartenait pas à une paroisse et n'était sous la protection d'aucun seigneur ; aussi était-il traité comme les vagabonds et autres traîne-semelles qui se présentaient avec lui. Il ignorait encore tout de l'organisation du pèlerinage. À l'Auberge du Bec, la plus importante de Troyes, on lui rit vertement au nez avant de le diriger vers un hameau, près du lac, où il pourrait jouer ses dernières chances de trouver un lit couvert. Il laissa un mot et piqua dans la direction indiquée.

Là, il longea le camp des Irlandais et croisa Anx et son frère de retour du fort. Un peu plus loin, toujours à cheval, il manqua de faucher un passant. Empêtré dans son costume, c'était le sieur Marcabru. L'Oriental fit un bond en arrière et renversa sa pipe dans la boue. Cosimo s'excusa, puis demanda :

– On m'a averti d'une auberge dans les parages, savez-vous où je peux la trouver ?

– Il y avait bien autrefois un hospice dans une des ruelles qui contournent la place de la source, dit Marcabru en se relevant et avec un fort accent de la région. Mais cela fait beau temps que personne n'y a plus accroché d'enseigne.

Il s'enfuit pour sécher son costume boueux. Cosimo décida d'aller s'assurer du village. En s'éloignant, il entendit Marcabru qui s'esclaffait sous un auvent avec des hommes du pays. En dépit de son allure, Cosimo comprit qu'il avait affaire à un personnage de farce. Et pour cause. Dès qu'il avait remisé ses discours artificieux et son maquillage, Roger Marcabru redevenait le bon Champenois qu'il avait toujours été, Troyen jusqu'à l'os. De sa vie il n'avait posé un pied au-delà du lit de la Seine. Mais ses dispositions d'enfileur de phrases avaient séduit les autorités et il « prêchait » pour la Terre sainte aux ordres de son évêché.

Cosimo poursuivit sa route et franchit un petit champ, puis les rues du village encombrées en dépit de la bourbe et de l'eau. Entre les mufles des animaux de bât, les marchands ambulants, les

longs chariots apprêtés pour les vieillards, les trafi-
quants, les barbiers, les garçons d'écurie, il vit
aussi, à sa grande surprise, des gardes qui s'affai-
raient autour de carrioles tirées par des quadriges
de bœufs. À l'intérieur s'accumulait du matériel
assez singulier pour un pèlerinage : des mâts de
catapulte et des troncs de tourelle mobile, des
grappins, des fronts de bélier, des cordages, des
échelles. Ces objets étaient conduits vers un château fortifié dont on interdisait l'accès aux pèlerins.

Cosimo ne s'aventura pas dans cette direction,
mais, intrigué, il observa un jeune clerc disputant
avec un factionnaire afin qu'il relève la herse aux
trois quarts baissée du château. Le clerc avait le
visage tout en long, la tonsure couronnée de
mèches blondes. Il portait un objet qu'il gardait
sous un linge appuyé contre son torse. Cosimo
n'attendit pas la conclusion de l'échange et reprit
sa route. À l'endroit désigné par Marcabru, il aperçut un fronton d'auberge charpenté à neuf, les
plinthes et les linteaux repeints. Elle était loin de la
description de gargote qu'il avait donnée. Le jeune
homme attacha son cheval à un anneau et entra.

La salle commune était vaste, éclairée et agréablement mise. Le silence contrastait ici avec le
tumulte des rues. Cosimo ne compta qu'une douzaine de pèlerins attablés. Il osa un bref salut de
courtoisie qui resta sans réponse. Il s'avança
jusqu'à une cheminée où fumaient un chaudron
couvert et une cassolette. Le dessus était habillé
par des étagères où s'alignaient des récipients remplis de cendres, chacun marqué d'un nom. Cosimo
lut les premiers : Ur, Mû, Sumer, Corinthe,
Sagonte, Carthage, Troie, des dizaines encore, tous
appartenant à des cités du passé détruites ou
englouties.

« Ce n'est pas du meilleur goût », songea-t-il.

Au même moment, une porte s'ouvrit. L'aubergiste entra. C'était un petit homme replet, portant un tablier, les yeux réjouis de l'apparition d'un nouveau client.

– Bonjour. Je m'appelle maître Roman. Bienvenue dans mon auberge.

Cosimo se présenta en n'avouant que son nom de baptême. L'aubergiste saisit un broc de lait de poule et une potée en plat qui ne ressemblait en rien aux brouets qu'on servait dans les relais ; il les disposa sur une table dont le bois luisait d'avoir été frotté. Le jeune homme se réjouit du hasard qui l'avait conduit dans un endroit si propice. Il mangea, soulagé par la discrétion de l'aubergiste qui ne l'accabla ni de questions ni de commentaires.

« À présent, tout me reste à faire, réfléchit Cosimo. J'ai pu atteindre le pèlerinage avant son départ, mais je ne connais rien, ni personne. Sans le drame survenu à Draguan, Ismale Gui serait ici, à Troyes, prêt à partir. Je dois suivre la première piste qui se présentera. Demeurer attentif. »

Après le repas, il monta à l'étage dans une chambre qu'il devait partager avec deux des hommes de l'auberge. Maître Roman lui fit entendre qu'il pouvait laisser ses affaires en toute sûreté.

– Et mon cheval ? dit Cosimo.

– Selon mes instructions, il est déjà au sec dans nos écuries. Votre bête ne manquera de rien.

Le jeune homme remercia.

La chambre prenait le jour par une ouverture en rond donnant sur la rue au dos de l'auberge qui était beaucoup plus populeuse que celle de l'entrée.

– Ne craignez rien, avertit maître Roman, les nuits du hameau sont calmes.

120

Cosimo observa. Sous la pluie, une multitude de pèlerins et de Champenois se bousculaient, mais ils se répondaient avec amabilité, rendant même des vœux très chrétiens là où d'ordinaire ce n'étaient que bordées d'injures. Dans la masse, un personnage attira son regard. Il le reconnut à sa mise et à ses cheveux blonds. C'était le jeune clerc qui parlementait plus tôt à la sortie du fort. Il longeait les murs, esquivant les coups des uns et des autres afin de protéger son paquet. Dans le chahut, personne ne faisait attention à lui, mais lui avait son monde à l'œil.

– Merci, maître Roman, dit Cosimo. Je reviendrai avant le soir.

Il descendit précipitamment, sortit et se retrouva à l'endroit où était passé le jeune clerc. Se surélevant sur un abreuvoir, il reconnut au loin le dos du garçon et se mit à sa poursuite, essayant de ne pas trop trahir sa présence.

« Il faut bien commencer par quelque chose », se dit-il.

Le clerc se jeta dans une rue oblique. Il ne semblait pas faire secret de son parcours. Son seul souci était pour le colis. Si sa vie avait dépendu de sa sauvegarde, il n'eût pas été plus vigilant. Cosimo le suivit jusqu'à une place proche de la forêt qui ceinturait le village. Le clerc entra, sans frapper, dans une petite maison basse. Cosimo la contourna. À droite, il découvrit une autre entrée. Seul dans les environs immédiats, il passa la porte ouverte comme s'il était un familier.

La pièce était inoccupée. Des pans de peaux mégissées pendaient depuis les solives jusqu'au ras du sol. Sur des établis, Cosimo reconnut des pots de pigments qui servaient à la coloration des encres. Des patrons d'enluminure étaient adossés sur des lutrins tournants.

– Un atelier d'écriture ?

Il fut surpris de trouver un tel lieu dans un village champenois. D'ordinaire, rares et coûteux, les scriptorium n'appartenaient qu'aux monastères bien dotés. Pourquoi en aménager un hors du sein de l'Église ? Cosimo avança vers le fond de la pièce. Deux voix discutaient. Il se glissa dans l'intervalle de deux toiles de parchemins cousus, longues de cinq pieds. L'une d'elles était dessinée à l'encre sur toute sa surface. Cosimo reconnut une carte céleste, mais il ne repéra aucun des points ou des constellations qu'on lui avait enseignés à l'université de Cori Occlo. À sa connaissance, si ce ciel existait quelque part, il n'appartenait pas à celui des hommes.

Il s'immobilisa près de la porte et écouta l'entretien du jeune clerc qu'il avait suivi.

– Erich, dit une voix légèrement irritée, en premier lieu je n'ai plus le temps d'achever la carte de Hincmar. Même si j'y sacrifiais toutes mes nuits. Ensuite, je vous ai déjà expliqué que je ne souhaitais plus travailler sur ces écrits d'hérétiques. Je suis un véritable chrétien, *moi*, je crains pour mon salut.

Cosimo reconnut le nom de Hincmar.

– Vous avez raison, Garguesalle, dit le clerc d'une voix sèche. Mais, voyez, cet ouvrage a été fortement endommagé. Un chariot s'est renversé. Maître Flodoard est inflexible sur le sujet ; il le lui faut en parfait état avant le départ. Nous serons généreux, vous le savez.

– Ce que vous me demandez est...

– N'est-ce pas assez de vous avoir laissé tomber le froc et autorisé au mariage ? Que dirait votre jeune épouse si nous revenions sur nos serments et vous rétablissions dans le monastère d'un autre pays ? Allons, ce sera notre dernière commande. Le départ est pour bientôt. Vous pourrez rejoindre votre mie et vous n'entendrez plus parler de nous.

– Je ne peux rien promettre. Le temps est trop court. Ce livre... Il y a au moins vingt pages à rattraper. Pour la partie traduite en latin, je ne m'inquiète pas, mais ces caractères arabes, des caractères du diable ! J'y perds la vue à recopier ces coups de griffe !

– Assez de bavardages. Mettez-vous au travail.

– À quand le départ ?

– Une courte semaine, au plus.

– Vous me dites cela depuis longtemps.

– Mais cette fois, c'est très vrai.

Cosimo entendit des pas qui s'éloignaient. Il sortit et retrouva son clerc dans la rue ; il le suivit. Erich retourna au château fortifié.

Cosimo resta longtemps à observer la haute bâtisse et l'activité débordante qui y régnait. La pluie venait de cesser, l'orage s'éloignait. Quelques nobles avec leurs dames du pèlerinage sortirent devant la porte. Elles distribuaient des aumônes aux pauvres, ce qui créait un chahut indescriptible.

Cosimo s'approcha d'un homme âgé qui regardait aussi le château.

– Dis-moi qui loge ici ?

– Hé ! Toute sorte de beau monde, riche et puissant. Mais surtout, c'est entre ces murs qu'œuvrent les neuf braves chevaliers qui vont nous conduire sur le tombeau du Christ.

Cosimo ne répondit pas.

« Des chevaliers... Comment savoir qui ils sont, et quels liens ils entretiennent avec Ismale, Hugo de Payns et cette " Borne " ? A-t-on voulu empêcher Ismale d'accomplir ce voyage ? Pourquoi ? Il existe plusieurs pèlerinages en Occident, pourquoi s'est-il associé à celui-là en particulier ? »

Il retourna lentement vers le village.

« Ce Garguesalle semble en savoir long, pensa-t-il. Il pourrait me servir, si je l'approchais adroitement. »

Il rentra à l'auberge de maître Roman.

Les quatre jours suivants, il les employa à gagner la confiance de l'ancien moine. Garguesalle s'était d'abord montré suspicieux à l'arrivée de cet inconnu qui proposait ses services de copiste. Mais, devant l'insistance de Cosimo et la démonstration de ses talents en écriture, l'homme se dit que l'avancement de ses travaux ne souffrirait pas d'une main supplémentaire.

– Où as-tu appris à écrire ? demanda-t-il.

– J'ai été oblat pendant quelque temps près d'Occlo. Mon supérieur avait besoin d'un aide.

– Comment as-tu su que j'avais un atelier ? Personne ici ne le connaît...

Cosimo sourit.

– Vous mégissez vos peaux avec de l'alun. L'odeur vous trahit.

Garguesalle hocha la tête. Le tour était joué.

Le jeune homme se retrouva à copier des écrits administratifs que le maître de l'atelier ne pouvait achever sans manquer aux attentes d'Erich. Cosimo ne réussit jamais à approcher le lutrin du copiste pour observer ses originaux. Mais, partageant la même salle, il eut tout loisir de nouer des liens et d'échanger des vues sur les conditions du pèlerinage. Garguesalle lui en apprit beaucoup, c'était un personnage assez simple d'esprit, inflexible sur ses ordres et ses devoirs, mais peu méfiant.

Un soir, un pèlerin au visage masqué vint à l'atelier récupérer un livre d'illustrations. Cosimo savait que celui-ci contenait des miniatures reproduisant des fresques érotiques romaines. L'homme paya son exemplaire inavouable et disparut.

Mais il revint le lendemain pour réclamer une ultime retouche sur une scène de banquet. Cette fois, Cosimo réussit à voir son visage. Rond, les joues flasques et un regard fuyant. Garguesalle lui répondit poliment que le temps ne lui permettait plus de travailler sur cet ouvrage. L'homme repartit, sans insister.

– Voilà de ces têtes qui partent à Jérusalem ! grommela l'ancien moine. Un beau religieux vraiment...

Cosimo réussit plus tard à savoir le nom de l'homme au livre : Oberon de Saintyves. C'est aussi grâce à Garguesalle qu'il apprit comment se déroulaient les inscriptions dans les convois et que les pèlerins devraient rejoindre les ports de Venise, Pise ou Gênes.

– Les pèlerinages jusqu'en Terre sainte ne se font plus à pied, dit Garguesalle. La traversée par bateau fait gagner un temps précieux. Mais il y a des dangers.

Cosimo résolut de ne pas l'oublier.

Son temps libre, il le passait à parcourir les environs pour regrouper de nouveaux indices. Le soir, il ne quittait pas sa chambre, roulant dans ses pensées les recherches à engager.

Une nuit, il fut réveillé en sursaut par deux poings qui lui saisirent les épaules. Quelques instants après, il était dans la salle commune de l'auberge. Une chandelle éclairait la pièce, les ombres jouant entre les vases de cendres. Cosimo s'y assit en compagnie de deux nouveaux arrivants.

Le premier garçon s'appelait Croitendieu. Il était de taille moyenne, le front déjà dégarni jusqu'au cuir en dépit de ses vingt ans, les yeux pétillants et malins. Sa chemise de toile verte lui donnait un côté enfantin et lunaire.

Le second se prénommait Roland. Grand, blond, l'œil profond, le corps musclé, il avait une mine plus grave que son voisin dont il partageait le jeune âge.

Ces garçons étaient les meilleurs compagnons de Cosimo, rencontrés dès leur première année de bachelage à Cori Occlo. Ils avaient un point commun : ils n'étaient pas des enfants de chevaliers. Avec un quatrième acolyte nommé Jason, ils étaient les seuls dans l'académie à ne pas avoir de fortune, à ne rien connaître des coutumes ni du parler des écuyers. Cela suffit à leur faire subir les persécutions du plus grand nombre, comme à raffermir une amitié que rien ne devait plus entamer.

– Je suis heureux de vous voir, dit Cosimo. J'ignorais si mes messages vous atteindraient à temps.

– Nous sommes arrivés ensemble à Troyes, dit Croitendieu.

– Nous avons trouvé l'auberge la plus grande de la ville où nous avons récupéré ton message. Et nous voici.

– Et Jason ? dit Cosimo. Savez-vous s'il a reçu mes instructions ?

– Oui, dit Croitendieu. Il s'est rendu à l'ermitage d'Eerl. Il est arrivé sous ton nom et a investi le poste que tu avais réservé pour toi. Tout le monde le prend pour Cosimo Gui et le remplacement fonctionne à merveille.

Cosimo fit un signe de satisfaction.

– Ne me demandez pas à qui est destinée la supercherie d'Eerl, dit-il, je l'ignore encore. Je préfère seulement que certaines personnes me croient loin d'ici, dans un lieu et sous une occupation qui ne concernent en rien ce voyage pour Jérusalem.

Cosimo raconta à mi-voix son retour à la Ghilde du Tabor et la mort de son oncle. Il n'omit aucun détail, insistant sur le fait qu'Ismale se préparait à accompagner les pèlerins de Troyes en Terre sainte et que l'explication de sa mort résidait certainement dans cet engagement inattendu.

– Ce pèlerinage est particulier, dit Cosimo. J'ai appris grâce à un moine défroqué à qui je sers de porte-mine que, depuis l'annonce de la protection des convois par des chevaliers sous serment, on ne compte plus les vocations de marcheur de Dieu.

Il produisit les lettres de Payns qu'il avait retrouvées dans le bureau de son oncle.

– Il va sans dire que le traître dont il est question ici doit être impliqué d'une manière ou d'une autre dans la disparition d'Ismale. Les écrits de Hugo enjoignent de ne se fier à personne. C'est ce que j'ai fait. Même avec le vieux Ruysdael. J'ai brouillé les pistes qui pouvaient conduire jusqu'à moi. J'ai gardé ces feuillets pour m'assurer une avance sur les autres enquêteurs. Quels qu'ils soient. Maintenant il faut agir vite. Hugo de Payns pense que le traître appartient aux chevaliers qui vont encadrer et protéger ce pèlerinage. Ou, du moins, qu'il doit leur être proche. Je dois les découvrir tous, connaître les liens qu'ils entretenaient avec Ismale.

– Pourquoi ? demanda Roland. Pourquoi t'occuper d'une affaire aussi obscure dont tu ne sais pratiquement rien ?

– Mon oncle a toujours révéré son art et sa Ghilde, plus que tout au monde, répondit Cosimo. Il aimait l'œuvre qu'il accomplissait depuis tant d'années. Pourquoi avait-il résolu de tout arrêter et de partir pour la Terre sainte ? S'il existe une raison en ce monde qui puisse lui faire abandonner le Tabor et que cette raison soit la cause de sa mort, je veux la connaître. Que signifient cette « Borne », ce retour « vingt ans après » ? Je dois savoir. Qu'importe l'identité exacte de ses assassins à Draguan, ce qui compte c'est de dévoiler leur *but*. Et ce but se cache ici, autour de ces chevaliers et de leur Milice. Seulement je ne peux marcher sans appuis. Le niveau de sécurité de ce voyage va être sans précédent. L'ensemble des pèlerins sera divisé en quatre grands convois dirigés par deux chevaliers chacun. Le pèlerinage est mis sous surveillance et chacun est sommé de conserver sa place initiale. Pendant le voyage, j'aurai besoin de passer d'un convoi à l'autre. Si vous acceptiez de m'aider, vous me serviriez en vous tenant en avance sur moi d'un convoi, pour me préparer le terrain, comprendre qui ordonne quoi, quels sont les manies, les habitudes, les tempéraments de ceux dont je dois découvrir les secrets.

— C'est risqué, dit Croitendieu. Pourquoi ne vas-tu pas rencontrer Hugo de Payns ? Tu es le neveu d'Ismale ; il t'entendra sans doute. Du reste, il semble en savoir assez long sur ce traître que ton oncle et lui avaient...

— J'y ai déjà songé, coupa Cosimo. Mais avant de voir Payns, je veux en savoir plus sur cette Borne. Si je ne me trompe pas, tout tourne autour d'elle. Et puis qui sait si Payns lui-même n'est pas à suspecter ?

— Alors comment ferions-nous ? demanda Roland.

— Les admissions dans les convois se font par des dons. J'ai sur moi une somme d'argent rapportée du Tabor sur l'héritage d'Ismale. Je peux nous arranger des entrées à tous les trois. Mais il va falloir s'enregistrer sous des noms différents pour se déplacer sans trop attirer l'attention. Et encore, rien n'est certain. Je le répète, ce pèlerinage est particulier. La sécurité des pèlerins est une notion toute nouvelle, personne ne sait vraiment jusqu'où elle va s'appliquer.

– Il faudra improviser, dit Croitendieu. Je ne vois rien d'autre.

Cosimo sourit. Il leur demanda ce qu'ils avaient fait depuis qu'ils s'étaient quittés à Occlo.

– Ah! s'exclama Croitendieu. Pour moi, ton appel est arrivé à temps!

Il raconta qu'à son retour d'étude dans son village au sud du duché de Normandie, son père l'accueillit avec un mariage arrangé dont l'urgence frappait tout le monde à part lui.

– Moi qui revenais avec l'espoir de revoir ma belle Isée, dit-il, je me retrouvais face à une veuve qui avait consommé ses vingt ans le jour de ma naissance. Le tout avec un caractère très discutable.

– Qu'était devenue ton Isée dont tu nous parlais si souvent? demanda Cosimo.

– Celle-là avait pris un air halluciné qu'on ne connaît qu'aux vieilles chouettes, un mari passablement idiot et deux enfants résolument débiles. C'en était fait. Le soir même du message, j'étais reparti.

– Qu'as-tu annoncé à ton père et à la veuve?

Croitendieu fit une moue significative.

– Rien. Le mariage était arrêté pour ce matin. À l'heure qu'il est, je pense qu'ils ont renoncé à me voir apparaître...

Les trois amis rirent.

– Et toi, Roland?

– Après Cori Occlo, je suis retourné chez mon oncle prieur à Verdun, dit-il d'un ton plus grave. Je suis allé rôder du côté de la forêt de Morte-Cœur. C'est là que vit l'ermite Frédéric, qui avait refusé une fois de m'initier à ses secrets. J'ai attendu plusieurs jours sans manger ni dormir, avant qu'il daigne m'approcher et m'adresser de nouveau la parole.

– Que t'a-t-il dit ? demanda Croitendieu.

– De rentrer chez moi. Mon temps n'était pas venu.

– C'est pourtant lui qui t'avait incité autrefois à suivre les cours de chevalerie ?

– Oui.

– Et il ne t'a rien dit d'autre ?

Roland fit un signe négatif de la tête.

– En rentrant à Verdun, mon oncle m'a donné ton message. Cela avait l'air important et urgent. Je suis parti. Du reste, n'avions-nous pas juré tous les quatre avec Jason de toujours nous porter au secours des autres au premier appel ? Je n'ai fait qu'obéir à notre serment.

– Nous sommes là, ajouta Croitendieu. Prêts.

– Est-ce à dire que vous partez avec moi ? demanda Cosimo.

– Même Satan te soufflant flamme et bitume au visage, tu continuerais de suivre ton idée, dit Roland. Autant que nous soyons là pour t'épauler. Et puis qui n'a pas rêvé de fouler un jour le sol de la Terre sainte ?

– Quoi qu'il arrive, ce sera toujours un beau voyage, dit Croitendieu.

# VIII

## La Milice du Christ

Quand on vous parle d'une société secrète, c'est
comme si l'on vous disait que le néant s'est associé.
Sans doute ses complots ténébreux pourront travailler sourdement, ébranler les fondements des
États, préparer des jours de ruine ; mais ils n'arrive-
ront jamais à la vie réglée et publique.

LACORDAIRE, *Pensées*

Hugo de Payns pénétra à cheval dans la cour
du château près de Troyes, manquant de
renverser les gardes qui ne l'avaient pas
vu surgir. Le chevalier portait sur la face
un masque de course qu'il arracha. Son visage au
teint pâle, les cheveux grisonnants, l'œil vif et la
barbe fournie apparurent.

Un homme se précipita à sa descente de cheval.
C'était Flodoard, le bibliothécaire. Il avait sa
longue robe marron qu'il ne quittait jamais, et ce
front tonsuré à l'ancienne.

– Bonjour, maître, dit-il. Le comte vous attend.

Ils entrèrent dans le bâtiment qui avait été choisi
parmi les propriétés de Hugues de Champagne
pour recevoir les hauts pèlerins. Sous des pièces
voûtées encombrées de barons et de coffres de
voyage, Hugo de Payns et Flodoard parvinrent à la

salle d'armes où s'exerçait Hugues. Elle était immense. Ses vitres prenaient jour sur une deuxième cour garnie de massifs.

Hugues de Champagne excitait un magnifique rapace dressé sur son poing droit. La bête était raide, aveuglée par un capuchon de cuir surmonté d'un panache. Payns marcha droit à son maître.

– Ah! te voilà Hugo! s'exclama le seigneur.

Hugues avait aujourd'hui quarante et un ans. Le jeune comte qui avait autrefois bravé tous les dangers pendant la croisade, premier chrétien à pénétrer dans Jérusalem encore occupée, avait laissé place à un seigneur au corps puissant, au front marqué, dont la vie tumultueuse se lisait tout entière sur le visage.

– Je reviens de Clairvaux, dit Hugo de Payns.

– Je sais... où tu as été malheureux, sans doute. Bernard nous refuse son soutien?

– Je n'ai rien obtenu.

– Peu importe. Nous avons pris des dispositions pendant ton absence. Ismale a été remplacé dans la Milice par André de Montbard. Cet homme, dévoué et scrupuleux comme tu le sais, a aussi le mérite d'être de la famille du grand Bernard, par sa mère. C'est un procédé un peu vil, mais le temps nous presse. Cette filiation suffira pour faire accroire que Bernard est, en secret, notre fervent soutien. Les dons suivront.

Hugo de Payns fit signe que cette nouvelle lui convenait, bien qu'il n'approuvât guère qu'on ait intronisé un nouveau chevalier dans l'ordre naissant sans avoir attendu son retour ni son avis. Hugues perçut cette humeur mais ne voulut pas rivaliser avec son plus vieil ami.

– Que penses-tu de ma nouvelle bête? dit-il en montrant son oiseau de proie. Un gerfaut débarqué des contrées de Norvège.

Payns hocha la tête. Il n'aimait pas la chasse.

– Voilà un présent qui enchantera notre roi de Jérusalem, dit le comte. Avec lui, Baudouin remportera toutes les chasses de son royaume. On ne saurait mieux le combler, ne crois-tu pas ?

Hugues n'attendit pas de réponse, il fit un signe au dresseur qui se tenait à l'autre bout de la salle. Celui-ci se rapprocha pour récupérer l'oiseau.

– Quel dommage que je ne puisse partir avec vous autres. J'aurais voulu voir ce que Baudouin va tirer de ce monstre !

Le dresseur prit le gerfaut et quitta la salle.

– Enfin... Tout le monde n'a pas la chance d'avoir une épouse comme la tienne ! dit le comte à Payns.

Pour faire partie des neuf premiers chevaliers attachés à la Milice, Payns et ses amis avaient dû renoncer à leurs titres de noblesse, à leur patrimoine familial ainsi qu'aux liens de cœur et de sang qui les retenaient en Occident. Payns avait sacrifié ses terres et cédé le profit aux pauvres et à la Milice. Il avait aussi réussi à persuader sa femme de s'enfermer dans un couvent pour le délivrer des liens du mariage. Ce comportement n'était pas du goût de tout le monde et certainement pas de celui de l'épouse du comte de Champagne. Élisabeth refusa tout net de se faire nonne ou d'abandonner ses châteaux. Elle sut faire valoir que Hugues était le garant d'une lignée comtale dont il ne pouvait disposer aussi aisément qu'un Payns, un Ruy ou un Craon. Hugues de Champagne reconnut que les décrets qu'il avait arrêtés pour les chevaliers de sa Milice du Christ – chasteté, pauvreté et chevalerie – étaient justement ceux-là qu'il ne pouvait embrasser sans créer des remous qui remonteraient jusqu'à la couronne.

– Je ne peux pas risquer un échec, dit Hugues.

– Ne vous inquiétez pas, seigneur, répondit Payns, il n'y aura pas d'échec : nous rapporterons la Borne, ici, aussitôt qu'elle sera transportable. Nous allons soigneusement préparer son retour.

Depuis plusieurs mois, Hugues de Champagne faisait creuser dans une de ses vastes forêts un souterrain identique à celui qu'il avait découvert à Jérusalem vingt ans plus tôt avec Payns et Gui.

Hugues fronça les sourcils.

– Ne pas m'inquiéter ? Encore faudrait-il que vous arriviez les premiers !

Payns et Flodoard se regardèrent sans comprendre.

Le seigneur tira de son pourpoint un feuillet roulé en boule. Ce geste et le ton de sa voix annonçaient une colère imminente.

– Ce chien d'infidèle, dit le comte, auquel, paraît-il, il manque et les mains et la face, ce chien fait encore parler de lui !

Il secoua le feuillet sous le nez de Flodoard.

– J'ai reçu ce message par le dernier navire vénitien revenu d'Orient. Depuis, quatorze chevaux ont craché leur sang pour qu'il m'atteigne aujourd'hui.

– Que dit-il ?

– Des horreurs, voilà ce qu'il dit ! Corps de Bacchus ! Il paraîtrait que l'Homme sans main et sans visage ait surgi à l'improviste chez notre allié à Kirk et l'ait fait massacrer avec tous ses proches. Une véritable boucherie !

– Mais le peuple ne s'est pas soulevé ? Vous disiez souvent combien il était attaché à son maître.

– Je ne mentais pas. C'était compter sans l'habileté de l'Homme ! Il avait tout prévu, le chien puant! Dans l'heure qui a suivi les crimes, il a pris la fille du roi pour épouse principale afin que ses héritiers soient issus de la lignée vénérée par le peuple. Après quoi, il a présenté un immense coffre à la foule. On crut d'abord qu'il était rempli d'or et qu'il s'apprêtait à le répandre autour de lui pour acheter les insoumis. Mais l'idée était plus forte que cela! L'Homme sans main et sans visage avait fait apporter le cercueil contenant les restes de son père! Il a ordonné de le ré-inhumer à Kirk, marquant ainsi son attachement à cette terre. Grâce à ces coups d'adresse, il s'est inféodé le cœur de tout le peuple. Incroyable!

– C'est admirablement joué.

– Et ce qui est dur pour nous, c'est que l'Homme est désormais à la tête de vingt mille hommes, et de méchant métal! Pis encore! Écoutez ce qu'on m'écrit : le discours de l'Homme a changé. Il harangue ses foules contre les chrétiens, mais désormais, il exalte la nation musulmane, il vante son histoire, sa culture. Il accuse les Francs de piller leurs trésors et leur science. Le voilà qui vante la mémoire de Wâzil Athir et de Hincmar Ibn Jobaïr! Entendez-vous? Il appelle à protéger les découvertes de leurs savants qui seraient en danger de tomber entre nos mains!

Hugues de Champagne roula le feuillet en tampon.

– Vingt ans! Vingt ans que nous travaillons sans relâche. Ce n'est pas pour qu'un homme en forme de courant d'air se mette en travers de notre route! Sait-il seulement de quoi il parle, celui-là?

Payns et Flodoard ne répondirent pas.

– Depuis la découverte du sanctuaire de la Borne, il nous a fallu tout ce temps pour interpréter correctement les écrits de Hincmar. Nous savons enfin comment la libérer de son sarco-phage, nous savons enfin l'étendue de la connais-sance qu'elle apporte et ses pouvoirs! ce n'est pas pour la perdre à cause d'une révolte d'infidèles.

Après un temps à fulminer de la sorte, le comte se tempéra un peu.

– Il faut agir vite, reprit-il vers Payns. Vous devez être à Jérusalem avant que les troupes enne-mies ne viennent attaquer les terres de Jésus. Maintenant que l'Homme sans main et sans visage est armé, qu'il a sans doute plus d'hommes à ses ordres que n'en comportent toutes les armées de notre roi Baudouin, il ne va plus tarder à marcher sur la Ville sainte!

– La Tour de Salomon est-elle toujours sous la garde du roi? demanda Flodoard.

– Oui, Baudouin est notre meilleur allié, répon-dit Hugues. Il nous fait aussi garder les écuries du Temple qui se trouvent à la verticale du sanctuaire de la Borne. Avec lui, nous ne risquons rien. Mais il est notre seul rempart. Maintenant que tout est prêt ici, vous devriez déjà être en route! Qu'atten-dons-nous, Pâques-Dieu! Dès qu'elle sera libérée, ramenez la Borne à Troyes!

– Les pèlerins de Boulogne ne sont pas encore arrivés, dit le bibliothécaire. Eustache est à leur tête. C'est le frère du roi de Jérusalem. C'est la moindre des choses de l'attendre pour assurer sa sûreté.

– Bah! Je le sais bien. Hélas, un idiot pareil, grogna Hugues.

Le comte s'arrêta. Il fixa Payns d'un air surpris.

– Eh bien? Tu as perdu ta langue? Qu'as-tu à rester là muet comme un pilier de prison?

– Je repensais à Bernard de Clairvaux, dit Payns. Il ne cache pas sa volonté de mettre au jour les raisons véritables de notre entreprise.

– Bernard s'intéresse à nous ? À la bonne heure ! Il n'est pas le dernier ! Que croit-il que nous allons chercher ? Le Graal ? L'Arche d'alliance ? Il sera toujours loin de notre quête !

Hugues frappa de nouveau dans ses paumes.

– Maintenant, je veux que vous vous pressiez ! Non seulement ce pèlerinage doit se faire sans une seule exaction, mais il doit s'accomplir en moins de temps qu'il n'en faut pour le penser. C'est un ordre !

– Nous sommes chargés, déplora Flodoard.

– Eh bien, déchargez-vous ! Abandonnez les documents encombrants, passez par Constantinople et laissez une partie de vos livres dans mon palais ! Emportez les outils indispensables sur les navires, cela ira plus vite ! Conservez le strict nécessaire. Est-ce faisable ? Accélérez ! Accélérez tout !

– C'est faisable, dit Flodoard. Mais c'est risqué.

– Tout est risqué, Flodoard, dit Hugues, ne faites pas la femme ! Tout est risqué.

Le comte planta sur ce cri ses deux compagnons.

– Il va falloir revoir notre plan de route, dit simplement Hugo de Payns...

# IX

## La Vengeance de l'Architecte

Les constructeurs du Moyen Âge avaient en apanage la foi et la modestie. Artisans anonymes de purs chefs-d'œuvre, ils édifièrent pour la Vérité, pour l'affirmation de leur idéal, pour la propagation et la noblesse de leur science. Ceux de la Renaissance, préoccupés surtout de leur personnalité, jaloux de leur valeur, édifièrent pour la postérité de leur nom. Le Moyen Âge dut sa splendeur à l'originalité de ses créations ; la Renaissance dut sa vogue à la fidélité servile de ses copies. Ici, une pensée ; là, une mode. D'un côté, le génie ; de l'autre, le talent. Dans l'œuvre gothique, la facture demeure soumise à l'Idée ; dans l'œuvre renaissante, elle la domine et l'efface. L'une parle au cœur, au cerveau, à l'âme : c'est le triomphe de l'esprit ; l'autre s'adresse aux sens : c'est la glorification de la matière. Les maîtres médiévaux surent animer le calcaire commun ; les artistes de la Renaissance laissèrent le marbre inerte et froid.

FULCANELLI, *Le Mystère des cathédrales*

L a forteresse des architectes de la Ghilde du Tabor s'élevait au sommet d'une montagne dans les Alpes centrales. Ismale Gui avait tout fait pour tenir les secrets de sa confrérie à l'abri des curieux et des rivaux. Pour l'atteindre, il fallait cheminer pendant plusieurs jours sur des sentiers étroits de forêt. Il était impensable que des appareils de siège, essentiels à la prise de la forteresse, puissent être transportés sur un tracé aussi rude. Le Tabor était la Ghilde la mieux protégée qui fût.

Et pourtant, en ce jour d'août 1118, elle succomba sous les coups de seulement huit personnes.

Alp Malecorne arriva sur un cheval au bout d'un lacet qui donnait pour la première fois pleine vue sur la citadelle. Le jour était magnifique. Sept mercenaires le suivaient.

Alp connaissait toutes les passes et les entrées dissimulées le long des remparts. Il avait vécu six ans entre ces murs au service d'Ismale Gui. Pour sa forteresse, l'architecte avait pensé à toutes les attaques, excepté la seule qui devait compter : la trahison.

Lentement, avec ses hommes, Alp condamna les issues de secours dissimulées autour de la citadelle pour les architectes travaillant dans les niveaux souterrains. Puis en quelques minutes, allumant des incendies aux endroits stratégiques, il réussit à neutraliser et à couper tous les accès. Sans même s'en rendre compte, les Taborites étaient pris, isolés, incapables de se défendre ou de se rejoindre. Leurs plans de défense se retournaient contre eux. Il suffit de quelques heures à Alp et à ses mercenaires pour arraisonner le Conseil et le vieux Ruysdael. Malecorne interrogeait, fouillait certaines maisons, jetant tout à l'envers dans la demeure de son ancien maître. La cicatrice qui lui tranchait le visage empêchait pour l'heure ses anciens condisciples de le reconnaître.

Alp entra dans le bureau d'Ismale. Sans hésiter, il se dirigea vers le tableau de la Condamnation du Djinn de Salomon et ouvrit le coffre secret.

Furieux, il n'y trouva rien de ce qu'il cherchait. Sa colère doubla. Il s'en prit à de jeunes élèves. Il voulait savoir ce qui s'était passé dans les derniers jours. Il égorgea un garçon toutes les minutes, jusqu'à ce que l'un d'eux accepte de parler. C'était le garde qui avait été mis à la porte du bureau d'Ismale pour veiller sur les scellés. Il avoua le passage de Cosimo Gui.

– Mais en sortant, balbutia-t-il, il a dit n'avoir rien découvert.

À bout de nerfs, Alp alla trouver Ruysdael et pointa sa longue épée sur le front du vieil homme qui gémissait à genoux.

– Parle ! Où sont les documents d'Ismale ? Ceux que tu as fait intercepter ? Un garde m'a avoué que Cosimo avait rejoint la citadelle. Tu l'as fait entrer seul dans le bureau. Est-ce lui qui les détient ? Où se trouve-t-il ? Cosimo Gui ? Je veux savoir où il est !

Ruysdael restait stupéfié, il observait la face d'Alp avec une horreur indicible.

– Je sais qui tu es, murmura-t-il. Cette voix... Malecorne ?

– Réponds ! Où est le neveu d'Ismale ?

Alp fit un signe à ses mercenaires. Devant Ruysdael, ils décapitèrent froidement le Haut Conseiller et ses deux suppléants. Le sang des trois vieillards coula sur les dalles jusqu'à la robe du professeur.

– Une dernière fois, dit Alp, où est le garçon ?

Il fit pivoter la pointe de sa lame sur l'os du front.

– À Eerl... l'ermitage d'Eerl, dit Ruysdael en larmes.

Alp sourit.

– Bien.

Il appuya de tout son poids sur son épée : le fer pénétra le crâne de part en part. Le vieil homme eut un soubresaut puis son visage se figea dans une expression d'épouvante.

Peu après, Alp et ses hommes s'appliquèrent à consumer la citadelle avec ses habitants. Ils ne laissèrent que des cendres derrière eux.

Ils partirent pour Eerl, la lune des Pensifs.

# X

# La Cloche des fils d'Irlande

> Il est bon de renouveler les sources d'émerveille-
> ment, dit le philosophe. Les voyages intersidéraux
> ont refait de nous des enfants.
>
> RAY BRADBURY, *Chroniques martiennes*

L e convoi de quinze cents pénitents conduit par Eustache de Boulogne atteignit enfin Troyes. Avec lui, c'était l'heure du départ qui arrivait. Elle fut décrétée pour le sur-lendemain au matin, juste après une grand-messe à laquelle participeraient les milliers de pèlerins regroupés dans la région.

Le jour dit, le ciel était bas et sombre, il pleuvait de nouveau à verse. Seuls les privilégiés, et les plus habiles, avaient réussi à trouver place dans les églises de Troyes. Les autres furent réunis en plein vent, debout sous les trombes d'eau, immobiles, les chausses empêtrées dans la boue.

Sur le pré communal, une estrade avait été dres-sée pour accueillir les chevaliers et le comte Hugues de Champagne. C'était la première fois qu'ils se montraient ensemble aux pèlerins. Ils avaient jugé indigne d'eux de se présenter à couvert dans une cathédrale. Là, ils étaient avec le plus grand nombre et les plus humbles.

La messe débuta à six heures. Habituellement il faisait déjà jour, mais l'épaisseur du ciel rendait aujourd'hui une impression désagréable de fausse nuit. La partie strictement religieuse de la messe céda vite le pas à l'énoncé des instructions relatives au départ. Les homélies des prêtres servirent davantage à formuler les règles de répartition des convois qu'à invoquer la protection du ciel. Du reste, disaient-ils, chacun aurait le temps de prier pendant la traversée de neuf mois.

Hugues de Champagne fit un discours sur la grande estrade. Pour les pèlerins éloignés, ses paroles furent lues par les prêtres. Avant tout, il présenta à la foule un nouveau-né emmailloté dans des draps blancs. Un pèlerinage n'asseyait sa légitimité qu'après la révélation d'un signe favorable du ciel. Selon le comte, c'était chose faite avec la naissance de cet enfant. Il avait été retrouvé sur le parvis de la cathédrale de Troyes, la nuit précédente, une tache cruciforme au-dessus du cœur. Le signal était clair et il reçut l'accueil espéré ; la joie passa l'émerveillement et les chrétiens se montrèrent plus attentifs encore aux paroles de leur protecteur. Le comte poursuivit sa harangue en annonçant qu'il cédait à Hugo de Payns l'*abacus*, un bâton dont l'extrémité était couverte d'une pomme plate à orle d'or sur laquelle était gravée une croix. Par ce geste, il montrait que son vassal devenait le maître du pèlerinage. Payns saisit la crosse d'une main et dressa de l'autre une bannière moitié blanche, moitié noire, insigne de l'ordre naissant. Noir, pour dire combien les neuf chevaliers se montreraient durs et impitoyables envers les infidèles et les brigands ; blanc, pour dire combien ils seraient doux et bienveillants à l'égard des pèlerins.

∞

Cosimo, durant la cérémonie, ne quitta pas des yeux les chevaliers réunis autour de Hugues de Champagne et de Hugo de Payns. Il mémorisa leurs visages, leurs mises, leurs signes distinctifs. Pierre de Montdidier, Étienne de Saint-Amant, Robert de Craon, Godefroy de Bisol, Benoît Clerc, Jean du Grand-Cellier. Il reconnut avec stupeur l'enquêteur André de Montbard rencontré au Tabor. Il avait remplacé Ismale Gui. Mais il s'aperçut qu'un manquait : Carl de Ruy. Il interrogea autour de lui. En effet, Ruy était absent. Et personne ne l'avait vu à Troyes ni dans la région...

La messe s'acheva pour sept heures. La nouvelle cloche des Irlandais fut élevée près de l'estrade. L'abbé Soffrey avait choisi deux âmes innocentes pour manier le timbre : les enfants de Létald et Rowena Columban. Anx avança dans l'espace libéré autour de la cloche en prenant son frère par la main, un peu intimidée. Sur l'estrade des chevaliers, elle reconnut le visage du voyageur inconnu qui s'entretint avec l'Aveugle à Source-Dole : c'était Hugo de Payns. Le maître du pèlerinage !

Devant la cloche, de la main droite, elle se mit à heurter les sept coups de l'heure.

*Sonne.*

Anx regarda la foule plongée autour d'elle dans la prière. La pluie roulait sur ses joues. Elle sentait son cœur se gonfler. L'aventure commençait pour de bon.

*Sonne.*

Cosimo regardait les chevaliers. Il ne priait pas. Il s'interrogeait sur la curieuse présence de Montbard. À côté de lui, Roland et Croitendieu attendaient avec leurs sacs. Ils savaient qu'ils ne tarderaient pas à se séparer.

*Sonne.*

Flodoard était dans la chapelle du château avec son premier assistant, le clerc Erich. De tous, il était le plus inquiet pour l'avenir. Il ne priait pas non plus.

*Sonne.*

À Troyes, de jeunes religieuses ne cessaient depuis le début de la messe d'attirer le regard des hommes et de provoquer des murmures indignés parmi les femmes et les abbés. C'étaient d'anciennes prostituées qui avaient renoncé à leur terrible état et qui se rendaient à Jérusalem pour gagner leur pardon. Au centre du groupe trônait leur maîtresse. Aussi belle que ses pupilles. C'était Erichtô. À sa droite, Lÿs regardait la foule. Elles priaient du bout des lèvres.

*Sonne.*

Roger Marcabru était à genoux, le visage ruisselant de larmes et de pluie, touché par la grâce des chants de messe. Aujourd'hui, il avait délaissé sa faconde de comédien : lui qui n'avait jamais quitté son bord de Seine s'était enfin résolu à s'engager, réconforté par la présence de la Milice. Il s'abandonnait à la prière, conscient de la grandeur de l'événement.

*Sonne.*

Un inconnu arriva à la fin de la messe, comme si c'était son heure de choix. Son cheval était haut, gris ; il avait la peau froncée de son grand âge et ne portait sur le dos que quelques oripeaux trempés par la pluie. Des fidèles frémirent en le voyant passer, la face livide, ses yeux blancs et ternes comme ceux des poissons crevés. C'était l'aveugle Clinamen. Il se plaça sans un mot dans les rangs, paré au départ du pèlerinage.

*Sonne.*

Sept heures.

Les milliers de pèlerins se relevèrent. À travers toute la campagne champenoise, la messe était dite.

C'était le départ.

∞

Les neuf chevaliers se dispersèrent, prenant le chemin de leurs convois respectifs. Dans le ciel de la petite planète de Troyes, les navettes de liaison surchargées de pèlerins volaient sans interruption entre la terre et les croiseurs long-courriers qui attendaient en orbite.

Flodoard inspecta lui-même le départ de ses dernières cargaisons de livres et de Disk. Son clerc Erich lui avait rapporté l'exemplaire qui avait été endommagé dans l'accident près du fort et que Garguesalle avait réussi à encrypter de nouveau sans aucune omission.

Cosimo, Roland et Croitendieu se séparaient. Ils avaient chacun leur carte d'embarquement : c'était une plaquette grise sur laquelle toutes les informations concernant le passager étaient consignées. Cosimo avait une place sur le convoi de Robert de Craon et de Carl de Ruy avec le pseudonyme de Chaucer ; ses compagnons iraient sur le vaisseau de Du Grand-Cellier et de Montdidier. Eux aussi avaient établi de fausses identités. Ces derniers jours, ils s'étaient présentés ensemble aux comptoirs des quatre grands convois pour s'assurer d'être partout enregistrés. Grâce à l'argent de Cosimo, ils représentaient à eux trois une douzaine de pèlerins différents.

– Faites attention, dit Cosimo. Je vous rejoindrai dès que possible. Ce ne devrait pas être long.

Au vrai, nous n'avons que des informations à récolter.

Ils s'étreignirent.

– Comment nous retrouverons-nous sur notre convoi ? demanda Croitendieu.

Cosimo réfléchit.

– Dans une semaine, trouvez-vous chaque jour à midi dans la salle d'hibernation du vaisseau où mon nom doit être enregistré. C'est là que je viendrai à votre rencontre.

– Dans une semaine.

– Et n'oubliez pas, tout ce qui se rapporte de près ou de loin à quelque chose d'intitulé la Borne nous intéresse en premier lieu.

Les amis se séparèrent.

Au sas d'embarquement de la navette, comme tous les voyageurs, Cosimo présenta sa carte. Il passa sans encombre. Il vérifia seulement que son petit croiseur personnel avait été embarqué. Il savait qu'il en aurait besoin tôt ou tard dans le pèlerinage.

Les vaisseaux-cités qui allaient servir au transport des milliers de pèlerins attendaient en orbite autour de Troyes. C'étaient des Asimo 5. Puissants et rapides, ils comptaient parmi les meilleurs croiseurs galactiques. La flotte en possédait quatre, chacun disposant d'un système et d'un biotope proches de ceux d'une lune artificielle. Ils tournaient lentement sur eux-mêmes pour créer un effet durable de gravité. Cosimo était ravi de rejoindre ces bâtiments : il les connaissait bien. La génération précédente, les Asimo 4, avait été dessinée quelques années plus tôt par les architectes du Tabor. Il gardait en mémoire beaucoup de leurs spécificités observées à la Ghilde. Ceux-ci étaient plus grands, mais rien de fondamentalement nouveau n'apparaissait de l'extérieur.

Aussi, à l'inverse de beaucoup de pèlerins désemparés dès leur descente des navettes de liaison, lui s'orienta facilement vers son secteur d'habitation et sa cabine.

Lorsqu'il entra, il s'aperçut qu'elle comportait deux lits. Il aurait préféré se garder d'avoir un voisin qui embarrasserait ses démarches, pourrait suivre ses faits et gestes. Mais avec un peu de chance, il voyagerait seul.

La pièce était étroite. En plus des lits, il y avait une petite table de travail avec une lampe, un tabouret et une commode. Un seul hublot.

Cosimo posa ses affaires et choisit le lit face au hublot. Il s'allongea, glissant le sac qui contenait son arme, ses ceintures et ses documents sous son oreiller.

Tout à ses pensées, il perçut à peine l'immense déflagration qui propulsa le géant galactique dans l'espace. De la flotte entière s'élevaient des milliers et des milliers de prières, couvrant, dans les coursives du vaisseau, le vrombissement des turbines.

Le pèlerinage commençait.
Un million de pénitents s'engageaient à travers la galaxie pour rejoindre la Terre des Origines.

> Le pèlerinage commençait.
> Quatre-vingt mille pénitents
> se mettaient en marche pour
> gagner la Terre sainte.

# Livre Deuxième

*Il est en l'homme un phénomène désespérant pour les esprits méditatifs qui veulent trouver un sens à la marche des sociétés et donner des lois de progression au mouvement de l'intelligence. Quelque grave que soit un fait, et s'il pouvait exister des faits surnaturels, quelque grandiose que serait un miracle opéré publiquement, l'éclair de ce fait, la foudre de ce miracle, s'abîmerait dans l'océan moral dont la surface à peine troublée par quelque rapide bouillonnement reprendrait aussitôt le niveau de ses fluctuations habituelles.*

BALZAC

# I

## La Troade de Polybus

Voici maintenant le règne de l'arrogance et de l'outrage, le temps du bouleversement et l'explosion de la colère. À vous maintenant, mes enfants, d'avoir le zèle de la Loi, et de donner vos vies pour l'alliance de nos pères.

*Maccabées* 1, 49

Il y a, certes, quelque chose de plus effrayant dans l'histoire que la chute des empires, c'est la mort des religions. Avec le scepticisme de notre époque, on frémit parfois de rencontrer tant de portes sombres ouvertes sur le néant.

NERVAL, *Quintus Aucler*

osimo s'était endormi. Lorsqu'il se réveilla, l'astre de Troyes était déjà évanoui derrière les vaisseaux. Il regarda vers le hublot : à quelque distance, il pouvait suivre la traînée de feu des réacteurs d'un autre Asimo qui avançait de conserve. Partout, les constellations dérivaient avec lenteur.

Soudain, il entendit un grattement de papier. Il tourna la tête et découvrit une silhouette de dos, assise à la table de travail. Une lumière rasante l'éclairait faiblement. Le visage de l'inconnu n'était pas visible : ses épaules étaient ployées et il écrivait, les bras ramassés sur ses feuillets. Cosimo soupira. Il supporterait finalement un compagnon de cabine. Sur la couverture du second lit, deux gros sacs étaient jetés. L'inconnu était entré en silence. Cosimo vérifia si ses affaires étaient toujours dissimulées sous l'oreiller. Rassuré, il se redressa et alluma sa lampe de chevet. L'inconnu était si absorbé par son travail qu'il ne remarqua rien. Cosimo l'examinait. Le jeune homme était de petite stature, les cheveux blonds comme lui, il portait la longue chemise écrue qu'on avait distribuée aux pèlerins les plus pauvres.

Cosimo se présenta sous son nom d'emprunt.

– Bonjour, je m'appelle Chaucer, dit-il.

Ses deux premières syllabes n'étaient pas achevées que le nouveau venu avait sursauté. Debout, il regroupa précipitamment ses feuilles. Cosimo s'amusa de sa frayeur. C'était un garçon d'à peine quinze ans, il avait le teint pâle, le visage tout en longueur, des lèvres fines, de petits yeux et un nez naturellement dessiné pour porter les lunettes cerclées d'un érudit. L'adolescent rougit.

– Excusez-moi, balbutia-t-il. J'étais concentré et je vous croyais endormi...

Cosimo vit sur la table trois encriers, des plumes usées, ainsi qu'un petit buste d'Homère en plâtre.

– Quel est ton nom ? demanda Cosimo.

– Mon nom ? Je m'appelle Polybus.

– À quel groupe de pèlerins appartiens-tu ?

Il n'avait pas l'air de comprendre.

– Je voyage seul, dit-il.

– Seul ?

Cosimo trouva qu'il avait un air franc et inoffensif, mais sous la timidité se lisait un de ces regards qui ne manquent jamais rien et retiennent tout.

– Qu'est-ce qu'un jeune homme comme toi fait seul dans une telle aventure ? demanda-t-il.

Le garçon prit un air froissé. Il tenait contre son torse ses pages couvertes d'une plume nerveuse et courte, barrées de nombreuses ratures.

– Demande-t-on à un pèlerin pourquoi il marche ?

Cosimo hocha la tête d'un air entendu, il ne voulait pas contrarier son compagnon et compromettre ses chances de le connaître. Pour gagner sa confiance, il se mit à raconter sa vie en tant que Chaucer, écuyer sans maître qui prenait la croix par foi. Il inventait le récit en suivant l'intérêt qu'y prenait Polybus, car son visage laissait paraître toutes ses impressions. Cosimo insista sur ce qui semblait le toucher le plus, en particulier le fait que Chaucer fût « sans famille et sans ami sur ce vaisseau ». Cette solitude toucha le garçon.

– Nous allons passer beaucoup de temps ensemble, je pense, dit-il après un silence.

Derrière le hublot, deux croiseurs de combat passèrent dans un sifflement aigu. Polybus se précipita pour les apercevoir. C'était la garde de la Milice qui patrouillait autour des vaisseaux.

– Incroyable ! dit-il avec des yeux étincelants.

– Nous sommes entre de bonnes mains, dit Cosimo.

– Je le crois.

Polybus retourna près de la table.

– C'est étrange. Nous avons un profil identique. Tu es un homme seul, et je suis orphelin.

– La répartition des chambres a dû être étudiée.

– Sans doute.

– D'où viens-tu ?

Après quelques réticences, Polybus finit par raconter à son tour son parcours.

– Je suis né à Utrecht ; du moins, c'est sur cette lune que j'ai été recueilli quelques jours après ma naissance. Un couple de dinandiers m'a élevé. J'ai vécu neuf ans avec eux. Souvenirs d'une famille plutôt agitée. Un jour, le père m'a abandonné en rase campagne, à la brune, sans une explication, sans un pain, sans rien connaître de la langue du pays. J'étais un enfant qu'on avait volontairement gardé débile. J'aurais pu périr si un veuf de Hammerfest n'était passé par là et n'avait entendu mes larmes. C'était un ancien professeur établi dans les historiens antiques, grand amateur de Thucydide et de Polybe. Ce dernier m'a valu mon nom.

Le vieil homme vivait seul, ses enfants l'ayant délaissé pour suivre des carrières de soldats et de diplomates. Il apprit à l'enfant à lire et à écrire. Comme il devenait progressivement aveugle, Polybus tint le rôle d'un petit secrétaire pour les années qu'il lui restait à vivre.

– Je lui dois tout ce que je sais, dit le garçon. À sa mort, ses fils sont revenus toucher l'héritage. J'ai été expulsé du logis. Une fois encore seul, sans personne à qui m'adresser et sans ressources. J'ai alors entendu dire que des pèlerins se groupaient à Troyes pour rejoindre la Palestine. « Lorsqu'on n'a nulle part où aller, l'horizon le plus loin est encore le meilleur », disait mon maître. Aussi me voilà, bien décidé à prendre mon destin en main. Je suis venu conquérir la gloire !

Il conclut ce récit avec un aplomb qui ne souffrait aucune réplique.

– La gloire ? dit tout de même Cosimo. C'est inattendu. Les pèlerinages servent à sauver des âmes plus qu'à rendre des noms célèbres. Comment comptes-tu t'y prendre ?

Polybus posa ses feuilles sur la table.

– J'ai retenu la leçon des grands historiens : pour un récit, il faut un acte, un lieu et des personnages exemplaires. Notre pèlerinage répond à tous ces critères. Je veux en être le premier chroniqueur, détailler ses incidents, et faire que les générations à venir s'inspirent de nous comme d'un temps héroïque...

– ... et surtout qu'elles retiennent le nom de Polybus !

Le garçon sourit.

– Surtout que dans un an ou deux, poursuivit-il, mon manuscrit soit assez avancé pour que je puisse en vendre de bons extraits et vivre de ma plume. Ensuite, je travaillerai hardiment à le parfaire.

Cosimo sourit à son tour et s'amusa de tomber sur un pèlerin peut-être aussi attentif que lui à ce qui se passerait sur ce pèlerinage.

– As-tu déjà découvert des choses surprenantes ? demanda-t-il.

– Peu, dit Polybus. Mais qu'importe, j'inventerai s'il m'en manque !

– Puis-je voir ? demanda Cosimo en montrant les feuillets de Polybus.

Celui-ci rougit.

– Non. Ces notes ne sont pas encore versifiées. Et puis... j'y parle surtout de moi et j'invoque les muses.

– Je comprends.

Cosimo se leva et tendit la main à Polybus.

– Heureux de partager la cabine d'un second Virgile.

– Heu... oui... c'est encore un peu tôt pour le dire, plaisanta le garçon.

Cosimo songea aussitôt qu'il devrait se méfier de ce garçon. Faire attention à ce qu'il voyait, prendre garde à ce qu'il notait. Une telle « curiosité » d'auteur pourrait le perdre.

Aujourd'hui, son premier objectif était de localiser les deux maîtres du convoi : Robert de Craon et Carl de Ruy. Les chevaliers et leurs équipes pouvaient se trouver n'importe où dans l'appareil. Il fallait découvrir l'organisation du vaisseau, sa chaîne de commandement et les lieux sensibles.

Il prit son sac sous l'oreiller et dit au garçon :

– Délaisse un peu tes sommets pour des choses plus vulgaires. Sortons d'ici et allons manger un morceau.

Il se dirigea vers la porte.

– Manger ? dit Polybus. Si je devais faire de toi un héros véritable, je ne te montrerais jamais en train de manger, cela ne se fait pas. Le héros n'agit pas comme un homme ordinaire : il ne va pas aux repas, ni profiter d'une sieste, ni courir à la fosse. Achille, Diomède, Ulysse, que font-ils lorsqu'ils ne font rien pour l'histoire ? Eh bien, ils cessent tout bonnement d'exister.

– Il ne leur en faut pas moins prendre des forces pour arriver jusqu'à la chute de Troie.

Il ouvrit la porte de la cabine et sortit.

– C'est aussi vrai, répondit Polybus en le suivant.


Ils se rendirent au réfectoire le plus proche. L'entrée était verrouillée, il fallait glisser sa carte d'embarquement pour passer. Cosimo aperçut au-dessus de sa tête une caméra et un peu plus loin deux andréides armés. Clairement, on ne pouvait faire un pas sans être surveillé. Cosimo introduisit sa carte avec Polybus et ils entrèrent.

Le réfectoire était immense. Cosimo fut surpris. Il se souvenait des plans du Tabor où les architectes avaient dessiné des salles luxueuses : il trouva une place sans apprêt et strictement fonctionnelle. Des chaises et des tables rudimentaires alignées, des murs blancs. Seules de longues baies vitrées ouvertes sur l'espace offraient un peu de majesté à l'endroit. Le calme régnait en dépit du nombre de pèlerins. À certaines places, des tables restaient complètement muettes, seul un religieux assis en hauteur lisait à voix haute des pages des Écritures. La rigueur et la piété voulues par la Milice du Christ se ressentaient partout.

La physionomie des fidèles reflétait des hommes venus des moindres recoins de la galaxie. Polybus passait entre les tables avec un air ébahi, un petit carnet et un crayon à la main.

Depuis son arrivée sur Troyes, tout occupé par le début de son enquête, Cosimo n'avait pas encore mesuré cette dimension du pèlerinage. De partout, des hommes espéraient aller découvrir la Terre des Origines.

Il fallait trouver une table.

– J'en fais mon affaire, dit Polybus.

Cosimo observa les soldats répartis dans la salle et les andréides qui portaient les rations de nourriture.

Polybus revint, la mine encore réjouie.

– J'ai trouvé une bonne place et un personnage qui peut m'être profitable !

Ils avancèrent vers les baies vitrées. Une table de quatre couverts était sommairement dressée un peu à l'écart. Un seul pèlerin y était assis : un vieil homme à la figure burinée et marquée de cicatrices.

– Celui-là a un visage pour m'intéresser, dit Polybus. La mine vaut parfois mieux qu'un discours. Les rencontres, c'est le seul matériau valable pour ceux qui veulent connaître la vérité.

Cosimo ne le contredit pas.

Ils approchèrent et tirèrent deux chaises. Mais le vieil homme leur jeta un regard désagréable. Le front plissé, il haussa ses larges épaules, grogna sans cesser de mâcher et se leva d'un coup. Il était haut et impressionnant pour son âge. Un vieux colosse. Ni Polybus ni Cosimo n'eurent le temps de protester, l'homme s'était éloigné et s'asseyait à une autre table, toujours en solitaire.

– C'est un sauvage, décréta Polybus, déçu. Tant pis pour lui.

Il ouvrit tout de même une page de son carnet et écrivit.

– Je vais prendre des notes sur son visage. Sa description pourra me servir pour un autre cas. Une figure, cela permet toujours d'introduire des digressions. Là, je pourrai parler de la lassitude du vieil homme, de sa solitude hantée par des souvenirs trop pesants, l'espoir d'être délivré dans l'exercice du pèlerinage, etc. J'ai l'œil pour les personnages. Et celui-là en est un !

Un andréide leur apporta deux plateaux de repas : une salade, un verre d'eau, et plusieurs pilules.

– Cesse de penser à ton œuvre et mange, dit Cosimo.

Il joignit ses mains pour entamer la prière rituelle comme tous les pèlerins, mais Polybus, sans autre manière, croqua dans la salade.

– Elle est fraîche, dit-il. Les réserves de nourriture sur les convois doivent être incroyables, non ? Imagines-tu seulement le temps et l'énergie qu'il a dû falloir pour orchestrer une telle entreprise ? Et l'argent ? Je me demande depuis combien de temps Hugues de Champagne et sa Milice ont prévu cette expédition. Cela ne s'organise certainement pas en quelques mois !

Cosimo acquiesça et mangea en silence.

Peu après, Polybus se mit à lui faire de grands yeux et des signes de tête. Cosimo se retourna. Un officier en armes venait d'entrer avec plusieurs andréides de police. Ils se dispersèrent et se mirent à vérifier une fois encore, une à une, l'identité des fidèles présents dans le réfectoire.

– C'est étrange, dit Cosimo.

– Les rumeurs sur la sécurité n'étaient pas des fantaisies comme certains l'ont avancé avant le départ, répondit Polybus. Encore un peu, et il y aura plus de soldats que de prêtres sur ce pèlerinage !

Cosimo attendit son tour sans se faire remarquer. Le chef de la troupe se présenta avec quatre soldats. Il inspecta les cartes des deux voyageurs sans dire un mot. Il les leur rendit en les regardant longuement. Ce n'était pas particulier, il posait ce regard inquisiteur sur tout le monde. Le groupe armé continua sa ronde.

« Tout se passe normalement », pensa Cosimo en se rassurant.

Mais soudain, des éclats de voix se firent entendre derrière eux. Un ton grave et appuyé.

– C'est inutile ! Vous n'avez pas mieux à faire ?

Le vieil homme qui les avait fuis pestait contre la procédure de contrôle d'identité.

– Vous perdez votre temps ! grognait-il. Combien de vérifications vous faut-il ? Et pourquoi ? Que craignez-vous ?

Sa voix faisait se retourner le monde auprès de lui. Le chef de la troupe restait impassible. Il prit la carte de l'homme. Le vieillard voulut se lever, mais deux des soldats le forcèrent à rester assis.

– Je suis en règle. Vous n'avez aucun droit.

– Nous verrons cela, dit simplement le chef.

Il fit signe à ses hommes et ils poursuivirent leur tournée sans rendre la carte d'embarquement au pèlerin.

– Une Milice, voyons, grommela-t-il. C'est insensé !

Cosimo était très intrigué, les gens embarrassés baissaient le regard, Polybus, lui, était aux anges.

– Vraiment ! dit-il. Cet homme est encore plus inspirant que je ne le pensais. Il faut une sacrée assurance pour tenir tête aux soldats de Payns. Passionnant.

Il allait se lever, mais Cosimo le retint fermement.

– Pas tout de suite, dit-il. Attends qu'ils soient sortis.

Il montra les gardes. Polybus accepta et patienta de longues minutes avant que la voie soit libérée. Dès que les andréides et leur chef furent dehors, il se précipita vers la table du vieil homme qui n'avait pas quitté son air mauvais.

Cosimo fut plus prudent. Il compta les caméras susceptibles de se tourner vers Polybus. Mais la surveillance restait sereine. Il décida alors de finir son plat et d'avancer tranquillement vers l'étranger.

Celui-ci était en train de rabrouer le jeune auteur. Polybus avait peine à se faire entendre. Cosimo, qui avait plus d'expérience que lui, dit simplement à l'homme :

– Vous avez eu raison. Ces contrôles sont incompréhensibles et inacceptables.

Le vieux s'apaisa aussitôt ; sa colère était de celles qui tombent dès qu'un tiers se range enfin à votre avis. Cosimo reprit :

– C'est excessif. Tous ces gardes... Pourquoi au juste ? Que craignons-nous vraiment ?

– Vous vous posez les bonnes questions, jeune homme, murmura l'étranger.

– Je m'appelle Chaucer, dit Cosimo.

162

Le vieux lui fit signe de s'asseoir.

– Je suis Fabre, dit-il.

– Lui, c'est Polybus, dit Cosimo en désignant son voisin qui en profita pour s'asseoir sur-le-champ.

Fabre avait la peau sombre et abîmée, des cheveux noirs, épais pour son âge, et des yeux clairs. Il avait le visage d'un corsaire de roman.

– Sans votre carte d'embarquement, dit Cosimo, vous ne pourrez plus vous déplacer.

– Hm... sommes-nous des pèlerins ou des otages ?

– Tout cela est en vue de notre sécurité, non ? demanda Cosimo.

Fabre sourit.

– Croyez-vous ? Regardez autour de nous, dit-il. Tout l'Occident s'est embarqué avec femmes et enfants pour la Terre des Origines et l'on s'est pressé au départ de Troyes comme à la foire. Le pèlerinage de Hugues est un succès ! Beaucoup s'en réjouissent. D'autres lui prédisent une fin épouvantable. Et je suis de ceux-là.

– Quoi ? Une fin épouvantable ? répéta Polybus en bondissant.

Il tira une nouvelle page de son calepin, paré à ne rien manquer de la conversation.

– Je suis déjà allé à Jérusalem, dit Fabre. J'ai fait deux fois un pèlerinage de ce genre. Pour moi, prétendre que les brigands des routes ont décimé les pèlerinages précédents est un mensonge. C'est pourtant la seule raison invoquée par les chevaliers de la Milice pour justifier leur présence et leurs prérogatives...

– Mais, coupa Polybus, des soldats aux côtés des pèlerins, cela ne peut pas être une mauvaise idée !

– Les anciens te répondront que des soldats, aussi armés soient-ils, ne pourront rien contre la lassitude, la faim, la soif et les affections qui sont les véritables maux des pèlerins. Les bandes pillardes et les conflits ne viennent pas de l'extérieur mais des pénitents eux-mêmes qui finissent toujours par s'entretuer pour des provisions ou du bétail. Lorsque les mahométans nous attaquent, il n'y a déjà plus rien à piller. Que défendront nos soldats lorsque leurs troupes commenceront à se défaufiler ? Ou à rôtir leurs chevaux pour un quartier de viande ? Toute cette volonté de défense habilement affichée par la Milice, pourquoi au juste ? Si ces chevaliers sont déjà allés en Terre sainte, ils savent que c'est une farce.

Il y eut un long silence. Fabre ajouta :

– Voilà pourquoi ces contrôles intempestifs m'agacent plus que tout. Il y a là quelque chose que je ne comprends pas. Quelque chose de mauvais.

La Milice, un *leurre* ?

Polybus notait fébrilement, Cosimo songeait aux lettres de Payns trouvées au Tabor : « Retourner ensemble à Jérusalem vingt ans après. » « La Borne. » « Notre bibliothèque a été attaquée. » Tout cela n'avait trait en rien à un pèlerinage.

– En avez-vous parlé aux chevaliers ou à leurs équipes ? reprit Cosimo. Les avez-vous questionnés ?

Fabre secoua la tête.

– Je n'en ai pas eu le temps. L'an dernier, lorsque le pèlerinage a été rendu officiel, je me suis présenté à Troyes pour offrir mes services. Je connaissais les routes d'Hébron et de Jaffa, je voulais faire partager mon expérience. Ils n'ont pas voulu de moi. Impossible aussi de connaître les routes choisies. Aujourd'hui encore, quelqu'un sait-il par où nous allons rejoindre la Terre sainte ? Mystère... Ces hommes ne disent pas tout.

Il ajouta à voix plus basse :

– Si je racontais réellement ce qui se passe pendant les neuf mois d'une traversée comme la nôtre, il y aurait du monde pour se ruer vers les issues de secours des vaisseaux, je vous le garantis !

Les issues de secours ? Cosimo s'arrêta sur cette idée. C'était un moyen de localiser le quartier de Craon et Ruy.

– Mais peut-être, ajouta de son côté Polybus, qu'ils ont parfaitement orchestré leur affaire et que c'est cela seul qui vous surprend par rapport aux précédents voyages ? Qu'en pensez-vous ?

Le vieil homme se leva.

– Croyez ce que vous voulez. Le temps me donnera raison ou non, nous le saurons avant d'atteindre la Terre.

Il salua et se dirigea vers la sortie du réfectoire.

– Tu l'as vexé, dit Cosimo.

Polybus, tout penaud, le regarda s'éloigner.

– Si tu veux qu'un homme te parle, reprit Cosimo, pense comme lui. Ne cherche pas à l'ébranler. Ta dernière question était de trop. Elle présumait que son raisonnement pouvait être faux et cela l'a inquiété. Il avait sans doute d'autres révélations à nous faire.

Le garçon hocha la tête.

– Tu as raison, dit-il. Qu'importe ! Je m'arrangerai pour qu'il soit plus loquace et plus riche en confidences dans mon récit.

Cela arrangerait sans doute l'auteur, mais pas Cosimo.

Polybus fit un clin d'œil satisfait.

– Ne t'avais-je pas averti que ce bougon avait tout d'un bon personnage ? Une Milice qui dissimule ses intentions ? Des anciens pèlerins dubitatifs sur le discours des chevaliers ? J'ai là ce qu'il me faut pour aujourd'hui. Rentrons vite, je dois écrire au propre !

Un but secret ? Cosimo savait que rien ne permettait d'accorder foi au récit de ce vieil homme, mais si ce but clandestin existait bel et bien, il donnait à tout le pèlerinage une dimension plus appropriée au tempérament de son oncle. Partir pour la Terre des Origines afin de protéger des pèlerins contre les pillards et les infidèles ? Cela ne ressemblait pas suffisamment à Ismale Gui.

Ils retournèrent dans la cabine. Polybus tira des feuillets et se précipita sur la table, avouant que des distiques merveilleusement académiques lui tombaient déjà au creux de l'oreille. Cosimo resta un long moment à méditer sur son lit : il se convainquit une nouvelle fois qu'il devait trouver le profil de chacun des neuf chevaliers pour comprendre leur but commun ; et comprendre leur but commun pour percer le mystère de l'assassinat d'Ismale.

Cosimo sortit seul en direction des halls. Il trouva une borne d'information publique. C'était un écran tactile qui renfermait les données nécessaires aux passagers : lieux de restauration, infirmeries, autels, bibliothèques, etc. Cosimo introduisit sa carte d'embarquement pour activer le service. Aussitôt, il fit une requête sur les « issues de secours ».

Un plan élémentaire du vaisseau s'afficha. Tout l'appareil était présenté avec ses couloirs réservés vers les navettes de sauvetage, les ouvertures et les rampes d'accès. Cosimo savait que ce plan ne tenait jamais compte des places sensibles du vaisseau, comme les salles des machines ou les postes de pilotage, par précaution : les issues de secours ne devaient pas pouvoir servir pour un abordage ou un sabotage. Comme prévu, la machinerie et la capitainerie étaient grisées sur le plan. Tout comme deux autres secteurs de l'Asimo. Anonymes. L'un à la proue, l'autre à bâbord. Sans doute les quartiers de Robert de Craon et de Carl de Ruy.

Cosimo imprima le plan complet du vaisseau sur papier et quitta le hall.

Une heure plus tard, il avait atteint l'avant du croiseur. Les conversations entendues sur le transporteur ne laissaient plus aucun doute sur le fait que c'était ici que s'étaient installés Robert de Craon et ses équipes. Cosimo fut bloqué très tôt. Tous les déplacements dans le secteur étaient scrupuleusement contrôlés. Les corridors étaient surveillés par des capteurs de mouvement et des andréides à chaque issue.

« Il est surprenant que des hommes censés nous protéger se protègent autant ! » songea Cosimo.

Il voyait des postes de vérification d'identité tenus par des humains. On ne passait qu'avec des accréditations ; et encore, Cosimo vit les soldats requérir plusieurs fois des confirmations supplémentaires.

« Il va falloir trouver un moyen, se dit Cosimo. Surtout trouver *quelqu'un* pour pouvoir entrer. Un nom assez puissant. »

Faisant demi-tour, il s'arrêta devant une église proche du premier poste de contrôle, l'église Saint-Jude. Cosimo apostropha un mendiant qui s'était installé au premier pilier. Il jeta une pièce dans sa coupelle avant de lui demander si le chevalier de Craon venait parfois écouter la messe.

– Craon, non. Je ne l'ai pas encore vu. En revanche, certains de ses hommes viennent prier ici. Il faut avouer qu'ils assurent ma fortune.

– Les hommes de Craon ?

Pour cette information, Cosimo lui offrit une pièce supplémentaire et s'en alla vers le second secteur grisé de son plan, à bâbord.

À mesure qu'il approchait, les places se désertifiaient. C'était étrange. La foule avait complètement disparu. Cosimo arriva avec un transporteur vide dans un endroit plus austère que jamais. Blanc, nu, sans un seul écran de contrôle. Pas même des gardes andréides.

Il emprunta des couloirs. Aucune porte. La lumière intense donnait à tout un aspect glacé et irréel. Pas un bruit. Cosimo avait beau chercher, il ne vit pas de caméra de surveillance. Le blanc accentuait une impression désagréable de perdition. Il s'arrêta soudain. Un garde andréide armé se tenait derrière lui. Brusquement apparu.

– Que faites-vous ici ? demanda-t-il. Présentez-vous.

Cosimo tendit sa carte. Déjà, deux autres andréides surgissaient.

Le premier des trois vérifia son identité.

– Vous ne circulez pas dans votre secteur, Chaucer.

– C'est exact. Je suis égaré. J'ai pris le transporteur dans une fausse direction.

– Vous devez quitter cet endroit immédiatement, dit l'andréide en lui rendant sa carte.

– Bien. Alors guidez-moi, je ne retrouverai pas mon chemin.

Les trois gardes l'entraînèrent vers le palier et ne le quittèrent qu'après l'avoir rembarqué.

Cosimo interrogea les premiers voyageurs qui le rejoignirent dans le transporteur. L'un d'eux lui confirma que Carl de Ruy était *peut-être* dans cette région du vaisseau.

– Un voisin qui vit dans mon secteur, dit-il, a travaillé à la maintenance du vaisseau avant l'embarquement et il m'a avoué que cet endroit était déjà interdit à son arrivée. Il pense que Carl de Ruy y vit depuis plusieurs semaines et qu'il n'a même jamais posé les pieds sur Troyes.

Cosimo se rappela que Carl manquait en effet à la grand-messe du départ.

– Il n'a jamais vu personne ici, ajouta le voyageur. L'entourage de Ruy est aussi invisible que le chevalier.

Ces longs couloirs circulaires. Créent-ils un secteur tampon, entièrement désert, pour mieux garder un autre emplacement ?

« Garder quoi ou qui ? pensa Cosimo. Pourquoi Carl se rendrait-il à ce point inaccessible ? Et pour quelle raison se serait-il embarqué longtemps avant les autres ? »

Cosimo fondait sa stratégie sur la découverte des personnalités des chevaliers, et sur la possibilité de les atteindre par le truchement d'un de leurs hommes, plus simple d'accès. Si Carl était bien là et que rien ni personne n'émane jamais de lui, il allait être difficile de l'approcher.

Avant de retourner dans sa cabine, Cosimo réfléchit à ce qu'il dirait à Polybus. Au déjeuner, le chroniqueur n'avait pas paru être un chrétien assidu, aussi Cosimo décida que « Chaucer » serait un fervent pratiquant et qu'il passerait le plus clair de son temps dans les chapelles du vaisseau. Cette couverture devrait fonctionner pour un temps. Il devait rester le plus naturel et le plus insignifiant possible : récolter des informations, trouver des excuses valables à ses absences et quitter ce convoi au plus tôt.

Son exploration du jour le confortait toutefois dans ses connaissances du vaisseau : rien ne semblait avoir changé depuis les Asimo 4, sinon les dimensions, avec trois secteurs de passagers supplémentaires. Dans la cabine, il ressortit l'imprimé de la borne d'information et décida de recomposer ses souvenirs. Lentement, sans être vu de son voisin, il se mit à redessiner tout le vaisseau, son plan ne tenant plus compte des secteurs réservés aux pèlerins mais des couloirs et des entreponts techniques utilisés pendant les étapes de la construction. C'est là qu'il jouait, gamin, au Tabor. Et puis il existait cet immense gouffre, ce grand tunnel vide qui occupait tout le centre du vaisseau, comme une colonne d'air vertébrale, pour recréer la gravité artificielle.

Le lendemain, Cosimo prit encore le temps de recopier son descriptif sur un écran portatif et partit vérifier certains détails sur place. Tout correspondait.

Mais Polybus rentra dans la cabine un peu plus tard, tout excité.

– Une découverte ! dit-il. Robert de Craon doit visiter aujourd'hui la léproserie, les malades du convoi. Personne ne le sait encore. Allons !

La léproserie et le dispensaire de l'Asimo 5 se trouvaient à la poupe. Le pèlerinage de Troyes s'était fait remarquer en acceptant tous les pénitents, y compris les lépreux, les mourants et les orphelins. Hormis les hérétiques et les excommuniés, personne n'avait été refoulé. Ce parti très chrétien fut universellement applaudi.

Il n'y avait qu'une seule route pour atteindre la léproserie : à travers les immenses jardins qui servaient de poumons au croiseur.

Lorsque Polybus et Cosimo arrivèrent sur place, une foule était déjà présente. Beaucoup de pèlerins voulaient voir le chevalier en chair et en os. L'excitation des gens était forte. Les passagers s'échangeaient déjà les premières rumeurs, les premières légendes sur Craon et ses frères de la Milice du Christ.

– Ces chevaliers sont des saints ! s'exclama un vieil homme.

– On dit qu'ils peuvent bénir comme des prêtres et que certains ont des pouvoirs de guérisseur, murmurait une jeune mère sous le sceau du secret.

– Ils courent sur l'eau et marchent dans le feu, dit-on. Hugo de Payns peut tuer un homme de son seul regard.

– Lorsqu'ils sommeillent, leurs corps irradient d'une fine lumière claire. Quelqu'un l'a vu !

– D'ici notre arrivée sur la Terre sainte, ils auront éliminé tous les païens. Ils pavent la voie au retour du Christ !

Polybus recueillait tout. À Cosimo :

– Je n'aurais pas mieux inventé. Te rends-tu compte de ce qui se passe ? Nous assistons aux premiers instants d'un mythe.

Mais l'animation du moment ne s'expliquait pas seulement par l'impatience de voir passer un des deux maîtres de l'Asimo : dans les jardins, la troupe des anciennes filles de joie d'Erichtô s'était elle aussi mise sur la route de Craon, créant de l'agitation. Bien qu'habillées le plus dévotement du monde, le visage toujours tourné vers le bas, récitant des psaumes, ces pénitentes excitaient la curiosité et l'envie : leur passé sulfureux, leur jeunesse, leurs traits harmonieux, leurs bustes qu'on disait nus sous les robes blanches de catéchumène, leur parfum enfin...

– Il y aura du mal, déplora une vieille en les observant. Lorsqu'on a commencé par vivre de son lit, on reste ce que l'on est!

Erichtô se tenait hautaine et placide, en dépit des remarques qui volaient.

Mais Robert de Craon parut enfin, suivi de son équipe; les conversations et les coups d'œil cessèrent. Chacun se bouscula. Le jeune Polybus fit des sauts répétés pour mieux dévisager le chevalier.

Cosimo ne s'attarda pas sur lui. Au contraire, il examina avec attention les personnages qui l'entouraient. C'étaient en majorité des écuyers et des religieux. Ils étaient sobres et retenus comme leur maître. La troupe avançait rapidement.

Dans le lot, Cosimo reconnut soudain un personnage croisé près de Troyes: Oberon de Saintyves! Le prêtre qui était passé dans l'atelier de Garguesalle pour récupérer un livre d'images. Cosimo n'avait pas oublié ses joues flasques et son air fuyant; il ne le quitta plus des yeux. Lors de la traversée des jardins, Saintyves fut le seul à se montrer affecté par la vue des beautés qui entouraient Erichtô. Il se retourna même pour mieux observer les belles repenties. À part Cosimo, personne n'y fit attention. Saintyves hésita un temps, puis rejoignit son maître avec les malades.

Au même moment, Polybus retrouvait Cosimo.

– As-tu vu ces filles dans les rangs? demandat-il. Il paraît qu'elles cherchent à racheter leurs fautes dans l'exercice du pèlerinage. Des anciennes prostituées?

– C'est ce que l'on dit.

Mais Cosimo pensait à Saintyves. Ce sensuel pouvait être un agent facile à corrompre. S'il avait couru le risque de faire copier un ouvrage licencieux à Troyes et de l'emporter avec lui, il pouvait succomber à des tentations plus prometteuses. Et Oberon faisait partie de l'équipe de Robert de Craon. Il devait occuper un poste important.

Cosimo avait vu le groupe des filles d'Erichtô disparaître dans les jardins. Il se mit à leur poursuite sous prétexte de satisfaire la curiosité de Polybus.

Son premier devoir était d'isoler l'une d'elles et de la repousser dans ses anciennes habitudes. De ces putains en pénitence, il ne savait que ce que la rumeur disait et il était en partie d'accord avec elle : toutes ces filles ne pouvaient être sans reproche. Il devait en exister une, moins pure, moins motivée que ses sœurs. Une seule suffisait. Ensuite il s'arrangerait pour le produire devant Saintyves. Et selon sa réaction, il deviendrait soit son allié de l'ombre, soit un maître chanteur. Dans les deux cas, il s'informerait sur Craon et sur la Milice.

Il rejoignit le groupe près d'un étang, où elles chantaient des cantiques à l'unisson. Des pèlerins étaient en prière. Les filles avaient le visage penché, dissimulé par le bord d'une fine capuche blanche, et les mains jointes. Leurs voix cristallines flottaient dans l'air. Cosimo compta vingt-quatre pénitentes. À la fin de l'incantation, elles se relevèrent lentement, en même temps que leur maîtresse. Erichtô leur ordonna de se disperser parmi les pèlerins afin de recueillir des aumônes pour les orphelins et les malades.

Cosimo observa leurs visages. Souvent rougissantes, elles baissaient le front. Il patienta jusqu'à ce que l'une d'elles renonce à réagir avec tant de pruderie. Il ne fut pas long à trouver. Une pénitente lui rendit soudain un regard aussi fixe que le sien. Cela ne dura qu'un instant, mais il était déterminant. La fille sourit presque, puis elle avança droit vers lui en lui présentant sa sébile. Elle ne baissait qu'imparfaitement le visage : Cosimo vit sa peau blanche, ses yeux bleus en amande, ses longs cils, ses lèvres naturellement écarlates et parfaitement dessinées. Il tira une pièce de sa poche et la lui donna.

– Merci, dit-elle. Je suis certaine que vous offrirez davantage la prochaine fois.

– La prochaine fois ?

Mais elle avait tourné les talons et disparaissait.

Cosimo chercha à connaître l'emploi du temps des filles d'Erichtô. De jeunes pèlerins lui avouèrent qu'elles participaient aux messes de l'autel 42. Il s'y porta pour l'angélus suivant. Dans la petite église, il s'installa et vit les pénitentes arriver à l'étage, séparées des hommes. Il ne put reconnaître celle qu'il cherchait. Même s'il avait du mal à les observer, il était certain qu'elles voyaient tout et tous. Il resta visible.

À la sortie, il attendit au portail. La troupe passa. Pas un signe. Pas un regard. Il les suivit discrètement ; jusqu'à ce qu'il s'aperçoive qu'elles n'étaient que vingt-trois !

Il retourna à l'autel et gravit l'étage réservé aux femmes. Il était vide. Mais derrière un pilier à l'entrée, Cosimo reconnut la petite sébile et un bout de voile blanc.

– Vous avez tardé, dit la fille d'une voix douce.

D'un geste leste, elle ouvrit une porte dissimulée dans l'ombre et ils se retrouvèrent à l'arrière de l'église.

À l'abri, elle rabaissa sa capuche et regarda Cosimo droit dans les yeux.

– Tu es bien intrigant, lui dit-elle en le tutoyant aussitôt.

Cosimo hésita : cette fille avait beaucoup d'ascendant. Trop peut-être.

– Tu n'es pas farouche, répondit-il.

Elle examinait le garçon blond.

– Ton nom ?

– Chaucer. Le tien ?

– Lÿs.

Lÿs était la redoutable grâce d'Erichtô qui avait sauvagement égorgé les deux mercenaires devant l'Homme sans main et sans visage.

– Enfin, c'est ainsi que l'on m'appelait avant, ajouta-t-elle.

– Avant ?

– Aujourd'hui je devrais avoir un nom plus convenu. Comme sœur Blanche, ou sœur Marie. Je dois faire oublier mon passé, vois-tu.

– Noble entreprise.

– C'est pour elle que nous marchons toutes en Terre sainte. Tu dois le savoir.

– Vous marchez pour racheter vos fautes. Nul ne peut vous en empêcher. C'est juste que la Milice vous ait acceptées parmi nous. Mais le problème, je pense, c'est à l'arrivée.

– L'arrivée ?

Cosimo regarda autour pour s'assurer que personne ne les voyait. Il avait longuement réfléchi à sa stratégie et à ce qu'il devrait dire à cette fille pour l'inciter à suivre ses recommandations. Il demanda :

– Qu'espérez-vous qu'il vous arrive le jour de votre descente sur la Terre ?

– Belle question ! Je l'ignore encore. Le sais-tu, toi ?

– Je sais en tout cas qu'il existe beaucoup de maisons de filles à Tyr. En apprenant qui vous êtes, certains tenanciers n'hésiteront pas à vous récupérer pour vous y enfermer. Il faudrait vous assurer de bonnes « protections » contre cela.

– Des protections ?

– Sur la Terre, vous risquez au mieux l'acceptation dans un couvent ; au pis, une lapidation ou un envoi à Tyr. De plus, vous êtes nombreuses, il est impensable que vous soyez toutes incorporées dans des ordres de religieuses de la région. Il n'en existe presque pas.

– Eh bien ?

– Eh bien, puisqu'il s'agit de faire partie d'un nombre limité d'élues, il ne serait pas inconsidéré d'essayer dès aujourd'hui de trouver quelques appuis.

– Toi, par exemple ?

Lÿs lui caressa la joue du revers de la main.

– Non, moi je ne puis rien.

Il repoussa délicatement son bras.

– Mais je connais quelques personnages assez influents pour t'assurer une place de choix en Terre sainte. Un mot de leur part et les abbesses du Levant te recevront avec force embrassements. Sans le concours de l'un d'entre eux, tu n'auras plus qu'à compter sur tes prières et tes larmes pour convaincre le monde.

Lÿs le regardait sans s'effaroucher, sans rougir. Elle comprenait très bien ce qu'il insinuait. Cosimo sentait que son plan fonctionnait.

– Que dois-je faire ? demanda-t-elle. Qui sera l'homme ?

– Si je peux compter sur toi, dit Cosimo, je te contacterai pour te donner les détails.

– Comment ?

Il regarda le dos de l'église.

– Ici, dit-il. Je te laisserai des instructions écrites. Fais ce que tu sais à l'homme que je te désignerai et tu amélioreras ton destin. Sauras-tu échapper à la vigilance de ta maîtresse?

Lÿs sourit.

– Tu peux y compter.

Là-dessus, ils se séparèrent.

Cosimo songea que cette fille avait facilement cédé, mais il mit cela sur le compte de ses mauvaises mœurs, sans concevoir qu'il faisait malgré lui le jeu de l'Homme sans main et sans visage...

∞

Le lendemain de cette entrevue, il prit son sac et trouva un coin reculé de l'Asimo où il dissimula son arme, ses ceintures et les documents pris au Tabor. Cela fait, il repartit vers l'église Saint-Jude qui servait aux hommes de Craon et s'y montra plusieurs jours de suite. Il ne manquait aucun office afin de repérer les habitudes des hommes du chevalier, en particulier celles d'Oberon de Saintyves. Celui-ci apparut dès le premier soir. Il suivait une messe par jour, toujours la même. Il était assis au même rang, légèrement à l'écart de ses frères. Cosimo le voyait prier intensément, parfois les larmes aux yeux, blanc de peur au moment de recevoir l'eucharistie.

Au huitième jour d'observation, Cosimo passa à l'action. Il s'assit derrière Oberon. Celui-ci était à genoux, les mains jointes et les épaules relevées. La messe progressait. Cosimo avait écrit deux mots. Il sortit le premier. Lorsque le religieux voulut se saisir de son psautier posé au pied du prie-Dieu, il vit le papier sur la couverture. La surprise le tira de ses prières. Le message lui annonçait qu'une des pénitentes d'Erichtô requérait sa protection et le suppliait de lui accorder l'honneur

177

d'une entrevue. Tournée ainsi, la demande avouait tout sans rien risquer. Saintyves se retourna. Cosimo priait. Il leva le front. Ils se regardèrent. Cosimo avait vu Saintyves venir caché chez le copiste, il l'avait vu rosir à la vue des filles dans le jardin, il l'avait vu pleurer pendant la messe comme une âme tourmentée, il le voyait à présent, indécis, entre la peur et la curiosité. Et il fit exactement ce qu'il avait prévu : trop confus pour se décider, il se retourna, le cœur battant, incapable de résoudre quoi que ce soit. Alors Cosimo sortit le second mot qu'il posa au même endroit. Il saisit le psautier de Saintyves, se leva et quitta l'église en plein chant. En avançant, il guettait les soldats qui surveillaient l'office, redoutant qu'ils ne se ruent sur lui. Mais rien ne vint. Il disparut sans être inquiété.

Le coup avait porté.

Sur le second mot, « Chaucer » se nommait, donnait son numéro de chambre et de carte, et signifiait à Oberon qu'il tâcherait de le retrouver dans ses quartiers pour lui « rendre » son psautier. S'il refusait de le recevoir en personne, il prendrait cela pour le rejet de sa proposition et disparaîtrait à jamais.

Le lendemain, après un repas, Polybus et Cosimo retrouvèrent leur chambre sens dessus dessous. Cosimo avait deviné qu'Oberon la ferait inspecter ; un homme proche de Craon ne pouvait rien décider sans se renseigner. Polybus fut moins heureux que son compagnon qui avait gardé le psautier sur lui et mis ses affaires à l'abri : son manuscrit avait été emporté ! Il était catastrophé.

– Tout est perdu, pleurait-il.

Cosimo se demandait ce que les hommes de Saintyves trouveraient à son sujet dans l'œuvre de Polybus.

Il attendit encore un jour, puis, ceint d'une tunique de pénitent tenue par une corde de chanvre, portant un petit sac de toile où il avait rangé le psautier, il partit vers les quartiers de Robert de Craon.

Son plan opéra comme prévu. Le psautier et le nom d'Oberon de Saintyves suffirent à lui ouvrir toutes les portes. Un garde demanda une confirmation aux services de Saintyves : ce dernier fit répondre qu'il attendait bien « Chaucer ».

Un religieux enveloppé dans un froc de bure vint même le chercher pour l'escorter.

Une porte s'ouvrit devant eux et Cosimo découvrit une salle gigantesque remplie de militaires astreints devant des écrans et des consoles. Deux grandes baies vitrées se faisaient face aux extrémités de la salle. Des lumières autoportées flottaient au-dessus des hommes et des andréides. Cosimo et son guide traversèrent la plate-forme sur sa longueur. Quelques minutes plus tard, ils étaient dans un couloir étroit, butant contre plusieurs sas qui ne s'ouvraient que lorsque le clerc élevait un badge pendu à une cordelette.

— Nous prenons nos précautions, dit-il.

— Je vois cela.

— Aussi curieux que cela puisse paraître, le père de Saintyves semblait avoir oublié son invitation à votre endroit.

— Vraiment ? Je ne veux surtout pas le déranger. Sans doute a-t-il mieux à faire que de me recevoir. Dois-je repartir ?...

— Non, non, coupa le clerc. Au contraire. Dès qu'il s'est souvenu de vous, il a fait cesser sa réunion et s'est montré empressé de vous recevoir.

Le clerc franchit une porte latérale gardée par deux andréides. Cosimo entra dans les quartiers privatifs d'Oberon de Saintyves. Dans la pièce, cinq autres robots travaillaient sur des écrans. Ils saluèrent le visiteur. Le clerc ouvrit l'accès au bureau du père et fit entrer le jeune homme.

– Il ne va pas tarder. Mettez-vous à l'aise. Je vous laisse.

Il referma la porte.

Soudain, Cosimo s'inquiéta. Si Oberon ne venait pas seul ? S'il était pris à son propre piège ?

Le bureau était sobre, monacal, sans aucun ornement. Cosimo aperçut des outils de mortification : une discipline, une haire, un volume de macérations. En revanche, il ne trouva aucun effet cultuel, aucune croix, aucune icône. Il poussa vers la grande vitre qui ouvrait sur l'espace. Les étoiles étaient en mouvement, de bas en haut, comme un manuscrit qu'on déroule. C'était la dérive habituelle de l'Asimo qui pivotait sur son axe. Périodiquement, dans le lointain, une lune se laissait deviner près d'une planète rouge : le système de Tonnerre où le pèlerinage ferait sa première halte.

Une porte s'ouvrit. Oberon de Saintyves entra.

Il était seul.

Le moine avait une cinquantaine d'années. Le crâne chauve, un nez aplati et des joues aussi flasques que sa panse de religieux. Il était gros et blême, un air maladif lui faisait sous les yeux de lourdes poches. Sa lèvre inférieure était épaisse mais sans couleur.

Son accueil se fit chaleureux sans l'être, avenant mais sur ses gardes. Il semblait embarrassé.

– Bonjour, mon père, dit Cosimo. Je vous ai rapporté votre livre de psaumes... comme convenu.

– Je vois. C'est bien. C'est très bien. Vous êtes seul ?

Cosimo acquiesça.

– Personne ne vous a suivi ? On ne vous a posé aucune question ?

– Rien d'anormal.

– Bien.

Saintyves avança vers la porte d'entrée afin de s'assurer qu'elle était close. Il fit signe à Cosimo de le suivre dans l'angle le plus renfoncé de la pièce et lui demanda de répondre à voix basse.

– J'ignore comment vous êtes arrivé jusqu'ici, mais tout cela doit rester strictement entre nous. Comment m'avez-vous connu ? Qui vous a parlé de moi ?

– Personne, mon père. Notre rencontre est le fruit du hasard. Il a suffi d'être un peu observateur. Vous vous trahissez assez facilement, si je puis me permettre.

– Pour mon malheur, je ne le sais que trop !

Saintyves s'essuya le front.

– Si je peux modestement aider, dit Cosimo.

– M'aider ? Est-ce bien aider, croyez-vous ? Allez, je suis bien à plaindre.

Les yeux du moine étaient de plus en plus fuyants.

– À votre place, dit-il, je ne serais pas fier de ce que j'accomplis.

Cosimo baissa la tête.

– Je puis encore m'en aller, dit-il. Si vous n'avez pas besoin de moi, je m'efface et vous ne me reverrez plus.

– Non, attendez. Je n'ai pas dit cela ! Restez.

Le religieux piétinait, évitant toujours de regarder son visiteur dans les yeux. Finalement, il demanda :

– Allons, la fille est-elle consentante ?

Cosimo prit une mine grave.

– Comme je vous l'ai écrit, elle demande votre protection ; elle ne fera aucune difficulté. C'est à vous d'établir ce que vous désirez.

Un premier sourire se dessina sur la face du moine. Vite refoulé.

– Quel est le nom de cette petite ?

– Lÿs.

– Lÿs. Ravissant ! C'est une de ces filles qui se repentent de leur passé ?

– Tout à fait.

– Néanmoins, elle accepte ce... ce que nous savons ?

Cosimo se félicitait que son message ait si bien porté ; Oberon ne supposait même pas que l'entretien souhaité par la fille puisse être autre que malhonnête.

– Je lui ai laissé entendre qu'à se montrer sans préjugé pour un homme d'Église tel que vous elle faisait un pas considérable vers son salut.

– Et elle admet ce jargon ?

– Je pense que, du moment que vous ne la payez qu'en bénédiction et non en monnaie, elle se trouvera quitte des peines et des plaisirs que vous voudrez bien lui causer.

– Oh ! La sainte enfant !

Cosimo modéra cette sainteté d'un hochement de tête.

– Comment se passera la chose ? demanda Saintyves.

– Le rendez-vous aura lieu au dos de l'église 42.

– Vraiment ?

– Vous serez averti. Ne vous inquiétez pas, cette fille a plus de ruse que vous et moi.

– Ces monstres-là connaissent toutes les rubriques. Bien, cela est simple alors. Mais ceci doit demeurer secret. Ne vous jouez pas de moi, car j'ai quelques pouvoirs et je sais qui vous êtes !

– Que gagnerais-je à vous perdre ?

Cosimo salua et voulut sortir. Oberon l'arrêta.

– Attendez. Précisément. Que me réclamerez-vous en échange de ce marché ?

– Je n'en sais rien, mon père. Si vous voulez me faire plaisir, demandez déjà à vos hommes de restituer le manuscrit de mon voisin de cabine. C'est un jeune auteur inoffensif, ses travaux ne vous apporteront rien.

– Je verrai.

– Quant à ma propre récompense, je préfère vous laisser juge. Lorsque notre affaire sera faite, vous me direz vous-même ce que vous pouvez pour un modeste pèlerin comme moi.

– Bien. Je réfléchirai. Je réfléchirai... Mais ne me recontactez pas pour cela. La prochaine fois, c'est moi qui reviendrai vers vous. Il faut me laisser du temps. On ne doit pas trop nous voir ensemble.

– Comme vous l'entendez.

Saintyves fit rappeler le clerc qui avait escorté Cosimo.

– Reconduis mon « ami » Chaucer, dit-il avec un sourire de commande.

Et Cosimo quitta le quartier de Robert de Craon.

Il avait remporté son premier « contact ».

Lorsqu'il retrouva Polybus dans leur cabine, le jeune garçon se désolait toujours de la perte de son manuscrit. Cosimo s'occupa de faire parvenir ses instructions à Lÿs.

∞

Deux jours plus tard, le rendez-vous s'étant passé, Polybus retrouva miraculeusement son manuscrit posé intact sur son lit.

– Formidable ! s'exclama-t-il. Dieu soit loué ! Tout va pouvoir continuer...

Et Cosimo se mit à attendre un signe de Saintyves.

# II

## Anx et les mondes de Tabari

Crois-tu, toi dont les sens d'en haut sont éclairés,
Que la création qui, lente et par degrés,
S'élève à la lumière, et dans sa marche entière
Fait de plus de clarté luire moins de matière
Et mêle plus d'instincts au monstre décroissant,
Crois-tu que cette vie énorme, remplissant
De souffles le feuillage et de lueurs la tête,
Qui va du roc à l'arbre et de l'arbre à la bête,
Et de la pierre à toi monte insensiblement,
S'arrête sur l'abîme à l'homme, escarpement ?

Non, elle continue, invincible, admirable,
Entre dans l'invisible et dans l'impondérable,
Y disparaît pour toi, chair vile, emplit l'azur
D'un monde éblouissant, miroir du monde obscur,
D'êtres voisins de l'homme et d'autres qui
s'éloignent,
D'esprits purs, de voyants dont les splendeurs
témoignent,
D'anges faits de rayons comme l'homme d'ins-
tincts...

VICTOR HUGO, *Ce que dit la bouche d'ombre*

nx était à l'abri dans une des charrettes qui transportaient les femmes et les enfants de la communauté des Irlandais. Autour d'elle se percevaient le pas lent et les prières des pèlerins qui progressaient vers la paroisse de Tonnerre ; une halte de trois jours était annoncée.

Depuis Troyes, l'ordre régnait : les hommes des chevaliers resserraient les positions, interdisant les arrêts intempestifs et les regroupements dissipés. La Milice se comportait comme si elle était en territoire ennemi. Les hommes étaient répartis en tête et en queue de convoi, même les familles étaient dispersées le temps de la journée de marche. Toute forme de réunion était combattue. On redoutait l'intérieur du pèlerinage autant que l'extérieur, en particulier aux étapes où des pénitents pouvaient se laisser aller à tyranniser les habitants s'ils leur refusaient une aumône.

Ce jour-là, calée entre des femmes, leurs enfants et un vieillard qui commençaient à s'assoupir, bercés par le balancement du chariot, Anx ouvrit discrètement les *Annales* de Tabari qu'elle avait dérobées à Troyes. Ce petit volume traduit de l'arabe contenait des extraits d'une *Chronique des Prophètes et des Rois* qui embrassait l'histoire des hommes depuis la Genèse jusqu'à la mort du prophète Mahomet. En lisant les premières pages, la jeune fille n'en crut pas ses yeux : toute la Bible était réécrite ! Les deux Testaments étaient fusionnés et prolongés ; les personnages, comme les miracles, étaient rendus plus précis, plus lisibles, plus vivants. Des figures inattendues apparaissaient, tel cet Alexandre le Grand qui était traité ici avec autant de considération que le roi David ou la mère de Jésus. Moïse était commémoré au même rang que le Christ. À sa grande surprise, la jeune Irlandaise découvrit un islam subtilement intégré à ses origines judaïques et chrétiennes.

Une seule phrase de Tabari suffisait pour dissiper des obscurités millénaires : « *La première chose qu'Allah créa fut la plume*, écrivait-il, *et tout ce qu'il voulait créer, il le dicta à l'instrument. Puis, quand la plume eut commencé d'écrire, Allah créa le ciel, la terre, le soleil, la lune, les étoiles, et la sphère terrestre se mit à tourner.* » Que ce symbole de l'écrit était une expression plus intelligible que le rigoriste « Au commencement était le Verbe » de saint Jean ! Anx était conquise.

Mais elle s'arrêta subitement de lire. La carriole était étroite et elle sentait des regards qui l'épiaient. Sa posture ployée intriguait ceux qui ne dormaient pas : en ce temps, une jeune paysanne ne devait pas savoir lire.

Pour n'essuyer aucune remarque, elle décida de quitter la voiture et de poursuivre à pied.

Le sobriquet familial d'Anx était « Socratine ». En dépit des réserves qui pesaient sur son sexe, Létald Columban avait décidé d'instruire sa fille comme un garçon. Elle savait plusieurs langues et avait déchiffré tous les livres accessibles sur sa péninsule natale. Mais son éducation se faisait dans la discrétion. Il n'était pas sans danger pour une gamine de traiter d'histoire ou de théologie en face d'autres personnes, surtout des pèlerins, des prêtres ou des clercs. Létald sermonnait sa fille dès qu'elle se laissait aller à trop parler. Le fait même qu'elle s'exprimât dans un latin correct et que ses manières fussent agréablement tournées suffisait à la rendre suspecte. Aujourd'hui, en lisant Tabari, elle se compromettait.

À sa descente de la charrette, elle marcha seule. Sa mère et son frère étaient placés plus en amont.

Près d'elle, des fidèles échangeaient les calomnies habituelles sur les musulmans et leur prophète : les condamnant pour homosexualité, jurant que la luxure et la barbarie étaient les seules qualités que Dieu avait accordées à ce peuple d'hérétiques.

Tous les poncifs libidineux, idolâtres et imbéciles étaient agrémentés de jeux de mots qui tiraient à la foule de grands éclats de rire ou des grondements de réprobation.

Ces hommes qui marchaient près d'Anx étaient les plus faibles des pèlerins et les invalides dont la Milice n'avait pas voulu en début ou en fin du convoi pour assurer la sécurité. Leur handicap et leur laideur rendaient leurs propos plus indignes encore. Anx, rêveuse, s'était attendue à participer à une marche triomphale encadrée par des anges et des hommes frappés de sainteté ; elle était rattrapée par la crudité du quotidien. Seuls comptaient ici l'organisation des « fosses d'aisances », les puces, l'appétit des marcheurs et les scrupules des gardes. Où était passé Dieu ? Aucun signe majestueux ne permettait de distinguer cette masse de croyants d'un exode de barbares.

Au soir, le convoi atteignit Tonnerre : trois vastes prairies servaient à l'arrêt des pèlerins. Aucune ville importante alentour ne risquait de tenter les voyageurs. Tout avait été mûrement réfléchi.

Dès l'arrivée, Anx se mit à la recherche de ses parents. Il était convenu qu'ils se retrouveraient devant la cloche des Irlandais. Dans la mêlée, elle vit un grand homme au regard brillant, l'habit humble et élimé sous un plastron de soldat : Robert de Craon. Il avançait calmement avec son équipe, l'œil à tout, répondant aux sollicitations, bénissant et rassurant ses troupes.

188

Soudain, elle s'immobilisa. Elle venait de reconnaître le capitaine entrevu à Troyes et qui l'avait poursuivie entre les caisses. Lui aussi inspectait les campements en formation, suivi de près par le clerc Erich, celui-là même qui l'avait surprise avec les livres. Erich la vit et pointa un doigt dans sa direction. Elle détala aussitôt. Le capitaine appela à lui une dizaine de soldats auxquels le clerc fit une description détaillée de la fille. Le temps qu'ils se lancent à sa poursuite, elle s'était évanouie dans ce qui restait de la queue du convoi.

Elle trouva refuge dans un sous-bois qui bordait un des étangs de Tonnerre. Elle était seule. De l'autre rive montait le chant d'une vingtaine de jeunes femmes qui baignait de sérénité cette partie du pèlerinage. C'étaient les repenties d'Erichtô qui communiaient. Anx décida de patienter jusqu'à la nuit pour rejoindre les siens et, certaine de ne pas être découverte sous ces feuillages, elle rouvrit son Tabari.

Le long chapitre de la « Genèse » du chroniqueur arabe n'était pas tel qu'on le trouve dans la Bible. L'auteur résumait ici, avec méthode, les dizaines et dizaines d'exposés que les coutumes arabe, perse, hébraïque, grecque et chrétienne avaient données des premiers instants de la création. Le monde était issu successivement du chaos, d'un œuf, d'une goutte d'eau, d'une flamme, d'une pluie d'atomes, d'une sphère, d'un nombre, etc. Il importait peu de savoir comment Dieu s'y était pris, mais plutôt d'exalter et d'affirmer l'amplitude de son acte créateur. Tabari appliquait ce traitement à toute l'histoire des hommes : mettre en relief un même événement grâce aux perceptions qu'en avaient eu les prophètes, les historiens et les poètes de chaque époque. Cela lui donnait une liberté de ton et un rendu du détail stupéfiant.

Feuillet après feuillet, Anx découvrit selon Tabari que le Tout-Puissant n'avait pas formé un seul monde, mais *des* mondes. Il existait des peuplades, des humanités créées en même temps que la nôtre, mais dont rien ne nous rapprochait. Des générations étrangères qui ne descendaient pas d'Adam, qui méconnaissaient la succession du jour et de la nuit et qui ignoraient notre soleil.

« Que dirait un évêque d'une pareille audace ? se demanda la jeune fille. Imagine-t-on cette idée dans la Bible ? D'autres mondes ? D'autres hommes ? Nous ne serions pas la création définitive de Dieu ? »

Elle ferma les yeux, essayant de se figurer à quoi pouvaient ressembler ces univers que le Créateur fit autres. Mais elle renonça aux images :

« C'est impossible. Je ne fais que métamorphoser ce que je connais déjà. Comment inventer des êtres dont l'essence n'est pas la mienne ? Même l'imagination la plus débridée n'invente rien : elle modifie ce qu'elle a appris. »

Mais la nuit tombait déjà. Anx referma le livre juste avant le chapitre qui contait « les Larmes d'Adam ».

Elle rejoignit ses parents, préférant longer le dos des carrioles pour ne pas être vue. Près de la cloche, l'abbé Soffrey réclamait tout le secours possible pour achever leur campement. On avait élevé un feu autour duquel les femmes et les enfants dansaient en dépit de leur épuisement, l'air heureux, alors que les hommes s'activaient. Anx s'approcha assez pour jouir de la chaleur des flammes, mais elle resta en retrait. Elle vit son père au travail, sa mère près du feu et son frère Tescelin devant une tente de fortune.

Elle s'y engouffra avec lui.

– Où étais-tu passée ? demanda le garçon.

– Un peu plus loin... Je me reposais.

– Il y a beaucoup de gens qui rôdent par ici...

– Des gens ?

– Des soldats. Ils cherchent une jeune fille un peu dans ton genre. Ta description est diffusée dans les rangs.

– Vraiment ? dit Anx sans avoir l'air de s'inquiéter. Ce doit être quelqu'un qui me ressemble.

– Tu as toujours le livre ?

– Oui.

– Tu devrais t'en séparer. Tu nous fais courir de graves dangers, à tous.

Létald et Rowena vinrent s'assurer du retour de leur fille. Bientôt, après le repas, tout le monde s'endormit d'épuisement. Le silence s'abattait sur le convoi des pèlerins, mais Anx resta éveillée ; elle méditait sur ses dernières lectures, la tête inclinée sur le bord de la tente à contempler le ciel. La nuit était bleue et tiède.

Elle rouvrit le petit livre dans les plis de son bliaud et parcourut avec un peu de lune le récit de la chute du premier homme d'après Tabari.

À la suite du péché de la pomme de l'Arbre de la Connaissance, Dieu châtiait Adam et Ève comme dans la Bible des Hébreux en les exilant hors du Paradis, mais Tabari ajoutait que l'homme et la femme étaient aussi « privés de leur carapace ». C'était une peau dure et protectrice que Dieu fit tomber ce jour-là et dont il ne nous reste plus aujourd'hui que les ongles au bout des doigts. Dieu rendait nos chairs à vif pour mieux nous soumettre à la souffrance et à la mort. Une carapace résistante ? Anx ne savait plus si elle lisait un livre sacré ou un conte merveilleux ! Mais, peu après la Chute, Adam eut une réaction remarquable :

séparé de sa femme, isolé dans un monde hostile, il se mit à sangloter. À pleurer sur sa faute. Anx eut un doute : dans la Genèse de la Bible, lisait-on nulle part qu'Adam se repentait d'avoir désobéi à son créateur ? Le voyait-on jamais se lamenter pour avoir perdu sa place dans l'éden de félicité ?

Après son exclusion du Paradis, Adam avait été envoyé vers le continent qui forme aujourd'hui l'Hindoustan. Avec une poésie tout orientale, Tabari expliquait que les premières larmes d'Adam versées sur la terre firent germer les plantes médicinales de notre planète, les herbes à onguent qui devaient servir plus tard à apaiser les maux de ses descendants.

Anx repensa à son père qui lui avait enseigné que les meilleurs remèdes provenaient de cette Inde lointaine où les médecins grecs avaient tout appris.

De cette terre « baignée par les premières larmes d'Adam », songea la jeune fille.

Cette concordance entre la fable et la réalité lui procura un beau sentiment sur lequel elle s'endormit.

∞

Le lendemain, les pèlerins furent réveillés par des novices qui passèrent entre les rangs en agitant des clochettes. Létald Columban était debout depuis une heure et avait réuni un pain et une jatte de lait pour les siens. La famille fit sa première oraison. Ils mangèrent en silence, chacun remerciant le Seigneur avec ses mots propres. Autour d'eux, le convoi commençait de s'agiter. Discrètement, Anx décochait des regards, moins à ses dévotions que d'ordinaire : une troupe de gardes avançait non loin et interrogeait les pèlerins. Elle se demanda si le capitaine la faisait toujours rechercher. Elle baissa le front. Les soldats continuèrent dans une autre direction.

Au lever du soleil, l'abbé Soffrey reçut les consignes du jour et les propagea auprès des Irlandais : la halte de Tonnerre était écourtée sans raison par les chevaliers, la marche reprenait ce matin même ! Et personne ne serait plus autorisé à s'asseoir sur les chariots, hormis les invalides ; les petits enfants devaient être tenus dans les bras. Certains pensèrent que ce départ précipité était fait pour gagner du temps en prévision des routes rocailleuses ou trop pentues ; d'autres, que c'était l'exercice permanent de la police qui se poursuivait. Mais tous pestaient contre la suppression des jours de repos.

Létald réitéra ses instructions :

– Anx, tu restes avec les femmes de ton groupe et tu ne réponds à personne. Tescelin, tu ne t'éloignes sous aucun prétexte de ta mère.

Il n'aimait pas ces consignes de la Milice qui le privaient de sa famille : il devait rejoindre les hommes au début du convoi. Anx décida de changer de vêtement et d'emprunter à sa mère un manteau à capuche dont elle se couvrit la tête. Après avoir étreint ses parents et son frère, elle rejoignit sa place de rang, inclinant la tête au passage de chaque soldat. Le changement d'ordre créait une légère panique et des mécontents. Il se voyait quelques chahuts là où des faux invalides essayaient de se réfugier dans les charrettes, avec ceux qui se disaient trop fatigués pour continuer.

Anx sentait sous son bliaud le volume de Tabari. Maintenant qu'elle en avait commencé la lecture, elle se demandait déjà comment la poursuivre aujourd'hui. Éblouie par ces récits, elle avait résolu de ne pas s'en défaire tant qu'elle n'aurait pas tout lu et tout compris, qu'importe les dangers.

Dans la foule amassée autour d'elle, elle attendit la sonnerie du départ. Soudain, elle reconnut derrière elle une silhouette familière qui la stupéfia.

C'était l'Aveugle du lac de Source-Dole !

Il était du pèlerinage. Pour la deuxième fois elle le trouvait sur sa route depuis l'accrochage avec les brigands. Anx hésita. Devait-elle reculer, s'approcher, l'interroger ? Mais le départ de la marche sonna. Il fallut renoncer pour l'instant.

Anx se rappelait la rencontre avec Hugo de Payns. Le vieil aveugle avait sauvé le maître du pèlerinage d'une embuscade. Le savait-il ? Elle n'avait donc pas rêvé. Et sa disparition dans la nature ?

Soudain, à sa droite, elle sentit un souffle chaud qui la tira de sa rêverie. Et un pas de sabot. L'Aveugle avait avancé et se trouvait juste à côté d'elle. Il se tenait droit, le visage ridé parfaitement immobile, les yeux laiteux plantés vers l'horizon. Autour d'Anx, des pèlerines s'étaient écartées, inquiétées par cette face morbide. La jeune fille ne ralentit pas. Impressionnée. Le cheval suivait au pas, sans dépasser sa hauteur. Elle vit que le vieillard avait posé sur ses genoux ses mains osseuses et que la monture ne portait ni mors ni rêne. Anx avait le cœur battant, elle ne voulait pas manquer cette occasion de le découvrir. Elle se rappelait qu'il s'était nommé devant Payns : Clinamen. Elle s'apprêtait à parler lorsque des soldats de la Milice approchèrent. Ils examinaient les jeunes filles. Aussitôt elle approfondit sa capuche, baissa le front et serra son livre contre son ventre. Deux des

194

gardes arrivèrent sur la droite de l'Aveugle. Au même moment une bride tomba juste près d'Anx, effleurant sa main. Elle vit le vieillard qui, sans bouger la face, lui pointait du doigt cette corde attachée à la selle. Sans comprendre, elle la saisit.

– Que cherchez-vous, soldats ? demanda-t-il aux gardes, qui en parurent surpris.

– Comment sais-tu que nous sommes ici ?

– Les hommes en armes font un bruit particulier. Et leurs lames ont une odeur aussi. Comment puis-je vous aider ?

– Nous cherchons une fille.

Clinamen tourna la tête.

– Vous avez à ma gauche une petite qui ne me quitte pas depuis notre arrivée à Troyes.

Les soldats regardèrent un instant vers Anx qui gardait les yeux prudemment rivés au sol.

– Elle ne vous quitte jamais ?

– Comment ferais-je sans elle dans le convoi ?

Anx tenait la bride à pleine main.

La réponse de l'Aveugle sembla contenter les hommes.

– Bien. Que Dieu vous garde, lui dirent-ils en s'éloignant.

Aussitôt après, l'Aveugle reprit sa bride.

– Mais... murmura Anx sans comprendre.

Clinamen fit un signe de patience. Sans donner le moindre à-coup à son cheval, il pressa soudain le pas et doubla la jeune fille.

L'Aveugle venait de la sauver pour la deuxième fois.

∞

À la tête du convoi, au cours de l'après-midi, Tudebode, le gros capitaine, allait au botte à botte avec Erich, le premier clerc du bibliothécaire. La marche était rudement cadencée. Hugo de Payns et ses hommes avaient décidé ce matin de renoncer aux trois jours de halte tellement leurs convois les satisfaisaient depuis Troyes. Tous étaient ravis, sauf Tudebode. Il pestait sur son cheval en faisant de grands mouvements de bras.

– J'ai pourtant à m'occuper d'autres affaires plus impérieuses que celle-là !

– Mais les ordres de Flodoard sont formels, dit Erich.

Le clerc regardait autour d'eux ; il ne voulait pas que les pèlerins les entendent.

– Vous êtes en charge de la sécurité du convoi des instruments, dit-il. Que diront vos maîtres si vous vous montrez incapable d'arrêter une enfant ?

– Là n'est pas la question. Elle se méfie, c'est évident. Je voudrais vous y voir ! Elle peut se cacher n'importe où. C'est le diable à cet âge-là !

Erich arrêta son cheval.

– Je suis justement venu pour cela, reprit-il à voix basse. Nous allons annoncer la tenue d'une lecture publique pendant la marche.

– Une lecture ? Quelle idée !

Tudebode haussa les épaules.

– Savez-vous où se trouve Marcabru ? demanda Erich.

– Le bonimenteur de Troyes ? Il est dans le dernier train.

– Vous le ferez conduire chez Flodoard. Il lui donnera à réciter un ouvrage fameux. Officiellement pour récréer les marcheurs, officieusement pour calmer les mécontents du départ d'aujourd'hui et pour attraper cette étrangère.

– Vraiment ? Et par quel bout ferez-vous cela ?

196

– Par la *curiosité*, Tudebode. La curiosité! Si cette fille est faite comme on le croit, elle ne résistera pas.

– Bah, c'est beaucoup de peine pour une petite voleuse. Elle devait chercher des victuailles ou des draps et elle est tombée sur des livres! C'est clair. Si je la coince, je lui ferai rendre gorge, croyez-moi. On ne vole pas pendant un pèlerinage! Le règlement prévoit des châtiments exemplaires.

– Non, Tudebode. Les ordres ont changé en ce qui la concerne. Vous garderez sagement la prisonnière jusqu'à ce que Flodoard l'interroge. Entendez-vous? Pas de violence.

Le capitaine haussa les épaules, indigné par tant de précautions pour une paysanne.

Le jour même, Roger Marcabru était conduit dans la roulotte de Flodoard. Le bibliothécaire lui délivra une version en langue grossière des *Confessions* de saint Augustin. Cette œuvre était parfaitement du goût des pèlerins. Notamment les parties qui insistaient sur la jeunesse dépravée du saint et son retour dans la vraie foi.

Comme il était défendu aux marcheurs de quitter les emplacements qui leur avaient été alloués, il fut résolu que Marcabru serait transporté d'heure en heure sur l'étendue du convoi afin que tous, en fin de jour, aient pu entendre les mots d'Augustin. Le lecteur public était juché au sommet d'un chariot pour atteindre le plus grand auditoire. Sa voix résonnait magistralement.

*La maison de mon âme est bien étroite et bien petite, elle tombe en ruine. Il y a là des choses qui peuvent offenser les yeux; je le sais et je le confesse: mais qui peut la rendre nette que vous seul, et à qui puis-je recourir qu'à vous, ô mon Seigneur et mon Dieu?*

« Heureusement que son évêché a pensé à lui apprendre à lire, pensa Erich. C'est un outil formidable. »

Erich restait à quelque distance de Marcabru. Deux gardes de Tudebode travestis en pèlerins l'accompagnaient. La foule réagit favorablement aux lectures ; elle était même suspendue aux aveux déchirants du saint. La vitesse de progression du convoi ne faiblit pas. Le silence et la paix envahirent les rangs de pénitents.

Anx n'avait jamais lu saint Augustin, mais son père lui en avait parlé. La jeune fille, hardie, s'arrangea pour ne rien manquer des effets de Marcabru. Plus vive qu'un oiseau, elle se glissait entre les groupes, pour entendre plusieurs fois dans la journée les mêmes passages des *Confessions*.

*Que je vous aime, Seigneur, que je vous rende mille actions de grâces, et que je bénisse sans cesse votre souveraine majesté, de ce qu'il vous a plu me pardonner tant d'injustices et tant de crimes que j'ai commis.*

Anx était séduite par cette familiarité d'Augustin avec Dieu, son humilité, son éloquence. Elle aurait voulu arracher l'ouvrage des mains de Marcabru pour découvrir de nouvelles pages. L'orateur ne déviait jamais des extraits choisis par Flodoard. Anx répétait déjà de mémoire : *Comme je pleurais très amèrement dans une profonde affliction, j'entendis une voix comme d'un jeune garçon ou d'une fille qui disait et répétait souvent en chantant : PRENDS ET LIS, PRENDS ET LIS. Je pris le livre de saint Paul : je l'ouvris et, dans le premier endroit que je rencontrai, je lus tout bas ces paroles...* mais Erich et les deux soldats tombèrent sur la jeune fille et l'emportèrent en la bâillonnant.

198

*... je n'en voulus pas lire davantage; et aussi n'en était-il pas besoin, puisque je n'eus pas plutôt achevé de lire ce peu de lignes, qu'il se répandit dans mon cœur comme une lumière qui le mit dans un plein repos, et dissipa toutes les ténèbres de mes doutes.*

# III

## Enquête

> À la porte du Colisée se voit la fontaine où, selon la tradition, les gladiateurs venaient, après leurs combats, laver leurs blessures. La borne de cette fontaine était en même temps la première pierre milliaire de l'Empire : toutes les voies du monde romain partaient de ce monument d'esclavage et de mort.
>
> MICHELET, *Histoire romaine*

**D**ans le vaisseau mené par Robert de Craon et Carl de Ruy, Cosimo Gui attendait toujours que le père de Saintyves le contacte après sa rencontre secrète avec Lÿs. À l'arrêt écourté sur la lune de Tonnerre, il ne s'était pas manifesté.

Cosimo était aujourd'hui dans une des bibliothèques du croiseur, avec Polybus. Elle consistait en une modeste salle de lecture avec une trentaine d'écrans. Il n'y avait pas d'archives sur place, les informations procédaient des relais établis sur les stations ou les planètes visitées.

Il était seul avec Polybus, un conservateur et un technicien. Son voisin de chambre continuait son travail de versification : il cherchait des citations homériques pour agrémenter son épopée.

Cosimo était assis devant un écran aux couleurs de l'*Encyclopédie Galactica*; il inscrivit simplement : LA BORNE.

Il ne se faisait aucune illusion sur cette recherche, il voulait seulement confirmer des intuitions.

LA BORNE.

Après les étymologies, le jeune homme passa sans surprise sur des articles touchant aux pierres marquées dans les stades romains, à des unités de mesure, au Milion d'or, borne installée par l'empereur Constantin et qui était pour lui le centre de l'univers. *Idem* pour la Borne du Colisée. Cosimo trouva enfin une interprétation qui retint sa curiosité. La Borne comme type d'homme, comme type de personnage. L'Homme « Borne » était un être au savoir infini, à la sagesse qui servait de référence. Il était « un pivot de certitude autour duquel gravitait la pensée des hommes moins initiés ». L'article notait que cette figure de sage était l'une des rares à avoir été partagée par les antiquités grecque et asiatique. Mais le mythe de l'Homme « Borne » avait rapidement disparu dans l'histoire des croyances.

« Un penseur de référence ? se dit Cosimo. Un sage ? Ces chevaliers ne peuvent pas aller à Jérusalem pour rencontrer seulement un homme, cela n'a pas de sens lorsqu'on sait l'ampleur des moyens et les précautions prises. »

Il poursuivit en affinant l'intitulé de sa recherche. Mais rien de nouveau, rien d'inattendu, n'apparut. Il lança alors une étude sur les mystères et les trésors bibliques dissimulés, ou supposés tels, dans Jérusalem. Il n'eut pas longtemps à attendre. Quarante et un mille entrées furent présentées. Une pléthore de théories, de témoignages, d'indices touchant à des talismans, des reliques sacrées à découvrir sur place. L'imagination des religieux, des aventuriers et des poètes avait accumulé sur le sujet une somme incroyable. La Terre des Origines était l'objet de tous les fantasmes. Entre la roche d'Abraham, l'Arche d'alliance et le Graal, il était impossible de recenser toutes les folies additionnées au cours des âges.

Comme il s'en doutait, Cosimo n'avait pas progressé. Il haussa les épaules et décida de quitter la salle de lecture, mais il se ravisa.

Il reprit le clavier et écrivit « Ruy ».

La base de données de l'Encyclopédie était factuelle et historique, il savait qu'il ne s'y trouvait aucun lien sur des personnages vivants. Mais, ne pouvant pour l'instant rien apprendre de première main sur les neuf chevaliers, il pouvait se renseigner sur leurs terres. Il ne connaissait toujours rien de Carl de Ruy, le chevalier invisible de la Milice.

Il reçut deux catégories de réponse pour « Ruy » : l'une dépendait du rayon des sciences naturelles, l'autre, de la géographie. La première expliquait que « Ruy » était le nom scientifique d'un phénomène observé en études de traumatologie. Des chocs violents – physiques ou émotionnels – suscitaient chez certaines personnes des comportements étranges souvent assimilés à des perceptions parapsychiques. Le patient atteint du syndrome de Ruy présentait des dons de *clairvoyance* : il prédisait le futur, déplaçait des objets à distance ou entrait en contact avec des êtres immatériels. Séquelles et traumatismes étaient parfaitement identifiés. Mais lorsque Cosimo voulut approfondir sa recherche et connaître l'historique exact de la découverte de ce syndrome, il s'aperçut que la page souhaitée, pourtant incluse dans le sommaire de l'article, avait été effacée. Il eut beau tenter plusieurs requêtes, le sujet restait inaccessible.

La seconde entrée sur « Ruy » indiquait l'emplacement géographique de l'unique domaine portant ce nom dans l'atlas.

Le domaine de Ruy était sis sur une planète bleue dans un système bistellaire, à plusieurs parsecs d'écart de la route actuelle du pèlerinage. L'article donnait des informations techniques et spatiales sur l'astre, mais pas le moindre lien avec le sujet scientifique précédent, ni avec le chevalier Carl de Ruy.

Cosimo entra les noms des huit autres chevaliers. Il ne reçut que des réponses similaires : domaines, châteaux, lunes, données sans grand intérêt.

« Seul Carl de Ruy comporte une référence ambiguë. Le syndrome des clairvoyants. »

Cosimo éteignit son écran et laissa Polybus à ses affres de rimeur.

Il remonta les corridors vers sa cabine. Il songeait à Roland et à Croitendieu déployés sur le convoi suivant. Ses amis devaient s'inquiéter de ne pas le voir paraître comme convenu au bout d'une semaine. Il se dit qu'il lui faudrait bientôt quitter ce convoi sans plus attendre un signe de Saintyves. La jeune Lÿs, d'un geste significatif, lui avait assuré que tout s'était passé comme convenu avec Oberon. Mais les jours s'égrenaient. Il décida d'aller inspecter l'état d'entretien de son croiseur embarqué à Troyes. L'appareil était entreposé dans les hangars situés à la poupe basse du vaisseau. Cosimo rencontra le technicien de maintenance et l'avertit de le préparer pour une prochaine sortie.

– Il vous faudra une autorisation de la Milice pour quitter l'Asimo, dit l'homme.

– Je sais.

En chemin pour sa cellule, Cosimo assista à une scène brutale de police. Les gardes de la Milice arrêtaient trois pèlerins; l'un d'entre eux était Fabre, le vieil homme qu'il avait rencontré le premier jour du voyage et qui ne cachait toujours pas son hostilité à la Milice.

– Que me voulez-vous encore? criait-il. Vous n'avez pas le droit.

– Ordres de la Milice, dit un soldat.

– Quels ordres? Pourquoi?

Fabre n'eut aucune réponse. Il fut expulsé sur-le-champ du pèlerinage.

Personne ne protesta. Depuis Troyes, la légende de la « police des pèlerins » était passée à la réalité. Cosimo sentit d'autant plus les dangers qui pèseraient sur lui s'il commettait une faute.

Il retourna dans sa chambre.

Sur son lit, il trouva un message écrit. Il émanait des services d'Oberon de Saintyves. Une invitation pour la réception offerte par le maître de la lune d'Augustodunum en l'honneur de la Milice. Un rendez-vous.

$$\infty$$

Augustodunum était la nouvelle étape du pèlerinage, un ancien météore converti en usine dont le sous-sol était gorgé du minerai indispensable aux turbines des croiseurs.

Afin d'accueillir les chevaliers de la Milice, le maître du météore avait organisé une cérémonie dans sa tour d'apparat. Cosimo « Chaucer » se présenta muni de l'invitation de Saintyves. Il franchit les postes de contrôle le long des passerelles jetées dans l'espace entre les Asimo 5 et le météore.

Il arriva dans la salle de réception. La noblesse du cru, largement enrichie par le produit des usines, avait mis ses plus précieux habits. Au milieu d'eux, les quelques chevaliers présents faisaient un contraste étonnant. Les habitants furent surpris de les découvrir habillés comme des pauvres, se nourrissant du bout des lèvres. Les hôtes se trouvèrent gênés du contraste que créaient leurs parures. L'accueil se fit soudain soupçonneux.

– Ne sont-ils pas un peu provocants, ces anciens seigneurs avec leurs mines d'ermite ? murmure-t-on. Ils veulent nous donner une leçon ?

– Ils dirigent des soldats et des prêtres, m'a-t-on dit. C'est un privilège inquiétant.

– Ils veulent défendre les routes, c'est cela ?

– Qui tient les routes tient le royaume. C'est connu. S'ils réussissent leur entreprise, la Terre sainte sera en leur pouvoir davantage qu'au monarque de Jérusalem.

– Ce n'est pas prudent de laisser faire ça.

– Avez-vous vu un légat du pape qui serait auprès d'eux ?

– Non. C'est sans doute un oubli.

– Ou un désaveu. Soyons vigilants.

Cosimo entendait tout. Il retint en particulier la réflexion sur les routes de la Terre sainte.

Les groupes les plus importants se pressaient autour des chevaliers et du maître d'Augustodunum. C'est là, à quelques pas de ce dernier, que Cosimo retrouva Oberon de Saintyves. Un simple échange de regards leur suffit. La pièce de cérémonie était jouxtée par des salles de réunion plus intimes. Elles étaient vides. Saintyves s'y engouffra et fut rejoint quelques minutes plus tard par Cosimo.

– Il faut faire vite, murmura le religieux. Je ne peux pas m'absenter longtemps.

– Merci pour l'invitation, mon père.

– Je ne souhaitais pas qu'on vous aperçoive une nouvelle fois dans mes quartiers. Ici, c'est plus discret. Pour votre sécurité et pour la mienne.

– Je comprends. Comment cela s'est-il passé ?

– Passé ? Mon Dieu, à ravir ! À ravir, vraiment !

La rencontre de l'abbé et de l'ancienne courtisane s'était déroulée près de l'église 42 de l'Asimo 5, de nuit, comme convenu. Peu de paroles furent échangées, Lÿs se présenta sous un léger voile ajouré qui lui glissa des épaules dès qu'ils furent dans la pénombre. Saintyves s'étourdit de la précision de ses gestes. Les palpitations sous son sein étaient lentes et régulières : cette ribaude n'était pas une amatrice.

– Mais je suis bien à plaindre, geignit-il devant Cosimo. J'ai payé ce délice d'un fouet terrible. Cette fille est une diablesse. J'ai encore le parfum de son souffle sur toute la chair.

Et son œil quitta instantanément cet aveu d'effroi.

– Pensez-vous que je pourrai la revoir ?

– Ce n'est pas sans risque.

Oberon fronça les sourcils. Il n'insista pas et changea de sujet. Il se mit à parler très vite :

– J'ai beaucoup songé à vous, vous savez. Oui, beaucoup. Vous m'avez demandé de réfléchir à ce que je pourrais vous offrir. Mais décidément je ne peux rien pendant ce voyage ! J'ai pensé vous incorporer dans mes équipes, mais si qui que ce soit vous a vu avec ces filles d'Erichtô, je serais compromis. Non, c'est trop risqué, il faut me comprendre et être patient. Ici, je ne peux rien, je ne suis que le confesseur de Craon, mais à Jérusalem, là ! c'est autre chose.

Le confesseur de Craon ?

– Jérusalem? répéta Cosimo.

Oberon avait rougi. Il s'interrompit. Cosimo sentait que ce prêtre tomberait facilement à sa merci s'il le traitait avec habileté. Il dit :

– Quoi que vous décidiez, je suis déterminé à aider.

– Oh, ça je le sais. Déterminé, vous l'êtes assez ! Mon maître aura besoin d'hommes comme vous. Bientôt.

Il se mit à tourner dans la pièce, comme s'il se méfiait de ce qu'il pourrait dire.

Cosimo avait appris comme tout le monde que Robert de Craon était officiellement le gérant du « trésor » du pèlerinage ; c'était l'argent emporté sur les convois pour payer les ravitaillements et la solde des gardes embauchés par la Milice. Il demanda :

– Craon aura besoin d'hommes pour défendre les ressources de l'ordre à notre arrivée sur la Terre, c'est cela ?

Oberon secoua la tête.

– Pas du tout. C'est plus compliqué. Comment dire... c'est... c'est une révolution qui se prépare ! dit-il soudain. Bien entendu, comme à chaque événement de grande envergure, il faudra des gardes vigoureux pour le contenir.

Cosimo hésita. Une *révolution* ? Il dissimula sa surprise et fit mine de comprendre :

– Une révolution. Oui, évidemment. Les pèlerins en parlent. Ils prédisent des miracles, des apparitions d'anges à notre arrivée sur la Terre sainte. Le retour du Christ est l'idée la plus répandue parmi eux.

Oberon s'arrêta.

– Le retour du Christ ? Vous plaisantez !

Il avait dit cela d'un ton si dur qu'il aurait glacé n'importe quel fidèle.

– Écoutez, reprit-il, je ne peux pas en révéler beaucoup, je ne sais que des bouts de l'affaire, mais le monde tel que nous le connaissons va être à reconsidérer dans tous ses fondements. Et le Christ et tous les dieux du ciel avec lui! La « Grande Vérité » apparaîtra. L'Homme va enfin voir le monde tel qu'il est réellement. Son esprit va être libéré, tiré hors de ses limites. Ce jour-là, il faudra trouver des fidèles opiniâtres pour défendre cette nouvelle révélation; comme toujours, beaucoup se révolteront, refuseront et combattront la nouvelle vérité. C'est là que je pourrai intervenir pour vous. Je ne vous oublierai pas, soyez-en sûr. Vous rejoindrez nos rangs.

Une Révolution? Une *Nouvelle Révélation*? Tout allait vite dans la tête de Cosimo.

– Que dois-je faire en attendant? demanda-t-il.

– Si vous voulez m'en croire, dit Oberon, tenez-vous tranquille jusqu'à notre arrivée sur la Terre des Origines. Ne vous faites pas remarquer. La Milice est vigilante. Si elle vous arrêtait, je ne pourrais plus rien pour vous. Et vous manqueriez tout!

Cosimo sourit et dit :

– Comme vous, mon père, si l'on vous découvrait avec la belle Lÿs.

Oberon s'assit près de lui :

– La fois dernière, déjà, j'ai dû justifier par mille détours ma disparition de la nuit. Craon est un homme inflexible et suspicieux. S'il savait, sa colère serait terrible. Lui plus que les autres. C'est un homme bon, très pieux, mais il est inflexible au sujet des femmes dont il se méfie plus que tout.

– Je l'ai pourtant vu en présence de la maîtresse de Lÿs, cette dame Erichtô, dit Cosimo.

L'abbé haussa les épaules.

– Craon s'occupe de ses pénitents, voilà tout. Erichtô est un peu pressante à vouloir faire reconnaître la sainteté de ses filles. Mais elle n'obtiendra rien de mon maître.

Cosimo demanda aussitôt :

– Pourquoi ne va-t-elle pas voir plutôt Carl de Ruy ?

Oberon parut surpris de cette question.

– Personne ne rencontre Carl de Ruy, répondit-il comme s'il s'agissait d'une évidence. Dans cette Milice, chacun est à sa place et chacun fait ce qu'il doit. Lui, c'est « autre chose ».

Il se releva.

– Pour l'instant, je ne peux rien pour vous. Quelle récompense ? Soyez patient et je ferai de mon mieux. Je ne suis pas un ingrat.

Cosimo approuva de la tête.

– Alors c'est entendu ! dit Oberon.

Il fit un mouvement vers la porte. Mais Cosimo ajouta :

– Méfiez-vous tout de même de cette fille. J'ignore comme vous qui elle est vraiment.

L'abbé sourit d'un air résigné, puis retourna dans la pièce principale.

Seul, Cosimo réfléchit.

Il savait qu'Oberon n'avait rien trahi de compromettant dans cette conversation. Une *Révolution* à l'arrivée de Jérusalem ? Une nouvelle *Révélation* en Terre sainte ? N'importe quel pèlerin débitait la même rhétorique à longueur de journée.

« Dans cette milice, chacun est à sa place et fait ce qu'il doit », se répéta Cosimo. Si Saintyves a révélé quelque chose, c'est que Robert de Craon est le soldat, le bras armé. La gestion du trésor n'est pas sa mission véritable. J'ignore ce qu'il aura à défendre à Jérusalem, mais il va falloir découvrir la « mission » des huit autres chevaliers. Chacun fait ce qu'il doit ? Voyons alors ce que chacun *sait faire*. Ismale était architecte. La Milice avait besoin de ses talents. Pour ériger un nouveau monument ou pour déchiffrer les secrets d'un vestige ? Ismale. Craon. Un architecte. Un soldat.

Cosimo retourna à la réception. Parmi les quelques chevaliers de la Milice encore présents, il vit apparaître André de Montbard. C'était le seul qui pouvait le reconnaître, il s'éclipsa aussitôt.

André de Montbard, l'enquêteur. Le remplaçant d'Ismale.

Il rejoignit sa cabine. Polybus l'assaillit de questions sur la réception à laquelle il n'avait pas été convié. Cosimo y répondit, mais fatigué par l'insistance permanente de l'auteur. Il détailla la réaction contrastée des nobles d'Augustodunum et annonça subitement sa décision de quitter le pèlerinage ! Polybus resta stupéfait.

– Tu ne peux pas abandonner si tôt ! Me laisser seul ?

Cosimo renonçait à en apprendre davantage sur Carl de Ruy. Il voulait de rejoindre ses deux amis pour savoir ce qu'ils avaient découvert sur Jean du Grand-Cellier et Pierre de Montdidier. Il mit son départ sur le compte d'une crise mystique. Polybus, attristé, lui souhaita bonne chance et lui promit de ne pas l'oublier dans son œuvre future.

Ils se séparèrent.

Cosimo réunit ses affaires et gagna le comptoir de son vaisseau. Il enregistra le départ du pèlerin Chaucer. Sa carte d'embarquement fut détruite et son nom rayé de l'Asimo. L'andréide de garde l'avertit que la Milice interdisait tout retour des pèlerins qui renonçaient. Les portes du pèlerinage lui resteraient à jamais fermées. Cosimo acquiesça et persista dans son choix. Il fut autorisé à récupérer son appareil et à partir.

Dans l'espace, Cosimo plongea vers Épinac, la troisième planète du système d'Augustodunum. C'était une rude terre recouverte de glace. Seules une dizaine de petites colonies y survivaient. Cosimo n'atterrit pas ; il resta sur la station orbitale. Il avait peu de temps. Il devait se séparer de son croiseur dont les codes étaient identifiés par le pèlerinage et trouver un nouveau transport pour rejoindre incognito les convois de la Milice. Il dut négocier avec des gardes locaux pour échanger à perte son cockpit contre un vaisseau plus ancien et moins endurant. Il n'avait pas le choix.

Il repartit vers l'Asimo 5 de Jean du Grand-Cellier et Pierre de Montdidier. Au comptoir d'accueil, il s'enregistra sous le pseudonyme inscrit par avance à Troyes. L'entrée de « Timoléon Fournier » ne posa aucun problème.

Cosimo reçut une nouvelle carte d'embarquement.

# IV

## Rencontre

Qu'a donc dit saint Augustin ? Que *lorsque
l'esprit commande au corps il est obéi, mais que
lorsqu'il commande à lui-même il rencontre de la
résistance ?* Oui... Depuis quelque temps, je rencontre plus de résistance...

FRANK HERBERT, *Dune*

Augustodunum, le bibliothécaire Flodoard
rejoignit le monastère investi le temps de
l'étape par les chevaliers de la Milice. Il
entra dans la salle du chapitre où l'attendait Hugo de Payns. Le maître était assis devant
une large table en demi-cercle, seul. Il avait les
traits usés. Il salua Flodoard.

— Vous m'avez fait appeler, maître ? demanda ce
dernier.

— Oui. Assieds-toi. Regarde.

Hugo cliqua sur un curseur qui commanda la
descente d'un écran le long d'une paroi ; les
lumières s'éteignirent. Surpris, Flodoard se tourna
vers la première image qui apparut : le désert
d'Égypte.

Le sable était baigné par un soleil sorti au tiers
derrière la ligne d'horizon. C'était le matin. Les
dunes dessinaient partout des courbes d'ombre qui

213

s'amincissaient lentement. Au fond, un campement aux tentes de couleurs vives était dressé près d'un puits de caravaniers. Une dizaine de chevaux de combat s'éveillaient debout, des hommes en habits de guerrier achevaient leurs rondes, quelques-uns éteignaient les feux de la nuit.

Soudain, très proche, bondissant du creux d'une dune, apparut un cavalier puissant, la barbe fournie, le regard de feu, la peau cuivrée par les combats au désert. Il avait le torse autant caparaçonné de cuir et de fer que sa monture.

Flodoard le reconnut aussitôt : c'était Baudouin. Le fondateur. Le premier roi chrétien de Jérusalem.

Ce souverain était le soutien le plus important de Hugues de Champagne et de sa Milice.

Il était seul, à bonne distance du campement, un faucon posé sur son poing gauche. Le roi était passé maître dans l'art de l'affaitement. Chaque matin, il travaillait avec ses rapaces et abandonnait sa garde pour savourer le jeu de ses bêtes.

Il tendit le bras et libéra le volatile, droit vers le soleil. Baudouin adorait le désert. Ses rapaces y tournoyaient dans des arabesques nerveuses, piqués au vif de ne trouver aucune proie sur le sable clair. Il aimait les voir revenir sur son poing, l'orgueil blessé mais dociles.

Le faucon piqua droit vers la nuée.

Dans la salle, Flodoard regardait avec attention.

Soudain un point lumineux cligna depuis une dune lointaine. L'instant d'après, un faisceau de particules frappait de part en part le volatile du roi. Il tomba déchiqueté.

Sous la violence du coup, le cheval se cabra et le souverain se rétablit de justesse ; il tira son épée. Cinq faisceaux laser l'atteignirent en même temps,

214

le transperçant comme une poupée de chiffon. Baudouin de Jérusalem s'écroula sur le sable encore frais du matin, le corps mutilé, baigné de son sang.

La couronne de Jérusalem était libre.

Les hommes du campement se précipitèrent.

Ils tombèrent eux aussi sous un déluge de feu parti des dunes.

Peu après, des mercenaires arrivèrent à cheval pour inspecter leur œuvre. Une haute figure les précédait : l'Homme sans main et sans visage. Il s'immobilisa près du cadavre du roi de Jérusalem et le contempla de sa face obscure. Un de ses hommes traîna devant lui un lieutenant ensanglanté, encore en vie. Il allait le décapiter lorsque son maître l'épargna. Il dit de le laisser en vie afin qu'il puisse raconter exactement ce qui s'était passé. Les autres membres du campement furent méthodiquement achevés.

C'était le témoignage de ce lieutenant qui était mis en images pour Hugo de Payns et Flodoard.

Le maître coupa la retransmission et rétablit la lumière.

— Cela n'est pas une bonne chose pour nous, gronda-t-il. Cette mort succède à celles du pape et de l'empereur de Byzance l'an dernier et à celle d'Ismale. Tout cela à quelques mois de distance. Nos appuis disparaissent les uns après les autres. Comment l'Homme sans main et sans visage pouvait-il savoir la position du roi ?

— L'expédition est-elle compromise ?

— Cela dépendra du successeur de Baudouin. Et du temps qui lui restera pour parer l'avancée sur Jérusalem que l'Homme ne va plus tarder à mener.

— Quel est ce successeur ?

Payns haussa les épaules.

– Il est peut-être parmi nous ! Tu sais que le frère de Baudouin, Eustache de Boulogne, nous accompagne depuis Troyes. Il est le prétendant à la couronne le mieux placé. Mais Eustache est un imbécile. S'il régnait, nous n'arriverions jamais à l'instruire de notre affaire. Une mauvaise décision de sa part pourrait ruiner les colonies chrétiennes et nous avec.

– Non, maître. C'est une chose de savoir où se cache la Borne, c'en est une autre de pouvoir la libérer et l'extraire en secret de Jérusalem. Rien de ce que peut apprendre Eustache ne nous met si en péril. Ne lui avouons rien. Son ignorance nous garantira.

– Dès son arrivée sur la Terre des Origines, un des hommes de Baudouin l'avertira de nos passe-droits des années précédentes, pour se mettre dans ses bonnes grâces.

– Et si Eustache n'était pas sacré ?

– C'est encore un autre risque. Je préfère peut-être un idiot que nous connaissons à un prétendant dont nous ne savons rien. Si la couronne échappe à cette famille, elle peut tomber dans n'importe quelles mains plus déterminées. Il faut au contraire avertir Eustache de la mort du roi et nous conforter auprès de lui. Mieux nous le connaîtrons, mieux nous nous préserverons. La Borne est-elle toujours en sûreté ?

Flodoard sourit.

– Elle sait se défendre d'elle-même. Elle ne nous a pas attendus pour cela. Sans doute les gardes installés par Baudouin à la Tour de Salomon ont-ils quitté leur poste, mais qu'importe. En dehors de nous, personne n'est en mesure de percer le secret du sarcophage. Il résiste depuis des siècles, il tiendra encore quelques mois. Il ne sert à rien de nous épouvanter. Nous avons un plan, appliquons-le. En revanche, faisons-nous quelque chose pour l'Homme sans main et sans visage ?

Hugo hésita.

– Nous ignorons ce qu'il sait réellement. Le comte de Champagne avait raison : ce qui importe, c'est d'arriver les premiers !

Hugo se leva.

– Il se peut que l'Homme ait des fidèles à lui parmi nous. Je veux que tu quittes le pèlerinage plus tôt que prévu avec tes livres et le matériel. Comme convenu, tu rejoins Constantinople.

Le bibliothécaire blêmit.

– Aujourd'hui ?

– Dès que tu auras choisi ceux qui doivent t'accompagner. Méfie-toi. Choisis bien.

– Mais je n'ai pas encore les soldats dépêchés par Byzance avec moi ! Et...

– C'est égal. Vous vous rejoindrez à Aquileïa comme convenu.

La séparation du pèlerinage en deux parties était prévue depuis le départ de Troyes, mais elle devait avoir lieu plus tard. Les chevaliers emmèneraient les pèlerins prendre des navires à Venise, pendant que Flodoard, ses clercs et tous les chariots secrets de volumes et d'instruments seraient emportés vers Constantinople avant de rejoindre Jérusalem par la terre. Ce chargement était trop sensible pour risquer d'être perdu en mer.

– Les disparitions, les assassinats, murmura Hugo. Nul ne sait ce qui peut encore arriver. Je te veux en sûreté le plus tôt possible. Ne te trompe pas sur tes hommes. Une nouvelle trahison nous perdrait. Je vais également ordonner à tous les convois de s'éloigner les uns les autres, de plusieurs jours d'écart. Personne ne pourra plus passer de l'un à l'autre.

– Cela va être difficile à mettre en place.

– La Milice est là pour cela. Si nous avons des traîtres, je veux les empêcher de circuler. De plus, il ne faut pas que la nouvelle de la présence d'un hypothétique nouveau roi de Jérusalem s'ébruite ; elle risquerait de pervertir l'esprit de ce pèlerinage. Moins nous serons politiques, moins nous serons suspects. Enfin, je veux m'assurer d'atteindre la Terre sainte avant Eustache de Boulogne. Je vais le reléguer dans le dernier convoi, pour sa « sûreté ».

– Je comprends. Mais...

– Quoi ?

– Le choix de mon équipe m'inquiète. J'ai du mal à m'ouvrir aux clercs qui travaillent pour moi. Cette intuition que nous sommes trahis, observés... Je ne sais plus à qui accorder ma confiance. Je crains d'être surveillé. Je contrôle tout et c'est une surcharge de travail.

– Il faut achever, Flodoard. Trouve quelqu'un de nouveau. Quelqu'un d'irréprochable.

Il retourna à la grande table.

Flodoard sortit, tourmenté.

Il retrouva ses quartiers. Son office était installé dans une roulotte à toit tirée par trois chevaux. Des panneaux pleins étaient levés et masquaient l'intérieur. Un conduit laissait de temps en temps échapper une petite fumée noire. Quatre marches montaient vers la portière basse.

La réunion avec Payns avait eu lieu en pleine nuit, dès l'arrivée des témoignages sur la mort de Baudouin. Autour de Flodoard, tout le monde dormait, sauf la garde. Avant de rentrer dans son bureau, il fit envoyer un ordre au capitaine Tudebode.

Celui-ci, réveillé par surprise, obéit et quelques minutes plus tard fit tirer Anx Columban de sa prison. Depuis son arrestation, trois jours auparavant, la jeune fille était détenue sans explication, dans une boîte aérée seulement par quelques trous. Sa captivité s'était déroulée dans le silence absolu, personne ne l'avait interrogée, personne ne lui avait même demandé son nom. On n'avait pas pris le soin de la fouiller et le Tabari était resté à l'abri contre son sein.

Le capitaine la conduisit dans la roulotte du bibliothécaire.

L'intérieur était surprenant. De longs étalages de livres couvraient toutes les parois. Un bureau encombré de feuillets ne laissait que peu d'espace à un modeste lit de repos. Mais la découverte la plus frappante fut d'apercevoir une cheminée. Un beau feu venait d'y être rallumé et il crépitait. Anx n'avait jamais vu pareil aménagement dans un équipage de bois.

Derrière son bureau, Flodoard releva le front. Il regarda la jeune fille.

– C'est la gamine que vous nous avez ordonné de retrouver, dit Tudebode.

– Je sais.

Le clerc Erich se montra soudain dans l'entre-bâillement de la porte. Il venait d'être réveillé et prévenu de la scène.

– Laissez-nous, dit Flodoard.

Tudebode quitta la roulotte, fâché de ne pas avoir été félicité pour sa prise. Erich voulut entrer et fermer la porte derrière lui mais...

– Toi aussi, Erich.

Le garçon parut surpris.

– Je n'ai besoin de personne. Il n'y a pas de risque. Retourne te coucher, la journée de demain sera longue.

Erich obtempéra. Il jeta un regard sur la jeune fille, masquant difficilement son dépit, et il ferma la porte.

Flodoard tendit la main vers une lampe à mèche dont il élargit la flamme. Anx reconnut le visage de l'homme qu'elle avait brièvement croisé sur un des chariots de livres pendant sa poursuite au fort de Troyes. Il avait cette tonsure étrange au front qui rappelait celles du temps des druides et qu'on trouvait encore dans les recoins d'Irlande.

– Assieds-toi, dit-il.

Anx s'exécuta.

– Je suis fâché que notre rencontre se fasse dans ces conditions. J'avais demandé au capitaine Tudebode de te retrouver, non de t'enfermer. C'est un bon soldat, mais un esprit tendre, ce qui le rend prompt à obéir et lent à la réflexion.

Anx le regarda. Elle nota que l'homme avait l'air fatigué, et préoccupé.

Il croisa les bras.

– Je suis ravi d'apprendre que tu t'intéresses à saint Augustin.

– Qui êtes-vous ? demanda Anx froidement, le menton droit.

Flodoard sourit.

– Mon nom est Flodoard. Je suis le maître bibliothécaire de Hugues de Champagne. Les livres que tu as aperçus l'autre jour dans leurs coffres à Troyes sont sous ma responsabilité. C'est moi qui les ai fait traduire et copier par mes clercs. Le capitaine Tudebode est convaincu que, le jour où il t'a découverte, tu étais en train de chercher quelque tissu de valeur ou des victuailles à chaparder pour les revendre aux pénitents. Il te prend pour une vulgaire voleuse.

Anx haussa les épaules.

– Pas vous ? demanda-t-elle.

– Non. Si tu étais une simple pèlerine à la recherche d'un butin, ce qui pourrait parfaitement se concevoir vu la fréquentation douteuse de ce pèlerinage, pourquoi alors, sur les trois mille ouvrages que j'emporte, pourquoi m'en manque-t-il un depuis le jour de ton passage ?

L'homme insista.

– Un livre. Un seul. Qu'est-ce qu'une enfant comme toi gagnerait à me subtiliser des Annales musulmanes tournées en latin ? Je connais le contenu de mes caisses. Mes registres sont formels. Le Tabari qui est égaré, c'est toi qui l'as, n'est-ce pas ?

Anx ne répondit pas.

– Allons, reprit Flodoard, je ne cherche pas à te perdre, seulement à récupérer mon bien. Si tu le détiens, tu dois me le rendre. Je te répète que tu ne risques rien.

La fille ne bougeait toujours pas.

– Qu'escomptais-tu avec ce livre ? Tu sais lire ? Tu l'as choisi par hasard ? Pour sa taille ? Pour sa beauté ? Tu croyais pouvoir le revendre ? Il ne contient pas beaucoup d'or, tu sais, tu aurais pu mieux choisir.

Cette dernière allégation humilia Anx ; elle répondit d'un ton sec et fier qu'elle savait parfaitement lire et que c'était la curiosité seule qui l'avait poussée : elle ne comprenait pas pourquoi autant d'ouvrages étaient emportés, pourquoi le pèlerinage s'encombrait de charges mortes alors que la route serait longue et difficile et que de l'eau et des bêtes seraient plus utiles.

Flodoard apprécia son aplomb ; mais ce n'était pas tant la pertinence de ce qu'elle disait que la manière dont elle le dit qui l'étonna. Anx

221

employait une langue parfaite, avec une grammaire inconcevable pour une fille de sa condition.

– Ta réponse montre que tu as du sens, dit-il. Qui t'a enseigné à t'exprimer de la sorte ? Qui t'a appris à parler et à lire ? Écrire peut-être ?

– Mon père. Et les moines qui vivaient près de notre village en Irlande.

Flodoard bascula sur sa chaise.

– Intéressant. Peux-tu m'en dire plus ?

– Non.

– Non ?

– Mon père me le défend.

Le bibliothécaire passa sa main sur son front rasé.

– Je vois. Tu as des frères et des sœurs ?

– Un frère.

– Tu es l'aînée ?

– Oui.

Flodoard réfléchit.

– Cela me rappelle une vieille histoire, dit-il. De celles qui se répètent à voix basse naturellement. Dans une famille que j'ai autrefois connue, le père avait lui aussi instruit sa fille. Elle avait plusieurs années de plus que son cadet. Mais ses parents avaient eu tant de mal à la concevoir qu'ils avaient pensé à sa naissance n'avoir jamais d'autre enfant. Le père, redoutant que son savoir et ses connaissances ne se perdissent avec lui, décida d'éduquer sa fille comme si elle était son héritier.

Anx ouvrit de grands yeux.

– C'est à peu près ce qui s'est passé, n'est-ce pas ? demanda Flodoard.

La jeune fille fit malgré elle une expression qui disait oui.

– C'est une pratique que je n'ai retrouvée que dans une seule communauté, dit le bibliothécaire. Et jamais, disons, chez les chrétiens.

– Les chrétiens ?

Flodoard acquiesça d'un lent mouvement de la tête. Subitement, il récita un vers en latin classique.

– « Moi qui jadis sur une flûte modulais mon chant... » Ensuite ?

Anx sourit.

– « ... voilà que maintenant je chante l'horreur des armes de Mars. »

Elle avait poursuivi en latin.

C'était le premier chant de *L'Énéide*.

L'homme approuva puis enchaîna, en grec :

– « Chante, déesse, la colère du Péléade... »

La jeune fille répondit aussitôt dans la même langue :

– « ... détestable colère qui aux Achéens valut des souffrances sans nombre. »

C'étaient les premiers vers de *L'Iliade*.

Flodoard caressa son menton, décidément intrigué par la science de cette fille. Il approcha sa tête, les deux coudes sur la table, et osa alors une troisième formule, beaucoup plus périlleuse.

Il la fit à voix ténue, en hébreu :

– « David construisit là un autel à Yahvé et il offrit des holocaustes et des sacrifices de communion... »

Il y eut un temps de silence. Ils s'observèrent. Ils savaient l'un et l'autre ce que signifiait une telle phrase.

Anx réfléchit puis elle compléta. Toujours en hébreu.

– « Alors Yahvé eut pitié du pays et le fléau s'écarta d'Israël. »

C'était la conclusion du livre de Samuel.

Il y eut encore un silence. Lourd comme après un grondement d'orage.

– Je m'en doutais, dit le bibliothécaire.

Anx blêmit, prenant conscience de ce qu'elle venait d'avouer.

– Ne crains rien. Tu peux parler ouvertement. En ce qui me regarde, mon vrai nom n'est pas du tout Flodoard. Moi aussi j'ai dû me « rendre chrétien » pour conserver ma liberté.

– Mais nous ne sommes pas juifs, dit Anx sans vraiment protester. Mon père a été élevé par un couple de convertis. Ils ont voulu lui enseigner les deux religions. Et il a voulu faire la même chose avec moi.

– Les deux religions ? répéta Flodoard en souriant. En effet. Les chrétiens qui partent aujourd'hui pour la Terre sainte ignorent ce que les juifs savent de l'histoire de cette terre. Pour ces derniers, le voyage de Jérusalem, le retour sur la Terre des Origines, a une résonance mille fois plus forte que pour un baptisé. Ce sont eux les vrais pèlerins. Quel âge as-tu ?

– Quatorze ans.

Flodoard saisit une plume, un feuillet et inscrivit un long message d'une main rapide et nerveuse.

– Tu donneras ce mot à ton père, dit-il. Je souhaite que tu entres à mon service. L'éducation qu'il te prodigue ne saurait être du niveau de ce que nous avons ici. Au reste, tu peux m'être d'un grand secours.

– Moi ? Mais vous êtes entouré de clercs qui en savent plus. Et puis je ne suis qu'une fille.

– C'est égal. On te coupera les cheveux et on te donnera un froc assez large, personne n'y verra rien. Quant à mes clercs, tu comprendras un jour ce qui leur manque pour me servir comme je l'entends. Je n'ai aucune confiance en eux. Mais, en premier lieu, pars convaincre ton père.

Anx hésita.

– Je sais d'avance qu'il refusera.

Flodoard reprit le feuillet et ajouta une phrase en bas de page. Il l'écrivit en hébreu.

– Ne te fais pas attraper avec cela ou nous serions mis à mal tous les deux. Il ne fait pas bon être juif dans un pèlerinage comme celui-ci. Va. Tu vois, je te cède ma confiance.

Anx se leva. Elle réfléchit un moment puis tira de son bliaud l'exemplaire de Tabari qu'elle posa sur la table du bibliothécaire.

– Maintenant vous avez la mienne, dit-elle.

Elle quitta la roulotte. À la sortie, des gardes voulurent la ressaisir, mais la voix de Flodoard les en empêcha.

Anx courut dans la nuit rejoindre ses parents, ébahie par ce qui venait de lui arriver.

# V

## La Première Loi

L'objet le plus étonnant offert à la contemplation des Saints, c'est l'homme. Ils s'intéressent encore à nos peines et à nos plaisirs ; ils écoutent nos vœux ; ils prient pour nous ; ils sont nos patrons et nos conseils ; ils se réjouissent sept fois lorsqu'un pécheur retourne au bercail. (...) Mais s'ils voient nos passions à découvert, ils ignorent toutefois par quel art tant d'éléments opposés sont confondus dans notre sein : Dieu, qui permet aux bienheureux de pénétrer les lois de l'univers, s'est réservé le merveilleux secret du cœur de l'homme.

CHATEAUBRIAND, *Les Martyrs*

Dans l'espace, Cosimo rejoignit ses deux amis sur l'Asimo 5 commandé par les chevaliers Jean du Grand-Cellier et Pierre de Montdidier. Il s'était dirigé dans une des salles d'hibernation du vaisseau. Là étaient alignées des centaines de couches recouvertes de verre. La majorité était vide. Les lits de dormance serviraient à franchir les « ponts d'hyperespace » indispensables pour atteindre le lointain système de la Terre.

Entré sous le pseudonyme de Fournier, Cosimo rechercha la couche allouée à son nom d'emprunt.

À cette place, Roland et Croitendieu étaient exacts au rendez-vous.

Ils s'étreignirent chaleureusement.

– Je suis content de te revoir, dit Croitendieu. Le temps se faisait long. Roland envisageait sérieusement d'aller sur ton convoi pour savoir s'il ne t'était rien arrivé.

– Les premières manœuvres ont été difficiles, dit Cosimo.

Il détailla ses menées autour de Robert de Craon et de Carl de Ruy. Près de ses amis, les machineries étaient assez bruyantes pour que son récit ne puisse être surpris ni enregistré par un récepteur. Il expliqua :

– J'ai retenu certaines choses. La première recoupe ce que m'inspiraient les lettres de Payns trouvées au Tabor : la défense des marcheurs jusqu'à Jérusalem serait un leurre, une couverture pour la Milice. Un ancien pèlerin m'a assuré que les dangers des routes auraient été exagérés, sans explication. Ils permettent en tout cas l'accumulation des armes, des coups de police sans protestation et une maîtrise des convois. À Augustodunum, un homme a laissé entendre que cette mission de défense était une manière déguisée de prendre le pouvoir en Terre sainte, que l'ordre qui tiendrait les voies du royaume serait invincible. Serait-ce cela ? Un plan politique ? Cela ne correspond pas à ce que je sais de mon oncle, il ne se serait pas compromis dans une vulgaire affaire d'État. Une deuxième chose découverte grâce au confesseur de Craon, le père Oberon de Saintyves, est que chacun des neuf chevaliers aurait été recruté pour une mission spécifique. S'il ne fait aucun doute qu'Ismale était employé pour ses connaissances et ses dons d'architecte, il paraîtrait que Robert de Craon soit le soldat, le bras armé de la Milice. J'ai maintenant besoin de découvrir les activités de tous les autres. Leurs profils finiront par dessiner le but même de cette expédition. Saintyves a laissé échapper devant moi des exclamations sur ce qui nous attendait en Terre sainte : une Révélation, une Révolution ! Le discours était confus. Je n'ai pas mentionné la Borne, c'eût été trop risqué. Mais je suis certain que nous allons retrouver cette appellation de plus en plus souvent. La piste de l'assassinat d'Ismale mène à une affaire plus étendue que prévu. Je le craignais.

— Est-il prudent de continuer ? demanda Croitendieu.

— Je suis résolu à comprendre ce qui se trame, dit Cosimo. Je ne laisserai pas perdre les circonstances de la disparition de mon oncle comme j'ai dû le faire pour celle de mes parents en Terre sainte. Que je le désire ou non, je suis ancré dans cette énigme, et j'irai jusqu'au bout.

Cosimo expliqua ses échecs concernant Carl de Ruy.

— Impossible de le voir ni d'approcher qui que ce soit de son entourage. C'est inexplicable. Je n'ai rien trouvé sur son compte, hormis un lien vague avec une maladie ou un don, je ne sais pas... Et vous ? Qu'avez-vous appris ?

— Après le départ de Troyes, répondit Croitendieu, chacun de nous s'est attaché à l'un des maîtres du convoi. Pour ma part, je n'ai pas quitté de l'œil Jean du Grand-Cellier.

Il tira de sa combinaison un écran portatif et fit apparaître la silhouette du chevalier : Jean était grand, il avait un regard vif qu'accentuait sa barbe épaisse, son cheveu était long et bouclé, la peau blanche, le nez fin. Il était vêtu comme ses frères de l'ordre : la sévérité du soldat unie à l'humilité du moine.

– L'homme ne fait aucun mystère de sa vie, dit Croitendieu, j'ai pu mettre bout à bout les épisodes qui le concernent. Jean n'est pas un seigneur de lignée dynastique : il a acheté son titre.

– Acheté ?

– Il n'y a aucune fausseté dans cette démarche. C'est une procédure peu courante, mais parfaitement recevable si l'on est possesseur d'un domaine depuis deux générations.

– Après ?

– Il a fait agrandir son château de Morvilliers avec le bien qui lui restait, et cela pour donner du poids à son titre. Peu après, Jean a fait une fortune incroyable grâce au commerce des chevaux. C'est un personnage habile. Il a bâti d'immenses écuries sur ses terres, comme il en existe seulement en Orient. Là, il a élevé et dressé des montures autrement plus puissantes que celles qui servaient jusqu'alors pour nos guerres ou pour nos tournois. Il a mis en vente des bêtes capables de bondir dans les campagnes de Bourgogne comme sur les dunes d'Arabie. Une race rompue à tous les climats. La noblesse des royaumes s'est ruée sur ces chevaux d'exception. En quelques mois, son sort et son prestige ont été bouleversés.

– Comment en est-il arrivé à ce pèlerinage ?

– Par un autre pèlerinage. Il y a vingt ans, pour remercier le Seigneur du bien qu'il lui avait octroyé, Jean résolut de partir pour Compostelle. Sur la route, il se trouva en compagnie du comte Hugues de Champagne et de Hugo de Payns qui, eux, revenaient de Jérusalem. Personne ne sait ce qu'ils se sont dit, mais Jean a fait demi-tour pour les suivre. Quelque temps plus tard, il a cédé ses possessions à son frère cadet. Son argent est allé à la Milice et il est aujourd'hui un des neuf sages qui conduisent le pèlerinage.

– Aucun mystère donc? dit Cosimo.

– Un seul. Pour la Milice, Jean n'a pas converti son patrimoine en or ni en argent. Un de ses hommes m'a confié qu'il avait transformé son bien en pierres précieuses. Des émeraudes. Il en a recherché dans tout l'Occident! Celui qui me l'a raconté dit avoir vu les monceaux astronomiques de roches rejoindre, par convois armés, les terres de Hugues de Champagne.

– Personne ne sait ce que ces pierres sont devenues?

– On murmure que Jean les conduit en ce moment à Jérusalem. Et, de fait, une partie de son personnel est attachée à défendre farouchement un secteur du vaisseau.

– Est-on certain que les émeraudes s'y trouvent?

– Non, dit Croitendieu. Mais il faut bien qu'elles soient quelque part.

– Et surtout qu'elles possèdent une utilité capitale pour avoir été récoltées de la sorte, murmura Cosimo. Sais-tu où se trouve ce secteur défendu?

– Plus ou moins. Mais il est impossible de s'y aventurer.

– Nous verrons cela.

Il se tourna vers Roland.

– En ce qui me concerne, dit celui-ci, je n'ai pas tant d'histoires à raconter sur mon chevalier. Pierre de Montdidier est un homme abordable sur qui ne se colporte aucune énigme. C'est un soldat. Un excellent guerrier. Il est en charge de l'organisation logistique de la Milice. Il passe ses journées à recruter des hommes. Il vit, dort et soupe parmi ses soldats. Ce qui frappe, c'est sa piété. En toute occasion, il peut s'immobiliser et tomber en prière.

– Tu l'as approché?

– Oui. Et je t'ai même arrangé une occasion de le connaître. Je suis lié avec l'un de ses recruteurs favoris. Je fais partie d'une opération nocturne qui doit bientôt avoir lieu.

– Une opération?

– ... De police sans doute. J'en ignore le but final. Peut-être un simple exercice. Le fait est que nous sommes une quinzaine d'hommes engagés à suivre Montdidier là où il nous ordonnera d'aller. Le jour dit, j'ai promis d'amener avec moi un homme de valeur. Le recruteur me considère assez pour s'en remettre à mon jugement.

– Bien, dit Cosimo. C'est exactement ce que j'attendais de vous deux!

∞

Le lendemain, Cosimo et Croitendieu circulaient sur les entreponts techniques de l'Asimo 5, le long de coursives interdites aux passagers. Ces corridors de tubes et de rames étaient impossibles à repérer et souvent inaccessibles aux ingénieurs. Croitendieu était stupéfait des connaissances de son ami sur la structure du vaisseau. Cosimo se guidait sur le petit écran où il avait recopié son croquis, sa sacoche de voyage à l'épaule.

– Comment fais-tu pour nous diriger? demanda Croitendieu. Qui t'a renseigné sur l'emplacement de ces entreponts?

Cosimo montra son écran.

– La série des Asimo 4 a été aménagée par les architectes de mon oncle au Tabor.

Cosimo s'arrêta devant une grille. Il sortit un outil articulé qu'il glissa entre les mailles pour désactiver des conducteurs électrifiés. Dévissée, la grille ouvrit un passage sur une échelle qui montait le long d'un conduit étroit.

– C'est par là, dit Cosimo. Ces échelons sont d'ordinaire automatisés, mais je n'ai aucun moyen de leur faire parvenir du courant. Il va falloir monter à la force de nos jambes. Ce sera long.

Il se hissa en premier.

La passe était réduite, si profonde qu'on n'en visait pas la fin. Il faisait nuit noire. L'ascension parut interminable et les quelques postes d'évacuation qu'ils atteignaient étaient soit condamnés, soit sans intérêt pour Cosimo. Les bras et les cuisses des deux hommes s'engourdissaient. Croitendieu transpirait à grosses gouttes.

Cosimo s'immobilisa enfin. Il fit un écart de côté, les pieds en avant, et disparut en se glissant sur un niveau horizontal. L'escalier n'allait pas plus haut. Il incita Croitendieu à entrer les épaules en premier, face à lui. Son compagnon suivit fébrilement.

Ils se trouvèrent dans un conduit plus large et qui avançait à plat. Une lumière intense montait de la base de la structure, elle se glissait petitement à travers les joints. Cosimo recula d'une cinquantaine de mètres avant de s'arrêter. Il avait sa sacoche à hauteur de front. Il y saisit un appareil à fission, fit reculer Croitendieu et se mit à découper en plein dans la paroi qui les soutenait. Il dessinait une ouverture de trente pouces. Croitendieu le regardait faire, pétrifié. La paroi s'inclina progressivement avant de se tordre et de vibrer. Une force l'aspirait vers le bas. Cosimo ne put achever : le cercle fut arraché dans un bruit de tôle déchirée, laissant entre les hommes un passage béant.

Croitendieu poussa un cri et s'agrippa de toutes ses forces, fermant les yeux. Une tornade de vent envahit le conduit.

Cosimo se pencha. Le cercle ouvrait sur un vide gigantesque éclairé par des milliers de lumières et large de plusieurs centaines de mètres; il était parcouru d'un vrombissement perpétuel.

C'était l'immense vide qui constituait le ventre des Asimo.

Croitendieu était à l'agonie.

– Allons, dit Cosimo en criant pour être entendu, ouvre les yeux!

Son ami semblait vouloir enfoncer ses ongles dans la tôle. Il eut un regard désespéré vers l'abîme, étourdi de vertige. Cosimo sortit de son sac une des ceintures bleues sur lesquelles il travaillait depuis Cori Occlo. Soudain, en un éclair, le vent cessa autour, les tremblements et le bruit aussi. Cosimo et Croitendieu se retrouvèrent en lévitation à mi-hauteur du conduit, libérés de toute contrainte.

Cosimo prit la seconde ceinture et la tendit à Croitendieu.

– Réfléchis, reprit-il dans le silence retrouvé. Où sommes-nous? Dans un bâtiment galactique au milieu de l'espace. Il n'y a pas de pesanteur naturelle autour de nous. La gravité est simulée par une rotation du vaisseau sur son axe. Tous les référents sont faussés. Ce sont les fonctions de ton cerveau qui te dictent le monde qui t'entoure. Et là, elles te trompent.

– Mais...

– Je travaille sur ces ceintures depuis plus d'un an. Depuis que j'ai réussi à isoler la particule de graviton. Mon procédé annihile les effets de la gravité et de la plupart des autres forces.

Cosimo attacha la boucle autour de sa taille afin que son ami l'imite. Croitendieu savait que son compagnon étudiait ardemment la gravité, mais il ne lui avait jamais parlé de ces prototypes.

– Jusque-là, tu étais pris dans le champ anti-gravitationnel de ma ceinture..., dit Cosimo.

Sur celle que portait désormais Croitendieu, il appuya d'un doigt sur le cadran central, qui s'illumina.

– ... à présent, te voilà libre dans l'abîme.

Croitendieu observa le gouffre. Cette fois-ci, il lui semblait se trouver de côté, puis à la verticale. Plus rien de menaçant. À l'instant où il s'était retrouvé en état d'apesanteur, son vertige maladif l'avait quitté. Le cerveau encore.

– Avançons, dit Cosimo.

Il s'engouffra dans la brèche et se mit à « remonter » l'immense tunnel. Croitendieu suivit.

– Pourquoi ne pas avoir utilisé ce système pour gravir l'échelle ? dit ce dernier. Nous aurions épargné nos forces.

– Les ceintures ont une autonomie limitée. Nous n'avons qu'une heure devant nous et il faudra encore revenir par où nous sommes sortis.

Un bloc de métal vola à vive allure près d'eux.

– Le gouffre sert à la fois de régulateur de gravité et d'extracteur pour les déchets, dit Cosimo. C'est un peu la poubelle du vaisseau.

– Un régulateur de gravité ? demanda Croitendieu.

– Les grands vaisseaux comme les Asimo ont besoin de pouvoir varier leur masse selon les systèmes où ils se trouvent et la vitesse qu'ils recherchent.

– *Varier* leur masse ? C'est impossible.

– Ce tunnel peut en quelques minutes se remplir de milliards de particules générées. Elles sont invisibles, impalpables, sans poids apparent, mais, toutes ensemble, elles agissent avec les effets d'une masse gigantesque.

Cosimo montra les tuyaux orangés qui servaient à expulser les particules.

– Avec la vitesse de rotation, ils contrôlent ainsi parfaitement la pesanteur nécessaire pour les voyageurs.

Au même moment, un autre bloc passa en sifflant.

– Ces déchets sont rejetés par les passagers ou par les drones, dit Cosimo. Ils finissent dans l'espace, en bout de course. Un capteur de volume les aide à se diriger et les empêche de se percuter ou de heurter les parois ; mais comme notre ceinture refoule les particules qui véhiculent les informations de la gravité, elle nous rend inexistants pour leurs détecteurs. Il faut être attentif.

– Où allons-nous ?

– Si tes informations sur du Grand-Cellier sont justes, c'est par là que nous devons nous diriger.

Cosimo pointa une partie sur les parois, loin devant (ou dessus, ou dessous ?) eux.

Les coursives d'éjection des déchets faisaient une quinzaine de mètres de diamètre. Elles avaient toutes une embouchure inclinée vers le gouffre. Cosimo et son ami entrèrent par l'une d'elles en sens contraire des extractions. Le conduit était sinueux. Des chuintements leur annonçaient l'arrivée d'un objet. Ils se plaquaient contre les cloisons pour éviter l'impact.

Plus loin, ils survolèrent une série de grilles diversement infléchies qui surmontaient des salles communes, des réfectoires, des halls, des corridors remplis de pèlerins et de gardes.

Ils s'immobilisèrent enfin sur l'une d'elles. Ils étaient à la verticale au-dessus d'une haute pièce où une dizaine d'hommes en blouse blanche travaillaient sur des établis séparés. L'ensemble ressemblait à un laboratoire ou à une salle d'opération.

– Où sommes-nous ? murmura Croitendieu.

– Dans les quartiers privés de Jean du Grand-Cellier. Regarde.

Un des hommes se releva, tenant un objet entre les mains. C'était une sphère. Une sphère légèrement luisante, un peu verte.

– De l'émeraude ? suggéra Cosimo.

L'homme s'arrêta sur un plan de travail. Il saisit un instrument et se mit à fraiser la surface de la sphère. À côté de lui, un autre savant travaillait à sa propre pièce. Il semblait mesurer sa taille et son poids. Cosimo regarda chaque établi avec attention. Tous les hommes ciselaient ces étranges boules d'émeraude.

Une des portes s'ouvrit. Croitendieu se colla à la grille. L'homme était grand. Il portait une blouse bleue, le crâne rasé.

– C'est un des proches de Du Grand-Cellier.

Le nouvel arrivant ne dit pas un mot. Il circula entre les étals de travail. Un savant se dressa sur son passage et lui présenta son ouvrage. L'homme prit l'objet et le plaça sous un scanner. Il parut satisfait.

« Que calculent-ils ? » se demanda Cosimo.

Les deux hommes se dirigèrent avec la sphère vers un passage ouvert en arche ; la salle mitoyenne semblait plongée dans l'obscurité. Ils disparurent et ne revinrent qu'une minute plus tard. Sans la sphère.

– Il va s'agir de découvrir les horaires de ces hommes, glissa Cosimo à son compagnon, et de déjouer leur système de sécurité.

Il montra les détecteurs de mouvement qui bardaient la pièce depuis le plafond.

Croitendieu voulut enregistrer les coordonnées de la pièce sur son capteur portatif. Il cherchait à défaire un des plis de sa combinaison pour dégager l'appareil. Il posa ses genoux sur une paroi au-dessus de la grille et décida d'interrompre un instant sa ceinture pour mieux atteindre sa poche.

– Non! souffla Cosimo.

C'était trop tard. Abusé par l'inclinaison du mur et par l'illusion d'équilibre que donnait l'impesanteur, Croitendieu fut littéralement aspiré, tête renversée. Dans la précipitation, sa ceinture roula, sa boucle de commande bloquée dans son dos : il ne pouvait plus atteindre le commutateur.

Cosimo resta un instant stupéfait, puis il éteignit sa sangle antigravitaire et se mit à son tour en position de chute libre.

Croitendieu était écrasé ventre à plat contre les parois du conduit. Il glissait en direction du gouffre à une vitesse vertigineuse.

Cosimo jouait de son instrument d'apesanteur pour le rattraper. En l'activant sur des fractions de seconde, il évitait d'être aplati sur les cloisons et, partant, chutait plus vite que son ami.

Mais Croitendieu était déjà loin. Cosimo savait qu'il ne le rejoindrait pas avant l'embouchure. Il reconnut le sifflement d'un déchet ; il réenclencha sa ceinture et se mit à léviter au centre du conduit. Un point noir arriva comme le front d'un diable. Dans un mouvement d'acrobate, Cosimo réussit à s'accrocher à la masse. Le choc lui arracha un cri. Le jeune homme se retrouva emporté avec une force incroyable.

Croitendieu fut expulsé du conduit et plongea dans les profondeurs.

Un instant après, Cosimo suivait. Il était plus rapide que Croitendieu. Il passa à sa hauteur et le vit se débattre avec des efforts aussi puissants qu'inutiles, essayant de regagner sa ceinture.

Cosimo attendit de l'avoir devancé pour lâcher sa prise, mais entraîné par la force d'inertie, il ne cessa pas tout de suite de s'éloigner de Croitendieu, en dépit de son champ antigravitaire. Il luttait contre le courant. Petit à petit, en dessous de lui, commençait de se dessiner le fond du gouffre : d'immenses pales tournantes qui broyaient les déchets de l'Asimo avant leur expulsion dans l'espace. Le temps était compté. Cosimo se mit dans la trajectoire de son ami. Il savait que le choc allait être terrible. Il affina sa position, ouvrit ses bras et reçut de plein fouet le corps de Croitendieu.

Une fois encore, il fut emporté. Il eut beau relancer le second ceinturon, les amis chutèrent vers l'hélice. Cosimo sentait le vent lui fouetter tout le corps, son ami avait les membres tendus, pétrifiés. Il lutta tant qu'ils finirent par ralentir et se poser sur le moyeu central qui retenait les pales du broyeur. Avec l'aspiration, il n'était plus question de remonter. Sur l'hélice, les déchets explosaient en mille morceaux. Le bruit était assourdissant.

Croitendieu était à bout de souffle, à demi conscient. Cosimo assura péniblement leur équilibre. De sa sacoche, il sortit son arme et sans hésiter la déchargea sur les tuyaux orangés qui longeait le gouffre, les perforant de mille encoches. Les embouchures se refermèrent aussitôt. Cosimo savait que lorsque les particules étaient libérées, les systèmes d'extraction étaient coupés et le gouffre changé en une immense poche hermétique. En éventrant les tuyaux, Cosimo ordonnait une procédure d'alerte automatique. L'hélice du broyeur ralentit. Dès qu'elle devint assez faible pour ne plus retenir leur ascension, Cosimo prit Croitendieu par le bras et l'emporta.

Sous leurs pieds, des andréides s'activaient déjà pour réparer les dégâts et analyser les causes de l'incident.

Les batteries presque à bout d'autonomie, Cosimo réussit à atteindre leur entrée. Il interrompit les ceintures et allongea Croitendieu dans le conduit. Son ami mit de longues minutes à retrouver ses esprits.

– Nous ne risquons rien, dit Cosimo. Les enquêtes sur l'incident ne peuvent pas remonter jusqu'à nous.

– Ces ceinturons de gravitons, personne ne les connaît ?

– Cela me surprendrait : je n'ai pas rendu cette invention publique, et personne n'étudie plus la gravité depuis des générations...

∞

Les heures suivantes, Cosimo et Croitendieu relevèrent minutieusement les allées et venues autour du quartier de Du Grand-Cellier. Assistés par Roland, ils pointèrent les horaires des repas, la rotation des gardes, et restèrent éveillés à tour de rôle pour surveiller les activités de nuit.

Informations prises, Cosimo et Croitendieu retournèrent de la même manière dans le ventre de l'Asimo 5.

La grille du laboratoire aux émeraudes fut démontée dans le plus grand silence.

Cosimo entra dans la pièce, flottant dans l'espace, restant précautionneusement plaqué contre le plafond. Il devait attendre que les trois savants qui restaient à leurs tables quittent la salle pour étendre son champ d'antigravitons, dès la porte refermée et avant l'enclenchement du système de sécurité. Ce temps parut interminable. Les hommes ne sortirent pas à l'heure prévue. Cosimo endura un véritable supplice.

Jean du Grand-Cellier arriva en personne alors qu'il ne restait plus qu'un seul savant dans le laboratoire.

– À quel niveau de précision travaillez-vous ? lui demanda-t-il.

– Au 1/34$^e$ de diamètre et à la 72$^e$ tentative de masse et de poids, dit l'homme en blouse.

– Bien.

Jean s'approcha d'un tableau où une équation était inscrite en caractères larges : S4 = $(13x13y)4$. Une note expliquait que $x$ était une valeur de diamètre, mais $y$ demeurait une inconnue.

– Il ne nous reste que quelques semaines pour atteindre cet équilibre avec le plus de précision possible, dit Jean.

– Vous doutez, maître ?

– Nos choix s'amenuisent. Nous produisons de moins en moins de sphères.

– Elles sont plus difficiles à réaliser. Notre science a ses limites. Nos technologies aussi. Il nous manque une donnée de l'équation de Hincmar. Nous faisons de notre mieux.

– C'est bien ce qui m'inquiète. Dans les écrits de Hincmar, il se comporte toujours comme s'il avait résolu l'équation complète de la sphère.

– C'est étrange alors. À croire qu'on a fait disparaître cette donnée pour nous empêcher d'atteindre la sphère parfaite.

Jean ne répondit pas.

– Quoi qu'il en soit, reprit le savant, la première équipe a déjà atteint un niveau de précision supérieur au 1/51e. C'est bien au-delà des recommandations de Hincmar Ibn Jobaïr. Je ne vois pas quel système mécanique pourrait jamais jauger des différences à un tel niveau d'acuité.

– Qui a parlé de *machine* ? dit Jean.

Les deux hommes emportèrent la sphère dans la salle voisine puis quittèrent le laboratoire en silence.

À l'instant où la pièce fut plongée dans l'obscurité, Cosimo agrandit son champ magnétique. Il sentit une soudaine impression d'enfermement, d'étouffement ; il descendit jusqu'au sol. Le voyant lumineux du capteur de mouvement était allumé au plafond. Autour de lui, les instruments, les crayons, les éclats d'émeraudes, les feuillets épars se mirent à flotter dans l'air, pris dans l'annulation des gravitons. Apparemment le plan fonctionnait, Cosimo se déplaçait sans susciter l'alarme.

Croitendieu le rejoignit avec une lampe torche, atteignant le sol léger comme une ombre.

Cosimo agit rapidement. Il inspecta les instruments utilisés par les savants. Chacun était relié à des outils de pyrogravure. Il retrouva partout des résidus infimes de pierres d'émeraude.

– Que veut dire cette équation ? demanda Croitendieu en illuminant le tableau. $S4 = (13x13y)4$ ?

– On peut imaginer qu'il leur faille quatre sphères de facteur de 13 en diamètre, le reste en poids ou en masse. Mais quel est ce facteur ? Je n'en sais rien. Et eux non plus visiblement

Cosimo alla au portique par lequel il avait vu deux fois les savants disparaître.

– Est-ce prudent ? demanda Croitendieu. Le faisceau est assez large pour qu'on puisse sortir de la pièce ?

– Il nous reste quelques mètres.

242

Les deux hommes approchèrent du passage.

Ils s'immobilisèrent, médusés.

Devant eux, un couloir plongeait loin en profondeur. Des petites lumières éclairaient une succession d'étagères, comme dans une bibliothèque antique, à l'exception qu'en lieu et place de livres Cosimo et Croitendieu virent une quantité innombrable de sphères d'émeraude placées sur des appuis d'étoffes.

– Incroyable !...

Tout près d'eux, des sphères quittaient leurs socles. Cosimo en saisit une qui volait sous ses yeux. Elle était striée et creusée de l'intérieur.

– C'est ainsi qu'ils atteignent la bonne masse sans perdre le diamètre. Les rainures à la surface doivent servir à parfaire l'équilibre et le poids. Toutes ces sphères sont des « y » différents. Mais à quoi servent-elles ?

Croitendieu pointa avec sa torche une partie renfoncée de la galerie. Cosimo découvrit avec lui une grosse masse schématiquement reconstituée par des rayons lumineux de traits verts. On aurait dit une pierre, un rocher. Dessiné en découpe, on pouvait discerner sa structure intérieure où quatre conduits s'engouffraient en spirales autour d'une petite chambre vide.

– Voilà sans doute à quoi sont destinées les sphères. Ces quatre ouvertures sont significatives, murmura Cosimo.

– Qu'est-ce que cela peut être ? Un bloc, une carapace, un sarcophage ? Et cette poche... La Borne ?

– La Borne... L'hologramme doit simuler un objet présent sur la Terre des Origines, dit Cosimo. À mon passage au Tabor, Ruysdael m'a confié des textes appartenant à mon oncle. Sur des feuillets signés de cet Hincmar dont a parlé le savant, il y avait aussi des croquis de sphères. Mais pas d'équation.

– Alors Ismale savait?

– Ismale savait.

Épuisé par les effets de son champ, Cosimo quitta la salle.

– Nous savons à présent la mission de Du Grand-Cellier, dit-il. Façonner ces sphères d'émeraude.

Il regarda une dernière fois l'incroyable alignement.

– Et la Milice semble obsédée par l'idée de ne pas rater cette étape de son opération!...

Les deux hommes remontèrent dans le corridor d'extraction. Ils réinstallèrent la grille. Croitendieu partit le premier. Pour ne pas être surpris dans l'alerte, Cosimo désactiva son ceinturon. Tous les objets du laboratoire en lévitation chutèrent au sol et certains se brisèrent alors qu'il tombait à la renverse sur quelques dizaines de mètres. Les sirènes se mirent à hurler.

Cosimo relança son système et disparut dans le gouffre avec son compagnon.

# VI

## La Planète des Pensifs

> Au mélancolique, je n'ai qu'une chose à dire :
> « Regarde au loin. » Presque toujours le mélanco-
> lique est un homme qui lit trop. L'œil humain n'est
> point fait pour cette distance ; c'est aux grands
> espaces qu'il se repose.
>
> ALAIN, *Propos sur le bonheur*

Une petite hypernef approchait de la lune d'Eerl. L'appareil était en mode aveugle : ses réacteurs étaient froids, ses instruments de bord suspendus, ses lumières éteintes, son arrivée aussi imperceptible que celle d'une épave.

Soudain trois capsules se détachèrent. Elles étaient de forme oblongue, de la taille d'un homme. Sans propulsion, elles « chutèrent » et disparurent dans l'atmosphère de la lune. Elles enfreignaient le code galactique qui défendait à tout appareil d'atterrir sur une colonie habitée sans transiter par une station orbitale.

Lorsque les capsules se furent évanouies, le croiseur émit un signal de déroute. L'alerte fut reçue par la station. Le vaisseau accosta sur le pont d'urgence aménagé pour les croiseurs en avarie.

245

Personne sur Eerl n'avait perçu le largage des trois objets.

Ils touchèrent le sol sur des points différents de la lune.

Elle était formée de trois continents démarqués par des fleuves à l'eau verte. L'un se constituait d'un massif forestier assez bas, l'autre d'une zone de marais et de tourbières, le troisième déroulait de tristes plaines de bruyères et d'ajoncs. L'une des capsules s'écrasa sur cette dernière région. Elle se fendit en deux et Alp Malecorne en sortit. Un peu engourdi, les membres rompus par la chute, il portait une combinaison et un manteau noir. Sa tête était couverte d'un chapeau à large bord. Son visage était pâle, une prothèse nasale au milieu de la face camouflait sa cicatrice.

Il tira de son manteau un appareil de liaison. Deux points lumineux indiquèrent la position des autres capsules et l'emplacement de l'unique ville habitée d'Eerl. Sans attendre, il chargea son arme et se mit en route dans cette direction.

Eerl était une colonie à part dans la galaxie. La communauté avait banni de sa surface les équipements électroniques. Les armes étaient formellement interdites. Cette lune était un refuge pour les pacifistes et les rêveurs. Elle vivait en parfaite autarcie, sans gouvernement, chaque habitant y demeurait selon son humeur, obéissant simplement aux règles collectives.

À la tombée du jour, qui était très court, Alp arriva devant les palissades de la ville. Le ciel était bas et sombre, il pleuvait. L'extrémité de son chapeau fut soudain saisie d'une frise de glace. Le temps avait changé en quelques minutes. Les saisons n'étaient pas ici une affaire de semaines ni de jours, mais d'heures. En dépit de sa combinaison, Alp avait souffert du froid et de la canicule avant d'arriver à la ville. Il était épuisé. La pluie martelait les toits. Des flaques grossissaient à vue d'œil. Le vent battait les fanions blancs, emblèmes de paix de la lune.

Il se présenta au portail. Les remparts de bois étaient assez hauts pour qu'il n'ait encore rien aperçu de l'intérieur du bourg. Il fit claquer le heurtoir puis tinter une cloche. Nerveusement. Il était glacé jusqu'aux os. Le pertuis s'ouvrit. Une tête barbue apparut dans l'éclat d'une torche. Le portier soulevait une sorte de paillasse sur sa tête pour se couvrir de la pluie.

– Que veut-on ? On n'entre plus à cette heure. D'où venez-vous ?

– Je me suis extrait d'un croiseur en détresse. Je cherche un ami qui vit parmi vous.

– Son nom ?

– Cosimo Gui.

Le portier hésita.

– C'est contre l'usage, finit-il par dire. Il faut être annoncé par la station.

– Dois-je payer ?

– Payer ? Où te crois-tu ? Il n'y a pas de monnaie ici. Approche un peu que je voie ton visage.

La prothèse nasale en émail se mit à luire dans la lumière.

– Qu'est-ce que ça... ? protesta le portier qui allait refermer le pertuis.

Mais Alp sortit son arme et tira deux coups à travers le bois de la porte. Un éclat perfora l'homme de part en part. Le chuintement de la pluie avait affaibli le bruit du tir et les râles du blessé. Malecorne plongea le poing à travers l'ouverture et le saisit à la ceinture pour le tenir sur pied. La torche quitta la main du moribond et tomba dans l'eau. Les deux hommes se retrouvèrent dans l'obscurité. Alp voulait trouver le trousseau de clefs. En vain. Il abandonna le portier dans la boue pour chercher le loquet du portail. Il reconnut à tâtons une barre pivotante et la fit rouler. La porte s'ouvrit.

Les alentours étaient déserts. Des feux brillaient derrière le fenestrage des maisons basses, mais aucun témoin n'avait surpris le meurtre. Dans un ultime effort, Alp traîna le cadavre jusqu'à une barrique de récupération d'eau. Il défit le couvercle et y plongea le mort tout entier. Il retourna ensuite au portail éventré sur une largeur de quatre pouces. La nuit dissimulait l'accident, mais il redressa le bois éclaté pour plus de sûreté. Puis il examina les parages et chercha quelle cheminée soufflait le plus de fumée.

Un instant plus tard, il pénétrait dans la Taverne des Pensifs.

La pièce commune était assez large, bondée d'une population disparate. Eerl était connue pour n'avoir aucune politique de « peuplement », toutes les espèces étaient tolérées sur son sol. Alp découvrit, ivres d'une bière locale, plusieurs physionomies de « mutants ». Il y avait là des géants courbés, des nains au front concave, des bustes à bras multiples, des orbites d'yeux couvertes par des chairs transparentes, des peaux tachetées. Tous entrechoquaient des pintes et fumaient en nuages une herbe de basse qualité. Les mutants de la galaxie n'étaient que des êtres humains issus de la première génération ayant quitté la Terre des Origines. À l'époque, on avait estimé que les conditions physiques des nouvelles planètes colonisées n'affecteraient le squelette et la physionomie des pionniers qu'au bout de quelques générations. Mais, en très peu d'années, il fallut affronter un phénomène nettement plus grave : les dérèglements génétiques. L'organisme humain, bombardé par des ondes étrangères à la Terre, muta dès les premiers enfants. On s'efforça de combattre ces anomalies et, avec l'instauration de règles strictes, les architectes des colonies surent prévenir ces incidents, et l'homme demeurer heureusement « à son image ». Mais des descendants des premiers mutants avaient survécu et les spécimens qui se tenaient ici étaient de ceux-là. Dans toute la galaxie, ces mutants étaient considérés comme des rebuts, des êtres inférieurs. C'était dans leurs rangs que s'élevaient les contestations les plus fortes de l'ordre établi, et ce n'était pas une surprise de les voir si à leur aise dans ce monde marginal d'Eerl.

L'arrivée d'Alp ne fut pas notée le moins du monde. Chacun était à son verre, à sa pipe, à sa conversation ou à son soliloque. Le visiteur s'approcha du tavernier. Celui-ci avait ce qu'on appelait un « corps souche », soit une apparence terrestre.

– Boire ou fumer ? demanda-t-il.
– Je cherche quelqu'un, répondit Alp.
– Je connais tout le monde ici.
– Cosimo Gui.

Le tavernier réfléchit.

– Il vit dans la forêt ?
– Je l'ignore.
– Pour les hommes du bourg, je les connais sans exception. Enfin... plus depuis votre arrivée, inconnu. Pour ce qui est des Pensifs, ils ne viennent jamais chez moi. Il faut s'adresser à lui là-bas.

Il désigna un homme qui se tenait à l'écart, près d'un feu, curetant le fond de sa pipe avec une pointe. Sans prendre la peine de remercier, Alp se dirigea vers lui.

– Je cherche un jeune homme appelé Cosimo Gui, dit-il.

L'homme releva la tête. Il était pâle, l'air naturellement las.

– Gui ? C'est un nouveau, il me semble.

– Savez-vous où je peux le trouver ?

– Dans la forêt, comme les autres. Qui êtes-vous ?

– Un proche de Gui. Et vous ?

– Boabtel, le commandant.

Boabtel était le chef de la garde d'Eerl : trois hommes, deux armes et un seul cheval. Cette lune de Pensifs et de fumeurs de paille était si paisible que le militaire était contraint à un repos navrant.

– Pouvez-vous me conduire jusqu'à lui ? demanda Alp.

Boabtel reprit le raclage de sa pipe.

– J'ai fini ma ronde hier. Je ne repars pas avant la prochaine année.

L'année d'Eerl durait huit semaines terrestres.

– Je peux vous payer, dit Alp.

Le commandant releva le front.

– Me payer ? Ici l'argent n'existe pas. Un monde sans monnaie est pénible lorsqu'on vient d'une société ordinaire, croyez-moi. J'ai mis du temps à m'y faire.

– Vous ne me conduirez pas ?

– Non. Je ne peux plus sentir cette forêt de contemplatifs et d'érudits.

– La route à prendre ?

Boabtel hocha la tête d'un air amusé.

– Seul, vous ne ferez pas un pas sans vous perdre. Adressez-vous plutôt au porteur de bougies. Il s'appelle Légiéo. C'est un gentil garçon. Il

sillonne la forêt pour approvisionner les Pensifs.
Vous le trouverez à la porte Nord. Le jour « bas »
se lève, il ne va plus tarder à partir.

D'un mouvement du menton, Boabtel désigna
une horloge accrochée à un mur. Alp vit que les
aiguilles tournaient rapidement. Les Eerliens
avaient séquencé leurs pendules sur le découpage
du temps réel de la Terre des Origines, ce qui leur
donnait une minute locale pour six secondes terrestres.

Alp salua le commandant et sortit vers le nord.
En effet, le matin se levait déjà. Le ciel était parfaitement dégagé. Un second soleil apparaissait.

Sur le chemin, Alp fut rejoint par les deux mercenaires débarqués des autres capsules. Ils
s'étaient retrouvés grâce à leur détecteur de position. Alp, désormais assuré de la présence de
Cosimo Gui sur Eerl, envoya un message codé à
son vaisseau arrimé sur la station. Puis il se dirigea
vers un jeune homme brun. Il était frais et actif,
l'opposé des mines abreuvées de la Taverne.
C'était un nain, il s'activait autour d'une carriole
remplie de cierges, de bougies et de flambeaux de
toutes tailles, le tout protégé par une toile graissée.

– C'est toi, Légiéo ? demanda Alp.

Le garçon acquiesça, un peu surpris par la mine
sombre des étrangers.

– Je cherche Cosimo Gui. L'on m'a dit que tu
étais le seul à pouvoir me conduire jusqu'à lui.

– Je n'ai pas l'habitude d'emmener des inconnus
dans la forêt. C'est mal vu par les Pensifs.

– L'oncle de Cosimo a été assassiné. Je lui
apporte des nouvelles importantes. C'est urgent.

Le nain se gratta le front.

– Vraiment ? Je ne savais pas. Pardonnez. Je ne
suis qu'un livreur de cire.

Il se remit à courir autour de son chargement.

– Je nous mets en route dans un instant.

Alp s'installa sur le banc de la carriole, à côté du pilote. Les mercenaires suivirent à pied.

La lune d'Eerl n'abritait pas que des mutants soûlauds et utopistes, elle était aussi la retraite favorite des Pensifs. Ces hommes étaient des ermites, des savants, des poètes qui vivaient dans le dénuement le plus sévère, leurs facultés exclusivement tournées vers les travaux de l'esprit ou la contemplation mystique. Ils vivaient au cœur de la forêt noueuse d'Eerl, dans des huttes isolées.

– Je suis la seule personne qu'ils sont amenés à voir dans leur retraite, dit Légiéo alors que sa carriole approchait du bois obscur. Ils n'ont besoin de rien, ils se nourrissent eux-mêmes de chasse et de cueillette. Le seul instrument indispensable à leur existence, c'est moi qui le leur apporte. Les bougies. La forêt est sombre. Sans elles, ils ne peuvent travailler, ni lire, ni écrire. La population du bourg se cotise pour fournir ce matériau à ses frères de la forêt.

Alp nota que le jour ne s'était jamais complètement levé depuis leur départ. Le soleil restait rasant, se bornant à une aube persistante.

– C'est le climat le plus uniforme que nous connaissions ici, dit Légiéo. Nous l'appelons le matin des Pensifs ou le jour bas. Bientôt vous verrez un lever de planète formidable.

La forêt était torse. Une sente avait été pratiquée à travers les racines pour laisser passer Légiéo et son attelage. Sous les ramures épaisses, le jour se faisait plus incertain et plus fantasmagorique.

Le nain s'arrêta à distance d'une première hutte. Il expliqua que c'était celle d'un musicien qui travaillait à la reconstitution d'une harmonie parfaite inspirée des équilibres célestes. Lors d'un autre arrêt, il fournit en hautes bougies un Pensif qui essayait de démontrer que l'âme et l'esprit des hommes ne se manifestaient réellement qu'au travers des gestes du corps. La pensée et la parole n'étaient pour lui que des formes dévoyées d'expression.

– Je crois que votre ami Cosimo travaille sur un traité de gravité, dit Légiéo, ou sur une traduction inspirée de ce thème. Il est l'un des Pensifs les plus jeunes que nous ayons sur Eerl.

Le lever de planète était aussi spectaculaire que le porteur l'avait dit : un immense corps sombre apparut au milieu du petit matin. On eût dit un œil noir. Légiéo s'était arrêté sous des arbres aux cimes dégagées afin qu'Alp et les deux mercenaires puissent profiter de la scène. À ce moment, il entendit des mouvements étranges, des déplacements autour de son chariot. Il s'inquiéta.

– Il y a peu de bêtes par ici..., murmura-t-il. Qu'est-ce que...?

– Ne restons pas là, dit Malecorne.

Les bruits avaient cessé.

Légiéo reprit sa route.

Une heure plus tard, après la disparition de la planète noire, la troupe s'arrêta près de la hutte habitée par le Pensif Cosimo Gui.

– Vous voulez que je le prévienne de votre arrivée ?

Mais Alp fit un geste négatif et se leva. Soudain une dizaine de mercenaires jaillirent du bois. Légiéo voulut s'écrier, mais il fut garrotté et enfoui dans sa carriole.

Cette troupe provenait du croiseur de Malecorne ; dès la confirmation de la présence de

253

Cosimo, elle avait pris le contrôle de la station orbitale en massacrant les agents sur place.

Ils se ruèrent sur la hutte d'où s'échappait un mince filet de fumée. Un mercenaire se posta près de la cargaison du livreur de cierges pour le surveiller. Alp suivit ses hommes.

La porte vola en éclats.

L'intérieur était inoccupé. L'aménagement minimal. Peu de livres, peu de manuscrits, mais des réserves de nourriture, d'herbe et de bière, ce qui était rare pour un Pensif. Des pelisses traînaient éparses avec des vêtements.

Alp était fâché de n'avoir pas contrôlé la présence du garçon.

– S'il se méfie, nous allons perdre un temps considérable, dit-il.

Le mercenaire resté à l'extérieur cria :

– Par ici !

Il montrait du doigt un point dans la forêt. Des branches oscillaient : un homme venait de traverser.

Les mercenaires allaient se mettre à sa poursuite, mais Malecorne les arrêta.

– Attendez.

Le soleil s'effaçait de nouveau. L'air fraîchissait. Alp libéra une dizaine de flambeaux de la carriole de Légiéo et les embrasa.

– Avec cela vous le retrouverez, même s'il se terre dans la nuit, dit-il. Je le veux vivant.

Dès qu'ils furent équipés, les mercenaires se répandirent dans le crépuscule.

Ils ne furent bientôt plus que des points lumineux qu'Alp suivait de loin, disparaissant et réapparaissant derrière les arbres.

Malecorne entra dans la hutte. Il inspecta partout pour essayer de trouver les écrits d'Ismale Gui.

Soudain un cri laissa entendre que la proie était talonnée, puis capturée. La danse des flammèches revint lentement vers la hutte.

Alp sortit.

Les mercenaires jetèrent le Pensif à ses pieds. Du bout de sa botte, il releva le menton du garçon. Alp ne cilla pas, mais son œil se mit à luire de colère.

Ce n'était pas Cosimo Gui.

L'individu était joufflu, les yeux ronds et clairs, le cheveu roux coupé très court. La température avait brutalement chuté, il n'était pas assez vêtu, il tremblait, ses mains bleuissaient.

C'était Jason, le troisième compagnon d'université de Cosimo.

– Soulevez-le, ordonna Alp.

Ses hommes le portèrent jusqu'à la carriole de Légiéo. Le livreur fut débâillonné.

– Connais-tu cet homme? demanda Malecorne.

Le nain parut surpris. Il regarda le Pensif essoufflé.

– C'est Cosimo Gui. C'est l'homme que vous recherchiez...

Alp gronda. Il fit emporter le prisonnier dans la hutte.

L'ayant assis :

– Où est Cosimo?

Le Pensif le regardait comme s'il ne comprenait pas la question.

– Qui es-tu? Que fais-tu ici à la place de Gui?

L'interrogé resta muet. Sa mine laissait maintenant entendre qu'il avait résolu de se taire.

– Bien.

Alp ressortit. Le garçon fut étendu sur une table et maintenu par les mercenaires. On déchira ses vêtements pour le laisser à demi nu.

Alp revint dans la hutte avec une provision de cierges et de bougies. Il laissa la porte d'entrée béante.

Il saisit un tison dans le poêle et alluma une première chandelle; il fit couler la cire brûlante sur le front du garçon. Ce dernier ne pouvait se débattre. Lentement, la coulure de plus en plus épaisse passa les sourcils avant de se renverser dans l'œil droit. Le garçon avait clos sa paupière, mais la douleur lui arracha un réflexe malheureux et la cire envahit sa pupille. Il hurla.

– Parle, dit Malecorne, ou je poursuis jusqu'à ce que ton corps ne soit plus qu'une cloque purulente chaude et froide comme l'enfer...

– Je ne sais rien!

– Vraiment?

D'un coup, il lui enfonça la pointe enflammée de la bougie au fond d'une narine. La brûlure marqua si fort qu'un point noir apparut à travers la peau.

Le garçon hurla encore.

– Je n'ai rien contre toi, dit Alp. Tu n'es rien pour moi. Parle. Pourquoi te fais-tu passer pour Cosimo Gui? C'est lui qui te l'a ordonné? Où est-il? Parle et j'arrête.

Le garçon cessa de crier, mais ne dit rien.

Alp hocha la tête. Il se retourna et fit fondre dans un baquet posé sur le poêle une dizaine de cierges. Le froid mordait de plus en plus dans la pièce. Le torturé était glacé. Ses veines ressortaient sur la peau blanchie, ses extrémités devenaient presque cassantes. Même les mercenaires avaient du mal à endurer l'air frais.

Sans s'embarrasser d'une nouvelle question, Alp Malecorne renversa son baquet sur la panse nue du garçon. Le contact du chaud et du froid fut abominable, la chair se déchira.

– Parleras-tu ?

Des larmes roulaient de l'œil gauche du malheureux. Pour l'autre, les gouttes s'accumulaient hideusement derrière le cachet de cire qui lui scellait la paupière.

Alp le gifla.

Le garçon fixa le plafond d'un air révulsé. Il marmonna de façon incompréhensible.

Alp le gifla encore.

– Rien, dit enfin le supplicié dans un long grognement, le visage rouge comme un étouffé.

Malecorne haussa les épaules. Sur un signe de sa part, un des mercenaires assena un coup de poing redoutable et lui déboîta la mâchoire. Dans la brèche d'os et de chairs béantes, Alp recommença, impassible, son versement immonde. La cire brûlante recouvrit les gencives, saisit la langue et les dents maculées de sang.

– Tu n'en as plus que pour un instant, mon garçon, avertit Alp. Puis la mort va te rentrer par la gorge et noyer tes poumons comme du fer fondu...

Le torturé se secoua, agitant un bras dans un mouvement désespéré.

Alp saisit un stylet et dégagea la cire molle de la bouche du garçon.

– Tu es prêt à répondre ? Fais un signe et je te tends une feuille et un crayon... Ta vie ne tient plus qu'à cela.

Le Pensif tourna sa face vers Malecorne. Son front était rouge, un gros filet de sang jaillit d'entre ses lèvres bleues.

– Qu'est-ce que... ? murmura Alp.

Mais le garçon redressa la tête et lui cracha un épais morceau de langue au visage.

Il ne parlerait pas.

À bout de patience, Alp dégaina son arme laser et voulut lui faire exploser le crâne.

Il y eut un temps de silence.

– Couvrez-le, ordonna-t-il subitement en rengainant. Je sais quoi tirer de cet imbécile. Gardez-le en vie. Il part avec nous.

Il sortit de la hutte. Dans la forêt, l'hiver s'achevait. Alp haussa les épaules pour lui-même, indécis devant le cours imprévu des événements.

– Sale gamin ! L'Homme saura s'occuper de ton cas.

Il avait décidé de le ramener avec lui. Il réfléchit : Cosimo lui échappait, les documents d'Ismale au Tabor aussi, il ne pouvait se permettre de se présenter devant son maître les mains vides. Il avait déjà enduré une fois la colère de l'Homme. C'était assez. Cet otage vaudrait toujours mieux que rien.

Avant son retour sur son hypernef, il fit massacrer plusieurs Eerliens qui s'indignaient des assassinats et des disparitions subites. Il abandonna derrière lui une lune des Pensifs ravagée.

Son croiseur plongea dans l'espace avec le prisonnier pour rejoindre le pèlerinage de la Milice de Hugo de Payns.

# VII

## Longue-Bois la Muette

> Avisant parmi les hautes maisons noires, qui
> s'épaulaient comme ivrognes ayant peur de tomber,
> une plus noire, plus délabrée, plus lépreuse encore
> que les autres, dont les fenêtres, débordant
> d'immondes guenilles, ressemblaient à des ventres
> ouverts laissant couler leurs entrailles, il s'engagea
> dans l'allée obscure qui servait d'entrée à cette
> caverne.
>
> GAUTIER, *Le Capitaine Fracasse*

Les pénitents faisaient halte près d'une bourgade nommée Grousset.

Après la découverte des sphères d'émeraude chez Jean du Grand-Cellier, Croitendieu avait quitté Cosimo et était parti rejoindre le convoi suivant.

Cosimo resta avec Roland.

Le déploiement des campements se mettait en place pour la nuit. C'était chaque soir une fièvre étonnante : des milliers d'hommes s'arrêtant d'un coup, comme une ville en marche ou un nuage de sauterelles. Mais aujourd'hui, les amis assistèrent à une scène nouvelle : un bras de fleuve coulait tout près. D'un seul élan, hommes et femmes se ruèrent dans l'eau paisible pour se rincer de la poussière et de la sueur, laver leurs vêtements. La pagaille joyeuse devint vite écœurante à suivre : l'eau claire vira, des odeurs nauséabondes envahirent la rive. Les pèlerins se soulageaient sans honte. C'était une manière plus douce pour eux que celle des abominables fosses d'aisances qui leur étaient allouées et qui débordaient d'immondices au bout de quelques heures. Le nombre démultipliait tout, partout. Les terres investies par les pèlerins ressortaient toujours de l'épreuve dans un chaos indescriptible.

Le crépuscule vit le plan de Roland se réaliser : incorporer Cosimo dans l'expédition nocturne qu'allait commander le chevalier Pierre de Montdidier.

Barkilphédron, le recruteur de la garde, accepta le nouveau présenté par Roland.

– S'il est aussi fort que tu le dis, il est le bienvenu. Sait-il se taire ?

– Comme un mort, répondit Cosimo.

Barkilphédron leur fit donner un cheval, un arc, un carquois de flèches et une épée.

– Soyez prêts.

Le rendez-vous pour la mystérieuse « opération » était arrêté dans un hallier à l'écart des pénitents. Pierre de Montdidier apparut à la nuit, juché sur un cheval harnaché pour la lutte. La monture avait la hauteur la plus impressionnante du pèlerinage. Elle n'était pas de trop pour soutenir Montdidier. L'homme était si grand qu'il fut rebaptisé « Maître Six-Pieds ». Il chevauchait tête nue, la barbe mêlée à ses cheveux noirs. Il avait un regard de taureau. Il parlait peu : ses gestes brusques mais précis suffisaient à ses ordres.

Montdidier observa le ciel et maugréa : la lune était trop forte. L'ombre des corps se découpait sur le sol. Le chevalier portait une croix brodée à l'épaule gauche : il déroula un mouchoir pour la faire disparaître. Il avait également un crucifix pectoral en bois d'olivier, il l'arracha et l'enfouit dans une poche.

– Faites comme moi, ordonna-t-il. Je défends qu'aucun symbole de Notre-Seigneur puisse être témoin de ce que nous allons accomplir ce soir.

Cet avertissement sinistre tomba comme une sentence. Les hommes se regardèrent. Avec méfiance.

Montdidier exigea de l'un d'entre eux qu'il cache le pendentif croisé accroché à son gant ; à un autre, il fit dégrafer un plastron où un crucifix était gravé. Un gaillard qui avait comme certains pèlerins exaltés une croix marquée au fer rouge sur le front fut renvoyé.

Inspection terminée, Montdidier s'engouffra dans la forêt avec ses hommes.

Les rais de lune rendaient les ombres plus menaçantes. L'oscillation des branches inquiétait. La forêt avait cet air qu'ont les réminiscences thuringiennes, pleines de faunes velus et de mauvais génies.

Cosimo et Roland ne connaissaient aucun des hommes qu'ils accompagnaient. Tous avaient une mine close, pas un ne desserrait les dents. La troupe avança une heure durant, s'écartant du tracé emprunté par le pèlerinage. Montdidier ralentit soudain.

À sa suite, les hommes passèrent devant un panneau. Sans commenter, ils accomplirent un signe de croix. L'enseigne était écrite en caractères rouges sur fond noir : « *Anathème le chrétien qui pénètre sur cette terre ! Anathème celui qui viole l'arrêt de l'archevêque ! Fais demi-tour, chrétien, et que Dieu te garde.* »

Montdidier n'avait pas obéi.

Cosimo aperçut d'autres inscriptions similaires. Le cortège entrait dans un diocèse excommunié par l'Église, maudit et redouté comme un antre du diable.

Montdidier s'arrêta peu après, en plein nulle part. Il rejoignait un groupe d'hommes qui l'attendait. Cosimo s'avança pour les apercevoir. Il y avait quatre personnes. Il n'en connaissait aucune. L'une d'elles était un prêtre.

Ils échangèrent quelques paroles, puis reprirent la marche.

Une demi-lieue plus loin, on arriva aux abords d'un village.

Il s'appelait Longue-Bois.

C'était le village frappé d'excommunication par les placards de l'archevêché.

En dépit de l'heure avancée, Cosimo perçut des mouvements autour des premières maisonnées. Des feux étaient allumés. Des visages se montraient aux fenêtres. Lorsque l'équipée entra au cœur du bourg, il ne faisait plus aucun doute que la population avait été avertie de sa venue et qu'elle l'attendait.

Le prêtre prit la tête à la place de Montdidier. Il fit de larges gestes grandiloquents et entonna des paroles sacramentelles.

Cosimo n'y comprenait rien. Un ecclésiastique en terre d'infamie ? Roland le regardait, sans comprendre lui non plus.

Des villageois vinrent à la rencontre du religieux pour lui baiser les mains ; d'autres couraient se cacher. Cosimo et ses compagnons furent avertis qu'ils devaient ouvrir l'œil en cas de « protestations » de la foule.

Le prêtre et Montdidier s'arrêtèrent sur le parvis de l'église. Le portail était condamné par deux poutres croisées et un avertissement de l'archevêque. L'acte d'excommunication. Sans hésiter, le prêtre arracha le feuillet, fit tomber les défenses et ouvrit en grand l'accès à l'autel. Pour cette audace, il pouvait être jeté au bûcher par la première autorité relevant de Rome.

Le religieux se dressa devant les villageois, montrant dans son poing droit une nouvelle feuille : c'était une bulle papale. Cette dernière autorisait les neuf chevaliers à célébrer des messes et à lever des aumônes sur tous les territoires frappés d'interdit par l'Église. C'était une concession exceptionnelle ; elle avait été habilement négociée par Hugo de Payns. Elle permettait à Rome de donner de l'argent à la Milice sans avoir à puiser dans le trésor du pape, ni se compromettre par un soutien voyant. Elle ouvrait à la Milice des territoires défendus, « hors du monde ».

Le prêtre fit retentir les cloches. La bourgade participait à sa première messe depuis quatre ans. La ferveur des excommuniés monta à son comble. Et pour cause. Avec d'autres soldats, Cosimo et Roland apprirent ce qui s'était passé à Longue-Bois.

Quatre ans plus tôt, ces mêmes fidèles avaient condamné à l'exil un de leurs saints : Antoine. Il avait été « expulsé » de la paroisse. En soi, ce bannissement n'était pas une procédure chrétienne inhabituelle. Une population avait le droit de récuser un saint si ce dernier refusait de répondre à ses vœux. Longue-Bois était depuis longtemps frappé par une épidémie de feu de saint Antoine. Les fidèles prièrent d'innombrables neuvaines, mais ne voyant aucune guérison venir, ils décidèrent avec le consentement de leur prêtre de donner un ultimatum au saint. Cette date passée, dès lors que les maladies se poursuivaient, toutes les effigies d'Antoine furent déposées et emportées hors du territoire du diocèse. Cette cérémonie spectaculaire était d'ordinaire tolérée par l'Église, pour un temps seulement : il était implicitement convenu que le saint revenait un peu plus tard, en grande pompe, plus adoré qu'auparavant. Mais à Longue-Bois, ce ne fut pas le cas. L'église refusa d'autoriser le renvoi d'Antoine. Une querelle s'engagea. La population fut forcée de récupérer le saint qu'elle avait banni. Elle reporta sa colère sur les autres figures de l'église. Mais plus la révolte s'entêtait, plus l'archevêché se montrait impitoyable. À bout de nerfs, après avoir incendié tous les saints et les saintes de leur église, les fidèles de Longue-Bois n'eurent plus que leur vieux prêtre pour passer leur rage. Le lendemain de sa mort par les flammes, l'évêque anathématisa le bourg pour un siècle et un jour. Plus aucun fidèle ne devait entrer ni sortir du diocèse. Les portes de l'église furent condamnées. Aucun sacrement ne serait plus célébré sur son sol, ni baptême, ni absolution. Depuis ce temps, la population, rudement calmée, attendait que l'Église levât l'interdit qui pesait sur elle.

Aussi l'arrivée nocturne de Montdidier et de son prêtre fut plus qu'une aubaine, une délivrance. La Milice du Christ avait bien réfléchi à son expédition. La messe fut un triomphe, les dons extraordinaires pour une commune aussi pauvre ; les villageois se saignèrent, cédant leur grain et leur linge. Cosimo observa cette manœuvre avec un certain malaise. La bulle du pape ne levait en aucune façon l'excommunication. Ce répit ne devait durer que l'espace de cette nuit et enrichir la Milice.

Aux côtés de Barkilphédron, il fit le tour des maisonnées qui restaient closes et sombres pendant la messe.

Dans l'une d'elles, ils tombèrent sur une famille qui attendait dans le noir. Couverts comme pour une expédition, ils avaient préparé un paquetage qu'ils tenaient sur leurs genoux. Ils espéraient partir avec la troupe de Montdidier.

– Nous ferons le pèlerinage comme vous autres, nous rachèterons nos fautes, gémit le père. Regardez nos enfants. Ils ne sont pour rien dans le drame du village. Celui-là n'a pas quatre ans, pourquoi grandirait-il dans une terre sans Dieu ?

Mais Barkilphédron réitéra les ordres de Montdidier : interdiction de laisser les excommuniés s'évader. La Milice ne devait en aucun cas se charger d'hérétiques. C'était un point fortement souligné dans la bulle du pape. Pendant le retour, des soldats armés resteraient en fin de convoi pour refouler ceux qui chercheraient à les suivre.

Au petit matin, alors que le prêtre avait béni et absous les péchés des habitants, Montdidier proclama l'heure du repli.

Pendant le départ, Cosimo et Roland remarquèrent une disposition inattendue : Montdidier n'abandonnait pas complètement Longue-Bois. Il laissait deux hommes derrière lui.

Cosimo interrogea un compagnon de la troupe.

– Tu n'étais pas présent aux villages précédents ? dit celui-ci. Montdidier laisse toujours une équipe derrière lui. La Milice crée des postes de commanderie le long de la route du pèlerinage. Pour faciliter les prochains voyages ou le retour peut-être.

L'équipe repartit.

Le chemin fut émaillé par quelques incidents contre des villageois en fuite. Pour se faire bien noter, Cosimo et Roland chargèrent à plusieurs reprises avec acharnement. Le recruteur les félicita à leur arrivée aux campements.

– J'ai besoin d'hommes comme vous, leur dit Barkilphédron. Efficaces et silencieux. Nous ne payons pas cher, mais c'est une entreprise sainte. Restez-vous ou repartez-vous dans le rang des pèlerins ?

Cosimo pensa que demeurer pour un temps aux ordres de Montdidier pourrait lui en apprendre encore sur les manipulations de la Milice. Il accepta, et Roland avec lui.

Au camp, les pèlerins étaient déjà levés. On commençait les prières du matin, on tirait le premier lait.

Cosimo dit à son ami :

– Montdidier prépare pour la Milice une voie qui emprunte des terres excommuniées. Si les chevaliers vont chercher quelque chose en Terre sainte, il est probable qu'ils aient en tête de le ramener en Occident d'une manière sûre et discrète, et les terres frappées d'hérésie sont les plus à l'abri qui soient. Personne n'y va jamais, personne ne sait ce qui s'y passe.

– Certainement.

– Ismale, architecte ; Craon, chef de l'armée à Jérusalem ; du Grand-Cellier, fournisseur des sphères d'émeraude ; Montdidier, recruteur et fondateur des commanderies pour le retour. Nous allons bientôt tout démasquer.

# VIII

## Credo

> « ... Qu'il y aurait-il hors du monde ? » Et Démo-
> crite, reprenant la parole : « Il existe, Hippocrate,
> bien des infinités de mondes ; garde-toi, mon ami,
> de rapetisser la richesse de la nature telle qu'elle
> est.
> — Ces questions-là, Démocrite, tu les aborderas
> en temps voulu ; je voudrais éviter que tu ne te
> mettes à rire même en expliquant l'infinité. Pour
> l'instant, sache qu'il te faut donner au monde où tu
> vis les raisons de ton rire. »
>
> Pseudo-HIPPOCRATE, *Sur le rire et la folie*

Toujours à Grousset, le même matin, au
pied de la roulotte du bibliothécaire Flodoard, un jeune garçon patientait depuis
de longues minutes. Il ne fit aucun mouvement jusqu'à ce que la porte basse ne s'en-
trouvre.

Raccompagnant un dignitaire local, Flodoard
hésita, frappé par cette silhouette fine qui faisait
un pas vers lui. Sans un mot, le « garçon » lui tendit
un feuillet. Il était écrit en hébreu.

C'était Anx Columban.

Elle avait raccourci elle-même ses cheveux et
baigné ses boucles blondes pour les assombrir
comme de l'écorce. Elle avait revêtu un habit mas-

culin qui appartenait en partie à son père et à son frère. Le maître s'y était facilement laissé prendre.

Il la fit entrer.

– Mon père a accepté votre proposition, lui dit-elle. Il permet que j'étudie à vos côtés. Êtes-vous toujours d'accord ? Par où dois-je commencer ?

Son impatience fit sourire Flodoard.

– Assieds-toi, dit-il.

La lettre de réponse de Létald Columban était admirable. Il expliquait les conditions de sa jeunesse, orphelin adopté au sein d'une famille juive réfugiée en Irlande et convertie sur le tard au christianisme. Le père de Létald continua de célébrer son ancien culte et le lui enseigna. Ce mariage étonnant des deux confessions autorisait toutes les curiosités. Le jeune Létald s'intéressa à tout et une petite communauté monastique de son pays, aussi généreuse qu'ouverte d'esprit, lui autorisa l'accès à ses manuscrits anciens bien qu'il fût paysan. Ils firent de même avec sa fille aînée. Létald relatait aussi l'amour qu'il portait à Anx, son espoir dans un monde nouveau à Jérusalem. Il parlait de ses craintes et de son chagrin de voir s'éloigner « Socratine ». Il finissait en citant merveilleusement le grec Démodocus à propos de sa propre enfant : « *J'ai cherché dès son enfance à l'enrichir de vertus et de tous les dons des Muses, car il faut traiter notre âme, à son arrivée dans notre corps, comme un céleste étranger que l'on reçoit avec des parfums et des couronnes. Mais craignons l'exagération qui détruit le bon sens...* »

– Quel est le métier de ton père ? demanda Flodoard.

– Il travaille aux champs le jour, et recopie des livres le soir. Il considère cela comme le plus noble des emplois.

– C'est un sage.

Flodoard reposa la feuille.

– Il faut cependant que tu saches que la partie du convoi dont j'ai la charge va, dès demain ou le jour d'après, quitter la route principale du pèlerinage. Nous allons atteindre Jérusalem par nos propres moyens. Tu ne retrouveras ta famille qu'à notre arrivée en Terre sainte.

– Nous avons parlé de notre séparation. Il en sera ainsi s'il le faut.

– Bien.

Anx croisa les bras, le regard fixé sur son maître.

– Qu'attendez-vous de moi ? demanda-t-elle.

Flodoard hocha la tête.

– Je dois d'abord apprendre à te connaître, dit-il. Savoir comment tu raisonnes...

La fille vit sur la table l'exemplaire de Tabari qu'elle avait subtilisé à Troyes. Le bibliothécaire le prit dans ses mains.

– Justement, dit-il. Qu'as-tu lu dans ces *Annales* ?

– J'ai parcouru les Genèses. Et l'épisode d'Adam.

– La compilation des Genèses, oui. Eh bien ? Qu'en gardes-tu ?

Anx se remémora les multiples créations du monde décrites par Tabari. Les sources libres, poétiques et souvent contradictoires.

– D'abord un sentiment de confusion, dit-elle. Tous ces écrits, qu'ils soient des prophètes, des philosophes ou des poètes, cherchent à instruire les hommes sur les origines du monde. Mais il est impossible de dire lequel d'entre eux est plus « exact » que les autres. À chaque version, celle de la Bible, celles d'Hésiode, d'Ovide ou des Perses, un dieu façonne l'univers d'une manière différente.

C'est troublant. De surcroît, chaque révélation refuse aux autres le droit d'être correctes avec elle ; c'est un signe critique de leurs faiblesses.

– Vraiment ?

– Cela démontre un artifice. On ne doit s'en remettre à aucune pour dire laquelle est la « Vérité de la Création du monde ». Ce ne sont que des interprétations marquées par leurs âges et leurs origines différentes.

La jeune fille semblait satisfaite de sa réponse.

– Alors selon toi, tout ce qui est écrit là serait inexact et la vérité se cacherait encore *ailleurs* ?

Anx adhéra d'un hochement de tête.

Le maître posa le livre et prit un parchemin qu'il parcourut négligemment en continuant de parler.

– Je comprends ton raisonnement, dit-il. Mais il est simpliste. Trop simpliste. Tu t'égares. Crois-tu réellement que ce soit le sentiment que voulait inspirer Tabari en faisant ce long travail ?

La fille laissa retomber ses bras, vexée.

– Allez-vous me dire qu'une de ces versions est plus proche du vrai que les autres ?

– Non, non, je n'ai pas cette assurance... ni cette bêtise.

– Alors où me suis-je trompée ?

Flodoard releva ses yeux.

– Dès le commencement de ta réflexion. Vois-tu, c'est la première leçon que j'ai reçue de mon maître, Nébo de Tarsus, alors que j'avais à peine ton âge. Je lui lançai un jour cette interrogation : « Maître, en quoi croyez-vous ? » C'est une question qui me torturait à l'époque car je me la posais pour moi avec beaucoup d'angoisse. Il m'a répondu : « En tout. »

Le bibliothécaire sourit.

– J'ai mis longtemps à comprendre ce qu'il voulait dire par là. Et puis c'est venu. Je me suis surpris un jour à considérer les choses exactement à sa façon. La légende de Gilgamesh ? J'y crois. Le Déluge ? J'y crois. Les amours de Jupiter ? J'y crois. Il n'est pas un culte, il n'est pas un mythe, auquel je n'adhère pas de toute mon âme. J'incline à tous les contes. La question pour moi n'est plus de savoir en quoi je crois, mais plutôt en quoi je ne crois pas ! Et là, je bute comme l'incrédule le plus ardent. La première de toutes mes leçons est celle-ci : il faut croire en tout. Tout est vrai, tout est réel, tout a une influence sur les esprits que nous sommes. Aucune croyance n'en détruit ou n'en conteste une autre. Elles s'accumulent, s'associent, se diluent comme une fleur dans du vin.

Du doigt il pointa sur sa table des volumes éparpillés.

– Genèse des Hébreux ? Coran des musulmans ? Théogonie des Grecs ? J'ai une foi aussi solide en l'un qu'en l'autre. Et, disant cela, je ne réduis pas leur portée selon cette ânerie qui voudrait que *tout revienne au même* ! Non. Je dis que tout est différent, divers, changeant, variable, et que tout demeure dans le vrai pour autant.

Anx écoutait son discours, le front et les narines contractés comme après une insulte.

Il y eut un silence.

– Tu ne réponds rien ? demanda le maître.

Insoumise, elle haussa les épaules.

– Je ne comprends pas, dit-elle. Cela n'est-il pas un peu trop facile ? La difficulté est de parvenir à séparer le vrai du faux, à identifier l'illusion et la réalité. Pas de tout accepter par principe !

Flodoard sourit encore une fois.

– Tu réponds ainsi parce que tu n'as pas encore mesuré la conséquence des idées que je viens de te soumettre. Trop facile ? C'est une réaction d'instinct. Il faut toujours se méfier de la pensée qui s'impose. C'est rarement la bonne. Je t'ai dit que je n'avais aucune confiance dans les clercs qui m'entourent. Même les plus intelligents, les plus doués, ne peuvent aller là où j'ai besoin de les conduire. Ils ont cet esprit mal tourné que tu montres en ce moment et qui fait d'eux des songe-creux. Toi, je te crois encore capable de *désapprendre*. Pour eux, c'est à renoncer.

– Désapprendre ? Mais désapprendre quoi ? Comment ?

– Ce que je viens de t'avouer n'est qu'un morceau de l'énigme. Sois patiente. Sache seulement que tu dois te défier de ta raison naturelle. L'homme est un être limité, tant dans son corps que dans son *esprit* ; il existe un infini de sujets, un infini de mystères qu'il est inapte à penser, incapable même d'imaginer sans buter sur des contradictions ! Mais là, une histoire, une légende n'est plus vraie ou fausse, bonne ou mauvaise, ces notions classiques qui guident notre intelligence sont subitement renvoyées au second plan. L'important, ce n'est pas de chercher ce que l'homme est fait pour découvrir, mais de trouver ce qu'il est né pour ignorer.

– L'homme est limité ?

– Tu n'as pas idée à quel point. Et c'est ce que je vais t'enseigner en premier lieu, méthodiquement. Si tu veux profiter de mes leçons et, à terme, m'être utile dans ce pèlerinage, il est grand temps que tu t'y mettes...

Flodoard griffonna un mot.

– À présent, va voir Erich et porte-lui cet ordre. Il doit te fournir ce qu'il te faut pour la suite du voyage. Tu vas t'installer ici, dans ma roulotte. C'est plus prudent. Tu auras le statut de lecteur.

Il vérifia une note posée sur son bureau.

– Le campement des savants est en ce moment dans le bois dit de « l'Araignée », à une demi-lieue à l'est d'ici. Va.

Anx allait sortir.

– Un moment, reprit le bibliothécaire. Comment dois-je t'appeler à l'avenir ?

La fille haussa les épaules.

– Vous continuerez de m'appeler Anx.

Flodoard s'amusa de cette contenance de bravache. C'était sa manière.

– Bien.

Elle quitta la roulotte, agitée de mille questions.

– *Croire en tout* ? !

∞

Elle se précipita vers le bois de l'Araignée désigné par le maître.

Hugo de Payns avait ordonné deux ou trois jours d'immobilité à Pansses afin de faciliter la répartition et le départ du convoi de Flodoard. Anx s'interrogeait sur les termes employés par le bibliothécaire : le campement des savants. Des savants ?

Elle cheminait vers l'est sur un layon désert. Soudain, un garde de la Milice surgit, l'arme au poing.

– Les pèlerins ne doivent pas quitter leurs convois, cria-t-il.

La fille n'avait pas sursauté. Elle regarda autour d'elle, et aperçut un peu plus loin deux autres silhouettes. La route était scrupuleusement gardée.

– Je vais trouver le clerc Erich, dit-elle. Je suis envoyée par le maître Flodoard.

Certaine de ne pas être crue, elle sortit le mot écrit. Le garde eut un instant de gêne, il ne savait pas lire. D'un signe, il appela son renfort. Un autre soldat approcha et lut la lettre.

– C'est bon, dit-il. Ce garçon peut passer.

– Merci.

Anx reprit sa marche, fascinée que des « savants » puissent être aussi gardés qu'un trésor. Au reste, elle songea qu'elle n'avait pas encore revu sur le pèlerinage les chariots de livres découverts à Troyes. Ils devaient suivre à l'écart des curieux.

Elle avait raison : à l'orée du bois, elle découvrit les dizaines d'attelages, rangés en carrés parfaits, à la romaine, à l'écart de tous, cerclés par des rondes régulières de soldats.

– Les livres !

À son arrivée, deux nouveaux gardes vinrent sur elle. Elle leur présenta le laissez-passer et put entrer dans le premier regroupement. C'était le plus large, avec au moins huit charrettes de côté. De dehors, rien ne transpirait ; à l'intérieur, c'étaient des tables, des hommes en habits bleus et une effervescence incroyable. Anx découvrit une foule de gens qu'elle n'avait jamais vus sur les routes. Petits, grands, jeunes, vieux, le front rasé à l'ancienne comme Flodoard ou chevelu comme des ermites de longue date. Sur les tables, le déjeuner se préparait ; ici la frugalité du pèlerinage n'était plus de mise. Et elle entendait parler grec et latin !

Dans ce concert exempt de toute effusion chrétienne, Anx reconnut une figure imposante qui grognait : le capitaine Tudebode. Il tenait un quartier de volaille entre les mains. Elle détourna machinalement la tête. Serait-elle reconnue ? Elle se déporta vers les chariots et, là, justement, elle retrouva la boîte aérée de trous où elle avait été retenue prisonnière avant d'être présentée à Flodoard ! Elle fut tirée de ce souvenir glaçant par la vue d'une autre silhouette familière : Erich. Le jeune clerc, blond, au regard froid, qui l'avait surprise par deux fois. Sa gorge se noua. Cette rencontre serait décisive : si, comme Flodoard, il ne la reconnaissait pas, elle serait définitivement en paix quant à son travestissement.

Le garçon était assis à une table, la tête courbée sur un texte, une plume à la main, annotant de traits secs un long parchemin. Anx vit que la plupart des hommes autour d'elle jetaient à intervalles réguliers des regards inquiets dans sa direction. L'effervescence qu'elle avait d'abord perçue dans le carré était plutôt une peur, une angoisse qui visait le travail d'Erich. Elle souffla, et décida de s'approcher.

Elle se planta face à lui, le mot de Flodoard dans les mains. Il leva un œil.

– Je viens pour m'enrôler dans le convoi, dit-elle. On m'a dit de me présenter à vous.

Il baissa de nouveau la tête, sans réaction, et dit seulement à un garde qui se tenait près de lui :

– Débarrassez-moi de ce morveux.

Surprise, elle vit le soldat s'avancer.

– Attendez ! protesta-t-elle. C'est le maître Flodoard qui m'envoie.

Elle posa le feuillet sur la table. Erich, las, le lut sans le toucher. Il releva les yeux, pour le coup furieusement intrigué. Il fixa le « garçon ».

– Un lecteur ? grommela-t-il. Un lecteur de plus ? Quel est ce caprice ? Nous n'avons déjà plus assez de place, plus assez de ressources pour tout le monde ! Une bouche supplémentaire. Aujourd'hui !

« Au moins, dans sa colère, il ne me reconnaît pas », pensa Anx.

– Je ne peux pas vous garder, dit-il en secouant la tête. Désolé, je l'expliquerai au maître. Retournez dans votre convoi ordinaire. Vous atteindrez la Terre comme tout le monde. Maintenant, laissez-moi.

Anx insista :

– Le bibliothécaire m'a dit de m'installer à ses côtés dans sa roulotte.

Elle lut une haine subite dans le regard du clerc. Il y eut un moment de silence. La face du garçon se durcissait.

« Même s'il ne découvre pas mon déguisement, se dit la jeune fille, il va falloir se garder de cet homme. Il a l'air mauvais des jaloux et des comploteurs. Craindrait-il que j'empiète sur ses avantages ? »

Erich posa sa plume.

– Vraiment ? dit-il. Avec lui ? C'est un honneur.

– Je le prends ainsi.

– Mais pour quelle raison ? D'où viens-tu ? Quel talent exerces-tu ?

Anx sentit sa nuque se glacer. Elle n'avait pas songé à cet interrogatoire. Bien entendu que son personnage devait posséder une histoire, un caractère défini ! Elle s'en voulait de ne pas y avoir pensé avant de s'exposer. Quoi répondre ? La vérité sur ses connaissances ? Elle ignorait l'étendue de celles d'Erich ; si elle en avouait plus qu'il n'en pouvait prétendre, elle pourrait le vexer et se l'aliéner davantage. Mieux valait se montrer inoffensif. Un lecteur après tout...

– Je viens de Bretagne, dit-elle. Je suis orphelin. Je ne sais rien sinon lire les Écritures. Lentement.

Erich secoua la tête. Comme allégé. Son œil se radoucit.

– Flodoard prend des décisions, dit-il, et c'est à moi de régir ces imprévus ! Croit-il pouvoir penser à tout ? Sait-il seulement mes ennuis ?

Il reprit sa plume.

– Conduisez-le, dit-il en s'adressant au garde. Que Rogatianus lui donne une croix, la robe bleue des savants et les effets nécessaires. Ton nom ?

– Anx... dit-elle. Anx de Banu.

Banu était le nom d'un très médiocre élève qui avait étudié avec elle chez les moines irlandais.

Erich l'écrivit au bas du parchemin.

– À présent, va ! J'ai d'autres choses à terminer !

Et il retourna à l'examen de son texte.

Anx traversa le carré avec le soldat. Plus d'une fois, elle lut de la peur sur les visages. De la *peur* ? Aucun pénitent n'avait peur, au contraire ! La Milice veillait, les prêtres assuraient les offices, les prières volaient sans interruption pour assurer le concours des anges et des saints. Que pouvait-on seulement craindre ? C'était bien la première fois qu'elle rencontrait cette expression sur le pèlerinage.

Le soldat s'arrêta devant une double roulotte, close comme celle de Flodoard. Une estrade permettait de monter face à deux battants ouverts en large. Là, un petit homme sympathique se tenait comme un marchand satisfait de son étal. Des caisses faisaient un mur dans son dos. Anx se présenta.

– Je suis nouveau, lui dit-elle.

La face naturellement agréable du bonhomme s'éclaircit encore d'un degré.

– Un nouveau ? Ah, tu es le premier depuis le départ. On me nomme Rogatianus. Sois le bienvenu, jeune garçon. Sais-tu ce qu'il te faut pour voyager parmi nous ?

Anx l'ignorait, mais elle sourit devant autant d'amabilité. Le soldat la quitta alors que Rogatianus s'inclinait et sortait d'entre deux feuilles pliées un petit morceau de tissu. C'était une croix brodée sur une étoffe consacrée. Le même type de croix que celui qu'elle avait emporté avec ses parents pour retrouver leur convoi à Troyes. Mais ce fragment était d'une richesse incroyable, piqué d'or et signé aux armes des comtes de Champagne.

– Avec cela, dit Rogatianus en le lui donnant, tu peux aller et venir sans encombre dans notre convoi.

Ensuite, il se pencha et mesura de l'œil la taille d'Anx. Il tira d'un casier deux robes bleues identiques à celles que portaient les hommes présents. C'était sans doute le signe distinctif des clercs et des savants de Flodoard. Après cela, il prit une petite boîte avec un nécessaire d'écriture.

– Quelle est ta spécialité ?

– Ma spécialité ?

– Oui. Ta science ? Que travailles-tu, garçon ?

Anx hocha la tête.

– Je suis simplement un lecteur au service de maître Flodoard.

– Un lecteur ? Soit. Je dois avoir quelque chose pour toi.

Il se tourna et choisit quatre épaisses bougies serrées dans une corde.

– Voilà. Reviens me voir lorsqu'elles seront consumées.

Pour la première fois, Anx observa les caisses qui s'accumulaient derrière Rogatianus. Confusément, elle aperçut des règles, des rouleaux vierges, des balances, des verres grossissants, des bocaux de poudre à dessiner, même un astrolabe !

– Qu'est-ce que tout cela ? demanda-t-elle.

– Cela? Mais où crois-tu donc être tombé, l'ami? Ce sont les instruments pour que ces messieurs puissent continuer leur travail.

Il montra les hommes dans le carré.

– On emporte avec soi ce qu'on ne trouvera plus dès qu'on aura passé la longitude de Rome! Ces gens sont précautionneux.

– Continuer leur travail? répéta Anx.

– Le savant partage avec la femme la hantise de s'éloigner de ses affaires et craint le manque aussi fort que la mort. Enfin c'est ce que je pense, humblement. Je suis là pour m'assurer qu'ils ne soient privés de rien, ni sur la route, ni en Terre sainte. La Milice a pensé à tout, vois-tu.

– Alors ce sont des savants, vraiment?

Rogatianus indiqua discrètement de l'œil quelques visages en contrebas.

– Là, tu as Goldmund, le grand médecin qui nous vient de Luxeuil. Lui, plus loin, j'ignore son nom, mais c'est un célèbre mathématicien. Ici, Victor Bée, l'astrologue; tout près, un logicien est assis aux côtés de Fabius, l'historien des pharaons. À leur droite, tu trouves Eudore, le géomètre, qui s'entretient avec Bérulle, l'astronome. Il y a dans ce convoi plus de monde instruit que tu ne l'imagines. Et tous se portent avec les pénitents vers la Terre sainte. N'est-ce pas émouvant?

Anx continuait de déceler des regards méfiants dirigés sur Erich.

– Certains m'ont l'air bien inquiet, dit-elle. Que se passe-t-il?

Rogatianus se passa la main sur le front.

– Pour sûr tu es un nouveau! Sais-tu que dans moins de deux jours, demain peut-être, nous allons quitter le pèlerinage pour suivre une route annexe jusqu'à Jérusalem?

Anx fit signe que oui.

– Eh bien ? demanda-t-elle.

– Eh bien, le clerc Erich que tu vois là-bas est en train de viser la liste établie par Flodoard comportant le nom de ceux qui vont rester dans notre convoi. Les autres retourneront avec les pèlerins ordinaires.

– Ils craignent donc d'être chassés ?

– Non, ils craignent de rester ! Dès la séparation, nous ne serons plus sous la garde puissante de la Milice, mais avec le bataillon de ce gros-là.

Il montrait le capitaine Tudebode.

– Chacun pense que l'aventure est soudain trop pleine de dangers et personne ne veut en être.

– C'est donc ça...

– Oui. Mais nous verrons bien, dit Rogatianus. Pourquoi s'en faire ? Ne marchons-nous pas pour rejoindre le Seigneur ? Il décide de tout. Le problème avec ces hommes de science, c'est qu'ils en oublient les délices de la foi : et on s'étonne après qu'ils tremblent comme des enfants !

Sur cette leçon, Rogatianus salua Anx et retourna à ses cartons.

La fille glissa sa croix sous son vêtement, prit ses affaires, puis descendit les marches de l'estrade. Elle avait le choix entre retourner auprès de Flodoard dans sa roulotte ou bien rester pour surprendre l'annonce des partants par Erich. Elle se décida et se dirigea vers un feu où on lui servit une écuelle de soupe et deux pilons de volaille ; puis elle s'approcha d'une table serrée entre deux bancs. Cinq hommes y étaient au-dessus de leurs coupelles. Tous les regards se tournèrent vers elle. Anx sentit une hostilité immédiate. Quatre des hommes se levèrent avec leur couvert et se rassirent plus loin pour poursuivre le repas. Pas un mot n'avait été échangé. Anx comprit qu'elle devrait faire beaucoup d'efforts pour être acceptée dans une telle communauté. Les clans et les luttes d'influence devaient être ici plus vifs que dans les rangs innocents des autres pénitents. Une place est une place chez les gens d'importance. Anx posa son écuelle et s'assit à la table sans se montrer affectée par la rebuffade. Un seul des cinq hommes était resté immobile. Assis sur un coin, il ne chercha pas à profiter de la place qui s'était libérée. Jamais son visage ne se tourna vers le nouveau venu. Anx glissa ses affaires sous ses jambes tout en examinant le voisin. Il avait un profil de sénateur romain au soir de l'empire : empâté, blême, l'épaule et le cou engloutis, tout le poids tombé sur un angle de banc. Sa peau blanche transpirait. Il avait le souffle serré et ses lèvres remuaient imperceptiblement. Après un temps, elle fut convaincue qu'il récitait un psaume : *La terre a donné sa récolte : Dieu, notre Dieu, nous bénit.* Au milieu de ces savants, c'était le premier et le seul pour l'instant à montrer une attitude pieuse. Ses yeux étaient braqués devant lui. Comme beaucoup, il avait peur. En cherchant où son regard allait, Anx vit une brèche, un passage ouvert entre deux chariots. Derrière, la forêt de l'Araignée s'obscurcissait terriblement. Deux des gardes qui faisaient des rondes à l'extérieur des carrés du convoi passèrent comme un éclair ; au même moment, l'étrange personnage fit un mouvement du front comme pour marquer un temps. Il reprit son psaume qu'il répétait sans faiblir. Anx n'y comprit rien et voulut lui parler, mais le capitaine Tudebode apparut avec un nouveau quartier de poule dans les mains et s'assit en face d'elle. Elle se raidit. Tudebode posa ses coudes sur la table et commença de dévorer. Il jeta un œil au voisin.

– Bah, Ignatius, grommela-t-il, un os brisé entre les dents, toujours cette tête à déprimer ton monde !

Le dénommé Ignatius baissa insensiblement la tête, sans regarder le soldat ni ralentir sa récitation. Tudebode reprit :

– Inutile de prier comme une nonnette, ton sort est déjà réglé. J'ai vu la liste des partants, et tu en es, mon bon Ignatius. Puisse ce voyage t'inculquer un peu de courage. Ah !

Le pauvre homme avait blêmi un peu plus. Anx regardait cet échange sans parler. Le capitaine la vit soudain :

– Tiens, qui es-tu, toi ?

– Je suis un nouveau lecteur mis au service de maître Flodoard.

Tudebode arrêta nette sa mastication. Bouche entrouverte, il resta un instant à la fixer. Il fronça les sourcils comme s'il comparait un souvenir, puis haussa les épaules et reprit sa poule de plus belle. Anx souffla. Mais elle ne voulait pas s'attarder. Elle renonça à attendre l'annonce d'Erich, reprit ses affaires et repartit vers la roulotte du bibliothécaire sans avoir touché à son assiette.

Le départ des hommes et des instruments de Flodoard fut annoncé pour le lendemain. Anx n'assista pas à la répartition des partants. Elle resta près de son maître mais ne passa pas la nuit comme lui dans la roulotte ; elle préféra profiter de la tiédeur de la nuit, enroulée dans un drap à la belle étoile.

« Demain, l'aventure repart. Elle commence même ! » se dit-elle.

À l'aube, dans la lumière bleuâtre, alors qu'elle dormait encore, elle entendit deux personnes passer tout près d'elle et se ruer sur la porte de Flo-doard. Elle bondit. C'était Erich et Tudebode. Ils réveillèrent le maître.

– Ignatius s'est enfui ! gronda le capitaine. Il n'est plus dans le campement. Il a disparu.

Anx s'approcha. Elle vit pâlir le visage du biblio-thécaire.

– Comment a-t-il échappé aux rondes ? demanda-t-il.

– C'est inexplicable, dit Erich. Nous le surveil-lions avec soin. Comme tous les autres.

Flodoard frappa dans ses mains.

– Et le départ qui est pour ce matin ! Il faut le retrouver ! Il ne peut pas être loin. Réveillons tout le monde, appelez du renfort, je vais chercher les hommes de Montdidier.

Les trois hommes partirent à la recherche de l'évadé.

« Enfui ? se dit Anx en revoyant en pensée le gros homme inconfortable de la veille. Ces hommes ne vont donc point en Terre sainte de leur plein gré ? »

Elle plia son drap et entra dans la roulotte. Un cierge brillait sur la table de travail, Flodoard n'avait pas songé à l'éteindre dans la précipitation. Elle souffla dessus et ouvrit un battant sur le toit qui servait à évacuer le trop-plein de fumée de la petite cheminée. Celle-ci avait brûlé pendant la nuit. Anx s'approcha de la tablette qui lui avait été allouée, près du lit suspendu du maître. Elle rangea son drap dans une sacoche. Elle ajusta le nœud de sa robe bleue et se tourna vers un rayon de la bibliothèque où elle avait aperçu une pierre de bronze poli qui servait de miroir. Sous le filet de lumière qui entrait depuis le toit, elle vérifia si la teinte de ses cheveux ne s'éclaircissait pas déjà. Cet artifice était risqué parce que instable, elle devait l'entretenir et se garder de la pluie. Mais il lui garantissait le meilleur déguisement : on oubliait rarement la blondeur naturelle de ses mèches. Anx pensa alors qu'elle aurait aussi à se méfier des bains. Elle devrait se laver seule et cacher sa nudité. En reposant le cercle de bronze, elle observa quelques livres penchés et retenus par une bandelette transversale pour qu'ils ne chutent pas dans les cahots du voyage. *Le Grand Système du Monde* de Démocrite, le *Timée* de Platon, la *Règle* de Benoît. Flodoard lui avait dit hier qu'elle devait désapprendre. Que l'homme est limité. Qu'entendait-il par là ? Elle retourna à sa table sans oser toucher aux écrits. Elle vérifia que son étoffe à la croix dorée était toujours avec elle. Les armes de Champagne étaient décidément trop visibles. Un bon évêque y aurait vu de l'impiété.

Dans la pièce, la première lumière chaude du matin entra. Le jour se levait. Comme tous les pèlerins, Anx se mit à genoux pour entonner la prière. Sur les murs elle chercha un crucifix vers lequel se tourner, mais n'en trouva aucun.

– Pas de Christ ?

Elle ressortit son tissu consacré et commença, les mains jointes au-dessus de lui, la récitation du premier psaume qui lui vint : *Que les peuples te rendent grâce, Dieu ! Que les peuples te rendent grâce tous ensemble ! Que les nations chantent leur joie, car tu gouvernes les peuples avec droiture, et sur terre tu conduis les nations. Que les peuples te rendent grâce ! La terre a donné sa récolte, Dieu, notre Dieu nous bénit. Que Dieu nous bénisse et que la terre tout entière le craigne !*

Anx s'arrêta soudain et rouvrit les yeux.

– La terre a donné sa récolte et Dieu nous bénit ? répéta-t-elle.

D'un bond, elle fut sur ses jambes.

– Ignatius !

Tout parut limpide. L'homme évadé. Assis hier à côté d'elle. Il n'avait pas bougé à son arrivée avec les autres car il ne voulait surtout pas bouger ! Il était assis à un point pour observer l'écart stratégique entre les deux chariots vers la forêt. Et il récitait toujours ce même psaume. Évidemment : la scansion régulière des psaumes ! Cette récitation aussi précise que l'écoulement d'un sablier. Il marquait de la tête le passage des rondes de soldats. Il comptait ! Il comptait les secondes libres durant lesquelles il pourrait s'échapper ! La forêt !

Déjà Anx avait quitté la roulotte et courait vers le convoi des savants.

Sur la route, elle sentit que les gardes s'empressaient pour rattraper le disparu. Lorsqu'elle déboucha dans la clairière, elle ne reconnut rien. Les chariots avaient roulé et se montraient à présent en longues files prêtes à partir. Elle fit des va-et-vient incessants pour essayer de retrouver la trouée de la forêt visée par Ignatius. Partout des renforts se rejoignaient pour traquer l'homme. Les troupes de Montdidier arrivèrent, armées. Anx se dit que décidément une telle mobilisation était à n'y rien comprendre. Qui était cet Ignatius ? Elle entendit un garde à cheval avertir son voisin qu'il ne devait pas être loin, il était en mauvaise santé, il marchait lentement et ne pouvait être parti pendant l'obscurité.

Anx regarda au sol les marques laissées par les roues et les sabots. Elle repéra enfin le poste de la veille. Elle chercha une ouverture dans la forêt et plongea dedans.

Elle s'écorcha les chevilles aux premières racines découvertes. Le passage était encombré. Elle regarda autour d'elle. Certaine de s'être trompée. Un peu plus sur la gauche, elle repéra un chemin qui serpentait entre les arbres. C'était là. C'était par là qu'il avait prévu de fuir. Elle bondit en s'appuyant sur un tronc renversé et rejoignit péniblement le tracé. Au loin, elle percevait les cris des traqueurs.

« Ils cherchent vers Grousset, songea-t-elle. Ils ne viendront dans la forêt qu'en dernier choix. Elle est trop hostile. »

Elle avança sur plusieurs centaines de mètres. Le matin était encore bas, quelques rayons seulement traversaient le toit de feuilles. Le silence regagnait les lieux. Anx commençait à s'essouffler. Et lui ? Le décadent romain qui portait son corps difforme ! Soudain, pliée en deux, les mains sur les genoux pour reprendre haleine, elle entendit un bruit. Assez aigu et traînant. Une plainte. Un gémissement. Elle se redressa et regarda autour d'elle. Personne. Après quelques secondes d'immobilité, le son reparut. Elle se guida vers lui, à pas comptés. Mais les brindilles brisées sous ses talons interrompirent les gémissements. Elle savait qu'elle était tout près. Quelques mètres plus loin, elle aperçut un trou.

Un piège à bête.

Ignatius n'y avait pas échappé. En s'approchant précautionneusement, Anx le découvrit au fond, le visage défait, baigné de larmes. Lorsqu'il la vit apparaître, il reprit ses longs gémissements et heurta du poing contre la terre.

– Taisez-vous, lui dit-elle. Ne faites pas de bruit.

Ignatius releva le front, surpris. Anx vit sur les bords du cratère les traces de ses doigts. Il essayait depuis de longues minutes de ressortir, mais il lui manquait quelques longueurs et beaucoup de poids en moins. Anx recula et saisit une branche morte assez large. Elle la fit basculer dans le trou de l'homme.

– Accrochez-vous.

Ils tirèrent des deux bouts; Ignatius s'agrippa, passa un premier avant-bras à la surface et enfin, sortit tout entier. Il se releva péniblement.

– Merci, dit-il en voyant qu'Anx était seule. Merci. Je te reconnais, tu es le nouvel d'hier.

– Je ne vous veux pas de mal. Dites-moi ce que vous fuyez.

– Ce serait trop long, mon garçon. Trop long. Pour te remercier, je n'ai qu'un avertissement : fais comme moi. Pars! Il faut abandonner ce pèlerinage à tout prix. C'est le moment.

– Je ne comprends pas.

– Ces hommes ne savent pas ce qu'ils font. Ils pensent avoir tout lu, tout étudié, mais ils n'ont fait que choisir les textes qui convenaient à leurs utopies. D'autres les contredisent. Ils se trompent! Et aujourd'hui, plus personne ne peut les arrêter. Tu entends? Ils ont plus réfléchi aux moyens qu'au but. Ils sont impossibles à retenir!

– Mais de quoi parlez-vous? De qui? De la Milice?

– Je ne veux pas en être...

Sa lourde face et ses yeux ronds lui donnaient l'air d'un insensé. Sa lèvre inférieure pendait dans un tremblement nerveux. Il s'essuya le front avec sa manche pleine de terre.

– Fais comme tu veux, dit-il, moi je disparais!

Il allait reprendre sa course dans la forêt, mais Anx le retint.

– Vous n'irez pas loin, dit-elle. Ils vous recherchent tous. Suivez-moi.

Et elle se mit à le conduire dans la direction du campement. Ignatius hésita.

– Venez !

Elle l'écarta du chemin et retourna près de là où elle était entrée dans la forêt. Elle lui montra un arbre large, haut et feuillu.

– Grimpez ici, dit-elle. Vous ne pouvez pas fuir pour l'instant, ils vous rattraperaient ; cachez-vous et attendez l'éloignement des convois.

Rallié à son avis, Ignatius se hissa d'une branche à l'autre, aidé par Anx qui le poussait comme un poids mort. Enfin, quand il fut assez dissimulé sous le manteau de branches, elle lui demanda :

– Pourquoi vous en veulent-ils ? Qu'étudiez-vous ?

Il eut une hésitation, puis répondit :

– Je suis un traducteur d'hébreu, dit-il. J'ai travaillé sur les odes de Salomon. Ils me cherchent parce qu'ils ne veulent pas que je parle de ce qu'ils ont trouvé !

– Salomon ?

Mais Anx ne pouvait rester davantage. Des hommes approchaient. Elle le quitta en lui souhaitant bonne chance et retourna vers les chariots.

À la sortie de la forêt, elle tomba sur trois gardes qui s'apprêtaient à y entrer. C'était Cosimo Gui, son ami Roland et un troisième soldat de Montdidier que Flodoard avait appelé à l'aide.

Cosimo scruta longuement ce jeune garçon qui arrivait du bois.

Elle eut l'impression que son œil lui traversait le corps. Elle prit l'avantage de la parole :

– J'ai cru voir deux personnes pénétrer entre les arbres. J'ai pensé à l'évadé. Allez inspecter vous-mêmes, mais je n'ai rien trouvé.

Les trois hommes s'engouffrèrent dans la forêt.

Anx retourna près de Flodoard.

Dans la roulotte, le maître était à sa table d'écriture.

– Où étais-tu ? demanda-t-il.

– J'ai voulu aider près du bois de l'Araignée pour débusquer le disparu.

– Bah, fit le bibliothécaire en levant le bras rageusement. Nous ne le retrouverons plus à présent ! Il doit être loin et il nous faut partir.

En disant cela, il brisa d'un coup sec l'extrémité de sa plume. Il avait un œil terrible.

Anx s'assit et le regarda discrètement. Il écrivait, raturait, jetait sa feuille au feu et reprenait encore. Une colère sourde inspirait tous ses gestes.

« Mais... se demanda-t-elle, qui est vraiment cet homme ? »

# IX

## Le Monstre des Marais

> À l'échelle du cosmique (toute la physique moderne nous l'apprend) seul le fantastique a des chances d'être vrai.
>
> TEILHARD DE CHARDIN

Le quartier privé d'Erichtô sur l'Asimo 5 était plongé dans la pénombre. La modeste pièce avait été drapée de noir, les lumières éteintes et la porte d'accès soigneusement obturée.

Au centre de la pièce, le buste de l'Homme sans main et sans visage envahissait presque tout l'espace ; il faisait plus de deux mètres de hauteur, reconstitué par des faisceaux verts et blancs. Chacun de ses mouvements laissait flotter les plis noirs et luisants de sa capuche. Le maître était plus impénétrable que jamais, seule source lumineuse de la pièce qui se reflétait comme un feu sur le visage d'Erichtô.

La courtisane était debout face à l'hologramme de son maître. Alp Malecorne se tenait à son côté. Il avait rejoint le pèlerinage quelques jours plus tôt, de retour de son expédition sur la lune d'Eerl, habillé comme un simple pèlerin. Un bandage masquait sa cicatrice. Son air misérable l'avait rendu digne de pitié aux yeux des pénitents. Il avait su amadouer de justesse les gardes du comptoir qui durcissaient leur loi sous les nouveaux ordres de Payns.

– Où en sommes-nous ? gronda l'Homme sans main et sans visage.

Alp fit un pas.

– Je suis allé sur la planète du Tabor, dit-il. Les documents d'Ismale Gui qui restaient à la Ghilde ont vraisemblablement été emportés par son neveu Cosimo avant mon passage. J'ai interrogé pour les ravoir mais le garçon reste introuvable. Sur la lune des Pensifs où il devait s'être réfugié, un inconnu a pris sa place et s'est inscrit sous son nom. Il le protège toujours par son silence. Je l'ai amené avec moi. Vous pourrez l'interroger, maître, dès que nous vous retrouverons.

Après un long temps de silence, l'Homme reprit :

– Tout ce qui se rattache aux travaux d'Ismale Gui peut nous être préjudiciable. Nous ignorons ce que le neveu a appris des agissements de l'oncle. Si tu le trouves, Malecorne, tue-le.

– Vraiment ? Tuer Cosimo ?

Son maître ne répondit pas et se tourna vers la femme.

– Erichtô ?

La courtisane approcha.

– Je n'espérais pas qu'un pèlerinage fût une circonstance aussi propice pour y répandre mes filles. Il faut croire que ces âmes en quête de pardon veulent profiter de quelques derniers péchés. Grâce à Lÿs, qui est en grâce auprès d'une tête de la Milice, j'ai réussi à nous procurer la nouvelle distribution de la flotte prévue jusqu'au système vénitien.

La femme appuya sur une commande : une carte lumineuse se dessina dans l'air, juste devant l'image de l'Homme.

— Comment ? Les convois se séparent déjà ? demanda Alp en lisant les informations qui indiquaient qu'une partie partait vers Constantinople.

— C'est ce qui semble avoir été convenu, dit Erichtô. La prochaine étape importante pour nous sera l'embarquement en bord d'Océan.

— Le nombre de navires ? demanda l'Homme.

— Près d'une trentaine, dit la femme. Les statistiques ne changent pas. Elles restent conformes à celles que vous aviez prévues.

— Mais Payns modifie ses plans ces derniers temps, nota l'Homme.

La carte d'Erichtô disparut.

— Doit-on rester sur le pèlerinage ? demanda Alp. Cela devient périlleux. J'emporte un otage avec moi, nous courons le risque d'être découverts.

— Ne le quittez sous aucun prétexte, dit l'Homme. Continuez comme des pénitents ordinaires et tenez-moi au fait de l'itinéraire et des changements. Patience. Notre flotte est prête. Dans peu de temps, je réduirai ce pèlerinage en pures cendres. Bien avant qu'il n'atteigne la Palestine. La rencontre de nos forces est pour très bientôt...

Il prit un temps de réflexion.

— Avez-vous des informations sur Ruy et Saint-Amant ? Vous savez que ce sont les deux chevaliers qui m'intéressent le plus pour notre retour à Jérusalem.

— Nous sommes sur le convoi de Ruy, répondit Erichtô. Mais il est impossible de l'approcher pour le moment. Il se cache.

– Nous nous en doutions. Contentez-vous de toujours savoir où il se trouve. Comme pour Saint-Amant. Le moment venu, je refuse qu'ils m'échappent.

– Oui, maître.

Le silence envahit la pièce.

Et la grande figure démoniaque s'évanouit en laissant Alp et Erichtô dans l'obscurité.

∞

En tant que grand maître de la Milice, Hugo de Payns n'avait que des motifs de satisfaction : l'approvisionnement se faisait sans retard, et les résultats en termes de sécurité étaient si éloquents que les pèlerins se pliaient de bonne grâce à la redoutable discipline. Bientôt, chacun prit à cœur de surveiller son voisin pour le bien de tous. Les brigands des convois qui s'étaient enrôlés pensant trouver de quoi s'enrichir à bon compte en étaient pour leurs espérances.

En revanche, en tant que maître de la Milice créée par Hugues de Champagne pour libérer la Borne de Salomon, Hugo était plus réservé. L'assassinat du roi Baudouin, les changements de route de dernière minute, l'isolement de la bibliothèque de Flodoard, tout cela ne manquait pas de l'inquiéter.

Dès la scission d'avec les équipages du bibliothécaire, Hugo avait mis en œuvre son plan de séparation des convois : chaque partie du pèlerinage dirigée par deux chevaliers devenait autonome, éloignée de plusieurs jours de marche des autres. Les déplacements entre elles étaient défendus. Si l'on quittait le pèlerinage, on n'y pouvait retourner sous aucun prétexte. Les nouveaux pèlerins étaient refusés, y compris ceux qui s'étaient inscrits longtemps à l'avance. Les convois étaient à présent de petits mondes impénétrables.

– Que les traîtres se joignent désormais !

$$\infty$$

Pour Cosimo, la tâche se compliquait d'autant : ses mouvements étaient réduits à rien.

La traque d'Ignatius à Grousset n'ayant rien donné, Cosimo était retourné avec Roland dans le campement de la garde de Montdidier. Ils avaient assisté au départ du convoi de Flodoard, le matin même. Certains se réjouissaient de le voir disparaître, notant que ces transports lourds et pénibles ralentissaient la marche depuis Troyes ; d'autres s'inquiétaient de ne plus les revoir. On se rassurait en affirmant que le capitaine Tudebode était une grosse bête, mais aussi un guerrier redoutable, et que les chevaliers ne l'avaient pas désigné pour rien.

Cosimo regardait le cortège en se demandant ce que pouvaient bien contenir toutes ces charrettes bâchées. En particulier lorsqu'il vit quatre équipages entièrement cadenassés. Autour de lui, personne ne le savait.

– L'un de nous doit-il les suivre ? demanda Roland.

– Non. Nous ignorons où ils vont réellement. Nous ne pouvons pas nous disperser. Je pense qu'il est temps de rejoindre Croitendieu sur le prochain convoi.

– Nous quittons la garde de Barkilphédron ?

– Oui. Cette expérience suffit.

Les deux hommes firent leurs adieux au recruteur de Montdidier, fâché de voir de si bons éléments lui échapper. Comme au départ précédent,

Cosimo annonça qu'il renonçait au voyage vers la Terre sainte. Ils rendirent leurs armes et leurs montures. Au comptoir, ils firent rayer leurs noms d'emprunt des registres.

Ce n'est qu'à l'entrée du convoi de Bisol et de Saint-Amant que tout se compliqua. Selon les nouveaux ordres de Payns, personne ne pouvait plus arriver. Même les pèlerins déjà enregistrés, comme c'était le cas de Cosimo et de Roland sous des pseudonymes déposés à Troyes. Toutes les tentatives des amis restèrent vaines. Les soldats des chevaliers étaient sur le qui-vive : on surveillait les allées et les venues. Alors que le départ de la marche était sonné à midi, Cosimo et Roland se précipitèrent sur le convoi qu'ils avaient quitté pour se faire réincorporer, mais là encore, ils furent refoulés. Sans espoir de retour.

Les deux hommes se retrouvèrent sur le bord de la route, forcés de suivre le pèlerinage après le dernier convoi, en compagnie des bandes de malandrins et d'infortunés qui formaient la queue du voyage, hors de toute protection. C'est là que des pillards attendaient patiemment les désistements des pénitents épuisés.

Tous les expédients pour rentrer dans les rangs échouèrent. Durant plusieurs journées, ce ne fut qu'échec sur échec pour Cosimo et son ami. Ils désespérèrent. Ils n'avaient aucun moyen pour rejoindre ou contacter Croitendieu.

Cosimo prit une décision. Il changea ses plans et choisit une option qu'il avait jusque-là écartée.

– Un homme seul va quatre ou cinq fois plus vite que tous ces pèlerins, n'est-ce pas ?

Roland approuva. Cosimo reprit :

– Nous savons que les convois vont forcément rejoindre un port : Gênes, Venise ou Pise. Il suffit de s'y avancer avant eux pour le savoir.

296

– C'est exact.

– Je te demande de rester ici à suivre le pèlerinage et la même route que Croitendieu. Je te rejoindrai en bord de mer.

– Où vas-tu ?

– Je retourne vérifier quelque chose qui est resté en suspens. Je ferai au plus vite. J'atteindrai Gênes ou Venise à temps...

Là-dessus, il fit demi-tour et repartit en sens inverse de la marche. Il remonta à pied vers le village le plus proche. Il y acheta une monture et il disparut au grand galop.

Vers l'ouest.

∞

Cosimo traversait des terres inconnues, il demanda sa route à plusieurs reprises et se procura même une carte sommaire. Il cherchait en premier Reims. Les gens du cru étaient assez sauvages et peu arrangeants. À la nuit, il s'arrêtait dans des auberges modestes où, souvent, la discussion des clients tournait autour du fameux pèlerinage.

De Reims, il dut encore atteindre Couturier et Picarello, puis Cassan deux jours plus tard. De là, on le guida par bosquets et petites fermes dans une région abandonnée. Il galopa tout un jour sans rencontrer une seule âme.

En fin d'après-midi, il entra dans le village de Soindres.

Ce dernier comptait une douzaine de feux. Rien d'étonnant à première vue ; pourtant, l'atmosphère dérangea Cosimo dès son arrivée, une étrangeté, une anomalie dans l'air qu'il n'arrivait pas à identifier.

Des enfants entourèrent son cheval et rirent assez fort pour attirer les habitants. Il n'y eut qu'un seul villageois pour s'avancer sans crainte jusqu'à lui : une espèce de vieux bougon suspicieux soutenu par une canne en forme de houlette. En s'approchant, Cosimo vit que sa joue droite était brûlée, lisse et dépigmentée, marquée de taches comme du porphyre. Son œil bleu, vif, ressemblait à un reliquat de vie sur la face d'un mort.

– Vous vous êtes égaré ? demanda-t-il.

– Je cherche le domaine de Ruy. Suis-je sur la bonne route ?

– Sans doute, il n'y en a qu'une à partir d'ici. Nous sommes le dernier village que vous trouverez avant le domaine.

– Combien de temps pour l'atteindre ?

L'homme hésita.

– Une heure, tout au plus. Le domaine est abandonné, vous savez. Vous ne rencontrerez personne.

– Si cela est ainsi, je reviendrai passer la nuit ici.

Cosimo observa autour de lui. Il découvrit soudain ce qui le dérangeait : la netteté, la propreté des lieux. Le village était impeccable. Il n'y avait pas d'animaux de basse-cour, pas de saletés ménagères, pas de débordements bruyants, ni d'odeurs comme dans les hameaux de campagne. Les maisons étaient en parfait état. Les villageois étaient habillés avec soin. Leurs chemises étaient blanches. On n'en trouvait de pareilles qu'aux évêques les jours de cérémonie. Autour du village, Cosimo n'avait pas aperçu le moindre champ entretenu pour la moisson, mais plutôt des enclos jardinés, des petits ponts de bois et des fleurs. Leurs visages étaient rayonnants, frais; c'est dire qu'ils mangeaient à leur faim. Il nota que certains hommes avaient comme le vieillard des cicatrices sur le visage : éraflures, brûlures, empreintes de coups. D'autres claudiquaient.

Sans poser de question, Cosimo quitta le village.

Derrière lui, il perçut le brouhaha de la population qui discutait vivement sur son passage. Une heure plus tard, il distingua les cimes de deux tours derrière un bois.

C'était le château de Carl de Ruy, le chevalier invisible de la Milice.

Le chemin qu'il empruntait pour atteindre le domaine était encombré d'herbes ; personne ne passait plus par là depuis des années. Lorsque Cosimo découvrit la façade du château, il en fut convaincu.

La demeure était désertée, mangée par les plantes grimpantes. Tout semblait figé dans le temps : des charrues, des outils, des indices d'une vie active et remuante étaient encore visibles. Tout avait été abandonné dans la précipitation.

Cosimo contourna la tour septentrionale pour étudier l'autre versant du château. Là, sur les murs élevés de trois niveaux, une marque noire était imprimée, un cercle carbonisé, comme une immense boule de flammes qui aurait atteint les pierres en ce point unique. Toutes les issues avaient volé en éclats.

Cosimo tourna son regard vers les terres que dominait le château. Il y avait un pré redevenu sauvage comme le reste du domaine ; en contrebas s'étendait un bois épais. Le jeune homme distingua une nouvelle incongruité. La chaîne d'arbres régulière et continue d'est en ouest était brutalement fendue sur plusieurs mètres, ouverte en son milieu comme après le passage d'une cognée géante. Cette tranchée au cœur des frondaisons était trop franche, trop dessinée pour être naturelle.

Cosimo descendit.

Autour de lui, les arbres de la forêt étaient hauts et puissants, telles deux haies de gardes ; pas un d'eux n'avait repoussé ni envahi l'avenue dégagée. Au sol, la terre était noire, humide, aucun brin d'herbe ne s'élevait sur sa surface. On aurait dit qu'elle venait d'être fraîchement retournée. Le cheval du jeune homme avait renâclé avant d'accepter de s'engager sur cet étrange passage.

Cosimo, ébahi, ne savait quoi penser.

En progressant, il se retourna vers le château : la trouée visait la façade du château et le point noir, comme la cible d'un archer de tournoi.

Le tracé s'enfonçait profondément dans la forêt.

Cosimo arriva au bout du chemin et descendit de son cheval.

Partout, la nature était *silencieuse*.

Il resta un long temps à observer devant lui.

Il n'en revenait pas.

Il était sur le bord d'un gouffre comme il n'en avait jamais vu ni jamais entendu décrire nulle part. Un trou circulaire d'un diamètre de quatre cents mètres, profond de plus de vingt mètres. Un cercle parfait. Là encore, sur toute cette étendue, pas une seule tige de vie n'avait repoussé. Rien. Seule la terre sombre.

Cosimo s'accroupit. Il effleura le sol et découvrit une pellicule gélatineuse, incolore. Cette substance lui coula des doigts sans accrocher ni laisser de trace.

Il se releva. Les proportions de cette surface morte avaient quelque chose de terrifiant. Un défi à la raison. N'osant s'aventurer plus avant, Cosimo retourna au château.

L'intérieur était en pièces. Tout avait été renversé. Les portes étaient fendues, les meubles retournés, les poutres brisées en plein cœur. Il y avait eu ici un combat, une lutte terrible ; et le champ de bataille était resté tel quel. Des toiles d'araignées, des manteaux de poussière recouvraient les flambeaux où s'inclinaient des restants de bougie. La brutalité, la violence se retrouvaient de pièce en pièce. Cosimo se remémora l'article lu dans la bibliothèque d'une abbaye rencontrée sur le chemin du pèlerinage : le syndrome de Ruy ! le traumatisme, le choc. Et les dons de clairvoyance ?...

– Que s'est-il passé ici ?

Il retourna à l'extérieur, dans la direction de la seconde tour.

Un homme était à côté de son cheval.

Il caressait l'animal.

C'était le vieux bougon de Soindres. En dépit d'un chapeau souple, Cosimo le reconnut à sa canne. Il ne vit aucune autre monture : l'homme était venu à pied. Il avait sans doute menti plus tôt et emprunté un raccourci pour rejoindre le château.

Le vieillard à la face brûlée se retourna et dit :

– Nous avons beaucoup parlé au village, et je m'exprime au nom de mes frères. Une seule question : il ne viendra pas ?

– Il ne viendra pas ? Qui ?

– Carl. Notre ancien maître. Nous savons qu'il est du pèlerinage qui traverse l'Occident pour rejoindre la Terre sainte.

– Je viens de ce pèlerinage où est le chevalier.

– Vous êtes son « envoyé » ?

Cosimo résolut de mentir.

– Pas le sien, mais celui de son maître.

L'homme fit soudain deux pas.

– Son maître ?

– Hugo de Payns. Je viens ici pour récolter des faits. Mon maître veut vérifier les dires de Carl.

– Vérifier ? Vérifier quoi ?

– Sa vie.

– Il est en difficulté ?

– Peut-être. Je ne peux le dire. Expliquez-moi. Je dois comprendre.

– Comprendre ?

Le vieillard fixa son œil clair dans celui de Cosimo, les deux mains sur sa houlette.

– Comprendre ? Ne vous fatiguez pas, jeune homme, des plus instruits que vous ont renoncé. Il n'y a rien à comprendre ici comme vous dites, seulement des questions sans réponse à récolter pour ses vieux jours.

– Énumérez-moi les faits. C'est tout ce que souhaite mon maître.

Le vieux secoua la tête.

– Pour que vous les répandiez autour de nous et que l'on redevienne un sujet de moquerie et de superstition ? Cela suffit. Cette histoire s'oublie, et c'est mieux ainsi. Je refuse de penser que Carl en ait parlé ouvertement.

– Il l'a fait, insista Cosimo. Vous devriez en faire autant si vous ne voulez pas que *lui* passe pour un fou !

Après quelques insistances de ce genre et beaucoup de mensonges pleins d'habileté, le vieil homme finit par monter en croupe derrière Cosimo. À sa demande, ils retournèrent vers le gouffre de la forêt.

– Durant fort longtemps, dit l'homme, notre maître Carl ne venait jamais sur son domaine. Nous l'avions vu naître ici, comme ses ancêtres, mais il fut tôt élevé à la cour du roi où il devait passer la majeure partie de sa vie. Carl était un grand chevalier, toujours en campagne. Très vigoureux, très apprécié, disait-on. À Ruy, la vie suivait son cours, sans signes particuliers. Et puis, un jour,

Carl est revenu. Avec toute sa famille. Il avait été congédié de la cour. Ce fut une surprise pour nous. Du jour au lendemain, une activité incroyable envahit le domaine. Maître Carl était un homme vif et déterminé. Il résolut de remettre sur pied le château et ses exploitations. Il ordonna des travaux et fit venir des mains de toute la région pour les accomplir. Le premier de ses chantiers était l'assèchement des marais qu'on trouvait en bas du château. Il voulait accroître l'étendue des champs pour augmenter les ressources de Ruy.

– C'était une idée, dit Cosimo.

– Des idées, il en avait chaque jour. Il tenait cela des voyages qu'il avait accomplis pour ses batailles et d'où il avait rapporté des techniques inédites. Le fait est que nous avons commencé à travailler *ici*.

Le vieillard pointa du doigt le gouffre observé plus tôt par Cosimo.

– À l'époque, on ne trouvait là qu'une succession de mares d'eau saumâtre entourées de roseaux et de flambes.

Après avoir posé le pied au sol, l'homme ôta respectueusement son chapeau.

– C'est au centre de ce cercle que l'un de mes neveux a fait la première découverte. Après avoir drainé l'eau pendant plusieurs semaines, nous dispersions la boue pour sécher les fonds plus rapidement. D'un coup de truelle, mon neveu a heurté un objet. Ce n'était pas une pierre. Le choc rendit un son aigu. On dégagea la terre avec curiosité pour trouver le dessus d'un couvercle. Un coffre ? En tout cas, c'est ce que nous avons pensé. Tout le monde était très excité. Un trésor peut-être !

L'homme secoua la tête.

– Nous essayâmes de tirer la « caisse » hors de la boue. Mais ce que nous avions pris pour un couvercle semblait ne pas connaître de limites. Il s'étendait déjà sur plusieurs mètres et, comme il était courbe, il s'enfonçait trop pour qu'on puisse le dégager du reste de la vase. C'est alors qu'un autre groupe de travailleurs, beaucoup plus loin, fit une découverte similaire. Cette fois c'était un pic qui ressortait du fond du marais. Nous constatâmes qu'il était de la même facture que notre « couvercle », gris et luisant.

– Étrange.

– Croyez-vous ? Ce n'est qu'à la nuit que nous avons compris que quelque chose de vraiment hors du commun se mettait en place. Dans l'obscurité, au milieu des marais, des points rouges commencèrent à clignoter, comme des lucioles, avec une régularité parfaite. Il s'en voyait à des dizaines de mètres.

– Des lumières rouges ?

– Et de plus en plus nombreuses.

Cosimo observa l'étendue.

– Qu'en pensait Carl ?

– Il prit cela très au sérieux. Il fit mander de l'aide à l'évêché. Mais, comme nous, il était surtout curieux de voir ce qui allait advenir. Personne n'avait peur. Mal nous en a pris. À la troisième nuit...

L'homme remit son chapeau.

– ... les « apparitions » ont commencé.

Il fronça les sourcils comme un homme qui se force à retrouver un cauchemar.

– On sentait ici une tiédeur qui montait du sol. La vase se mit à sécher toute seule. Nous comprenions que chaque parcelle découverte qui se retrouvait prise sous les rayons du soleil reprenait étrangement « vie ». Il était incontestable que c'était la lumière qui manquait depuis tout ce temps à ce monstre et que nous l'avions réveillé en le dégageant de la fange des marais. Le soir, des gens du domaine racontaient que des silhouettes étranges se dissimulaient dans la forêt autour des marais.

– Des silhouettes?

– Des bêtes de nos troupeaux ont disparu et on a retrouvé leurs carcasses, entièrement décharnées. On repéra aussi des traces de pas autour du château. Les empreintes étaient rectangulaires. Ces démons se déplaçaient à une vitesse vertigineuse. Bientôt, on les sentit partout autour de nous. Même Carl commença d'être effrayé. Pendant ce temps, la vase continuait de disparaître. Tout ce champ circulaire que vous voyez ici se présenta sous la même forme que notre couvercle de « coffre ». Un immense dôme, gigantesque, piqueté de milliers de points lumineux. Nous avions réveillé un monstre.

– Qu'avez-vous décidé?

– Des prières... les envoyés de l'évêque tardaient à arriver. Carl a alors choisi de capturer un de ces démons. Il voulait en avoir le cœur net. Mais notre piège a manqué et nous avons tué la créature dans notre fosse à bête. Elle avait deux jambes et deux bras, recouverte entièrement d'une peau dure et blanche. Il était impossible de discerner sa tête; cela faisait comme un miroir. Elle saignait aussi. Son sang était rouge et chaud.

– Qu'ont fait les autres démons?

– Ce que des hommes auraient fait à leur place... ils ont vengé leur mort.

Cosimo se retourna et vit au loin la façade du château incendiée.

– C'était la nuit suivante, reprit le vieillard. Ils ont tout détruit. Beaucoup d'entre nous ont péri.

Ces êtres semblaient faits de flammes. Des langues de feu se projetaient de leurs poings et pouvaient atteindre des distances incroyables. Des diables, je vous dis... d'horribles diables...

Cosimo observa les cicatrices du vieillard.

– Carl ?

– Il a combattu au château pour défendre les siens. C'est là que la lutte s'est faite la plus rude. Au petit matin, l'un des monstres s'est présenté devant le maître désarmé. Je n'étais pas présent, mais on m'a dit que la créature a ôté une sorte de casque lumineux et qu'il a montré son visage. Un visage d'homme.

– Impossible !...

Le vieillard sourit.

– C'est ce que tout le monde nous répond. Impossible de croire que des hommes pouvaient attendre depuis des décennies, voire des siècles, sous un marais à l'intérieur d'une enveloppe de fer ? Entendez la suite ! Carl fut épargné avec les derniers survivants, et les créatures disparurent, pendant plusieurs jours. C'est ensuite que le dôme commença de vibrer.

– Vous n'avez pas fui ?

– Nous restions auprès de notre maître qui était comme frappé par la foudre, hébété depuis sa rencontre avec l'homme. On ne le reconnaissait plus.

– Que s'est-il passé ?

Le vieillard pointa sa canne vers le centre du gouffre.

– Le dôme géant a disparu.

– Disparu ?

– Vous êtes libre de ne pas me croire, mais je vous dis, moi, que cette masse immense s'est élevée dans les airs. Elle a arraché le reste de la terre sous elle. Son ventre était en feu. C'était comme un second soleil dans le ciel. Le bruit était assourdissant. Nous l'avons vue monter du château, lentement. Puis, dans un éclair, elle a disparu avec un cri qui résonna longtemps. Les monstres étaient repartis.

Il y eut un long silence.

– Depuis, reprit le vieillard, il demeure ici ce fluide qui empêche tout de repousser. Un premier moine savant envoyé par l'évêque est arrivé pour essayer de comprendre. Il n'a jamais identifié la substance. Pas plus que les experts qui l'ont suivi.

– L'évêché est au courant de tout?

– Disons qu'ils ont essayé de croire à notre version de l'histoire. Pourtant maintenant plus personne n'en parle. Un ordre a été donné dans ce sens.

L'énormité du récit du vieillard effarait Cosimo. Mais il comprenait le lien possible avec le syndrome de Ruy évoqué dans le livre. Le choc.

– Et votre maître?

– Ce guerrier redoutable est devenu une sorte d'ermite, rétif, tremblant, environné de mauvais rêves. Nous avons longtemps essayé de le soigner. À force de l'étudier, il a fallu admettre qu'il n'était pas possédé au sens habituel du terme. Carl avait plutôt hérité de sa rencontre avec la créature une sorte de don... de clairvoyance... ou d'écoute, je ne sais pas... Il recueillait des bruits, des paroles, des signes, que personne d'autre ne percevait.

– Je ne comprends plus... Ces créatures étaient des hommes? Ou des diables à forme humaine?

– Peut-être les deux. Des hommes d'un autre monde? Au fil des mois, Carl a commencé à prendre conscience de ses nouveaux dons et de ce qu'ils pouvaient accomplir. Il a guéri des malades, exorcisé des femmes, prédit l'avenir. Cela s'est su dans la région. C'est alors que sont venus trois hommes. Un comte de Champagne, un chevalier et un architecte.

Cosimo sursauta. Le trio de Jérusalem : Hugues, Hugo et Ismale.

– Quand cela était-il ?

– Il y a dix ans. Ils sont venus pour « évaluer » les talents de Carl. Mais il était méfiant. Ils lui ont demandé de les suivre dans une ancienne grotte gauloise. Notre maître m'a demandé de l'accompagner avec deux autres villageois. Par précaution.

– Qu'y avait-il dans cette grotte ?

– Une légende disait qu'une armure de Brennus était enfouie à cet endroit, mais qu'elle était si protégée par les esprits de ses anciens lieutenants qu'aucun vivant ne pouvait l'approcher sans endurer leurs foudres. Carl est entré seul dans la grotte, il a parlé avec les morts et il est ressorti avec la relique.

– Il a « parlé » aux esprits ?

. – C'est ce que lui-même a dit. Cela a vivement impressionné les trois hommes. Ils ont ensuite discuté pendant de longues heures. Je sais seulement qu'il leur a demandé un an de réflexion. Il n'a jamais reparlé de ces trois inconnus. Mais un an après, jour pour jour, il a abandonné Ruy et a cédé sa fortune aux gens du domaine. C'est pour cela que nous n'avons besoin de rien au village ; nous sommes riches et libres. Mais nous restons seuls... seuls avec ce gouffre et personne pour accepter nos récits. Un souvenir comme celui-là est lourd à porter.

– Carl n'est jamais revenu ?

– Jamais. Il s'est fait moine, m'a-t-on dit, ou une sorte de moine. Nous n'avons réentendu parler de lui qu'à l'annonce du pèlerinage de Hugues de Champagne.

Après un nouveau long silence, les deux hommes remontèrent vers le château.

Cosimo pensait : si Carl lisait les esprits et ouvrait des portes défendues par des diables, cela marquait incontestablement sa place dans l'aventure secrète de la Milice.

– Merci pour votre récit. Dieu vous bénisse, dit-il.

– Dieu ?

Le vieillard haussa les épaules et jeta un regard désolé au jeune homme.

– Dieu cache-t-il ses anges sous la boue ? Allez, allez, n'y comptez pas trop. Dieu est bien absent en ce monde...

Cosimo demanda à passer la nuit au village. Au matin, il changea de cheval, salua les habitants et posa une ultime question au vieillard :

– Cet homme mystérieux qui a défait son casque devant Carl, savez-vous s'il a parlé ? Savez-vous ce qu'il a dit ?

Le villageois sourit.

– Il a dit à notre maître qu'il était simplement un homme d'une autre époque. Qu'il explorait le Temps et qu'ils avaient eu un accident dans cette région.

– Explorer le Temps ?

C'était grotesque.

Là-dessus, Cosimo quitta les terres de Ruy.

Plein sud.

# Livre Troisième

*L'Histoire n'est pas une succession d'époques mais une unique proximité du Même.*

HEIDEGGER

# I

# Le Zaïmph d'Isis

Charron : Nous ne l'aurons donc point sitôt ?
FÉNELON, *Dialogues des morts*

Le pèlerinage était arrivé à Venise.

Une flotte de vaisseaux s'alignait rigoureusement sur la lagune. Ce midi d'octobre, le jour était clair et encore chaud. Le soleil se réfléchissait sur les coques rutilantes sorties des arsenaux. Toute la cité marchande trépidait. Elle avait réussi à emporter sur ses rivales de Pise et de Gênes l'appareillage des navires qui conduiraient les pèlerins en Terre sainte. C'était une heure d'euphorie pour les négociants et les hôteliers. Des milliers de pénitents épuisés par leur marche se bousculaient dans les rues, profitant de ce temps de repos dans une cité où rien ne manquait.

Le long des quais, les bateaux étaient groupés par trois, pour se charger en matériel, en eau et en vivres. Ils retournaient ensuite mouiller dans la rade en attendant le jour du départ.

Hugo de Payns était furieux. À son arrivée, rien n'était prêt pour l'embarquement des fidèles. Les autorités, qui venaient de recevoir une importante commande pour la cité de Césarée, avaient préféré se consacrer à leur commerce plutôt que de devancer les besoins des convois.

Alors que le pèlerinage s'était considérablement allongé, la tête ayant plus de dix jours d'avance sur le dernier marcheur, tout le monde se retrouvait aujourd'hui amassé à Venise. L'avance que Payns avait voulu s'assurer sur Eustache de Boulogne était anéantie.

Sa colère n'y changea rien, il fallait patienter plusieurs semaines, le temps que la flotte soit appareillée.

Ce jour-là, le *Carlus Magnus*, la *Johanna Baptista* et la *Francesca Maria* étaient les vaisseaux convoqués à quai, le bas de leurs passerelles noir de commissaires et de gardes qui contrôlaient les allées et venues des porteurs.

Soudain, on entendit un bruit de plongeon, aussitôt suivi de cris provenant de la *Francesca Maria*.

– Au voleur ! À la garde !

Cosimo nagea longuement sous l'eau, entre les carènes et les embarcations d'entretien, hors de la vue des curieux attirés par le plongeon. Il détournait ainsi l'attention de la chaloupe avec laquelle Roland s'écartait de la *Francesca Maria*, le butin qu'ils venaient de dérober en sécurité entre ses pieds.

Il sortit quelques dizaines de mètres plus loin, regagnant le quai à un endroit encombré par des empilements de caques. Sous un panier, il ouvrit un sac placé là par avance. Il défit ses habits et enfila une chemise sèche. Il mit le sac sur ses épaules et disparut dans la foule et l'écheveau sombre des ruelles de la cité.

Il rejoignit une maison sise sur un canal fétide en plein quartier des marchands impériaux. Ce genre de bâtisse accueillait d'ordinaire les grossistes qui venaient à Venise s'approvisionner en produits exotiques pour leurs comptoirs de Schaffhouse, Ravensburg, Nuremberg ou Cologne. Roland avait monnayé cette masure pour quatre fois son prix.

Cosimo entra.

– Tu n'as pas été repéré ? demanda son compagnon.

– Je ne le pense pas.

Il avait les cheveux encore ruisselants de sa fuite dans le port.

– Voilà, dit Roland.

Il lui tendit une grosse chemise, liée par deux sangles de chanvre. Son titre était inscrit en caractères larges : ISMALE GUI.

C'est en menant son enquête sur le chevalier André de Montbard que Roland avait réussi à repérer le coffre renfermant ce dossier. Il avait découvert que Montbard dirigeait une cellule secrète dans le pèlerinage qui recueillait les témoignages et les délations de tous genres. Pour sa part, il lui avait suffi de prétendre avoir entendu, à différentes reprises, des conversations basses citant le nom d'Ismale Gui pour être reçu par le second de Montbard. Ce dernier avait scrupuleusement noté sa déposition avant de la ranger dans un coffre déjà gravé au nom de la *Francesca Maria*. Dès l'arrivée de Cosimo à Venise, quelques jours après cette découverte, tous deux avaient organisé le cambriolage du vaisseau.

Ouvrant la chemise, Cosimo lut en premier la fausse déposition de Roland.

– Tu lui as vraiment dit cela ? Qu'un des pèlerins prétendait avoir le pouvoir de s'entretenir avec les morts et qu'il t'avait avoué converser avec l'âme défunte d'Ismale Gui ?

Roland haussa les épaules.

– Il fallait bien attirer son attention ! répondit-il. Cela a parfaitement fonctionné.

Cosimo étala sur une table les pages manuscrites du dossier.

Il retrouva la retranscription de son entrevue au Tabor avec Montbard. Une biographie sommaire d'Ismale, exacte, qui se concluait sur les données circonstanciées du meurtre de Draguan. L'assassinat était rapporté, mais sans indice sur l'identité des meurtriers. Plus loin, Cosimo reconnut l'écriture étroite de son oncle.

– Ce sont les lettres qu'Ismale répondait à Hugo de Payns ! Le complément de la correspondance que j'avais trouvée dans le coffre du Tabor !

Cosimo lut avidement les missives. Ismale répondait avec minutie à l'enquête de Hugo sur le « traître » qu'ils suspectaient ensemble de saper l'ordre nouveau de la Milice. L'architecte accumulait méthodiquement des preuves contre son premier disciple, Alp Malecorne, expulsé un an plus tôt de la Ghilde. Pour Ismale, Malecorne était, sans risque d'erreur, lié à la nouvelle entité appelée « l'Homme sans main et sans visage » qui intriguait tant Payns.

Cosimo se rappelait les missives de Hugo qui complimentaient Ismale pour ses résultats.

– Alp Malecorne, murmura Cosimo. C'était là le nom du traître qui manquait ?

Mais les conclusions d'enquête de Montbard ne semblaient pas du tout suivre les certitudes de l'architecte. Cosimo fut de plus en plus surpris. L'investigation sur le meurtre d'Ismale aboutissait à une autre théorie sur l'identité du traître. Roland vit le visage de son ami pâlir.

– Qu'y a-t-il ? demanda-t-il.

316

– Je ne comprends pas, dit Cosimo. Ils pensent... ils pensent qu'Alp Malecorne aurait été écarté de la Ghilde à cause de ses liens avec l'Homme sans main et sans visage.

– Tu te doutais de cela.

– Oui mais... ils pensent également que mon oncle aurait été assassiné pour des raisons identiques.

– Comment ?!

– Selon Montbard, le traître de la Milice n'est autre qu'Ismale Gui lui-même !

Il y eut un long silence. Cosimo relut les documents.

– Il aurait expulsé Malecorne pour se protéger, reprit-il. En le faisant disparaître, il jetait en pâture un coupable aux soupçons de Hugo de Payns. Mais il semble que cela n'ait pas été suffisant. Payns avait d'autres enquêtes en cours, d'autres indices qui dénonçaient la traîtrise d'Ismale. Et, à travers mon oncle, ils risquaient d'atteindre l'Homme sans main et sans visage. C'est pour cela que ce dernier l'a fait assassiner à Draguan ! L'Homme a éliminé Ismale pour qu'il n'avoue rien ou qu'il ne soit pas découvert !

– Mais pourquoi ? Pourquoi Ismale se serait-il mis à la solde de l'Homme ? Pourquoi trahissait-il les chevaliers ?

Il y eut de nouveau un silence.

– Pour comprendre cela, répondit Cosimo, encore faudrait-il *savoir ce qu'il y avait à trahir*. Être certain de la visée de cette Milice. Je connais mon oncle, il ne faisait rien sans raison. Si l'Homme sans main et sans visage a eu besoin d'Ismale, c'est qu'il poursuit la même quête que les hommes de Payns. Pourquoi Ismale changeait-il de camp ? Qu'avait-il à gagner à se laisser soudoyer par un adversaire des chrétiens ? Qu'est-ce donc que cette Borne que tous veulent posséder ?

– Que faisons-nous maintenant ? demanda Roland.

Cosimo réfléchit.

– En premier lieu, nous allons tenter de savoir qui a besoin de retrouver ces documents.

– André de Montbard ?

Cosimo fit non de la tête.

– Je pense plutôt à ceux qui seraient susceptibles d'être encore atteints par le passé d'Ismale. Qui savait ? Trahissait-il seul ? Si ce dossier s'égare, met-il des noms en péril ? Si oui, j'aimerais connaître leurs visages. Nous allons finir par saisir un lien, une idée, une personne qui servira à convertir nos bribes d'informations en une seule vérité. Il le faut bien !

À Venise, Cosimo réussit à retrouver Barkilphédron, le recruteur de Pierre de Montdidier. Il n'avait pas oublié l'efficacité dont le jeune homme avait fait preuve à Longue-Bois et se montra surpris, mais ravi de son retour. Cosimo sollicita un poste de garde sur la *Francesca Maria*. Il lui fut accordé sans peine ni délai : depuis le vol des documents de Montbard, la sécurité de ce navire était revue de bout en bout.

Le soir même, Tirchair, le second du chevalier de Montbard, était dans sa cabine. Il avait un visage répugnant. De gros yeux, un front mal fait et, avec cela, deux surdents. Cette hideur ne fit pourtant pas reculer une jeune femme qui se rua sur ses lèvres dans un baiser brûlant.

C'était Lÿs.

– N'est-il pas dangereux de nous voir ici ? demanda-t-elle en se reculant. On pourrait nous surprendre. Je ne veux pas être expulsée du pèlerinage.

Lÿs était passée des bras d'Oberon de Saintyves à ceux de Tirchair après une indiscrétion du religieux qui ne pouvait s'empêcher de faire partager sa « misère ». De ses plaintes, Tirchair avait surtout retenu la description de la fille et ses talents très spéciaux. Il s'arrangea pour la recueillir sous son aile.

– Ne t'inquiète pas, dit-il. Personne ne s'avisera d'approcher ma porte. Cette cabine est l'endroit le mieux gardé de toute la flotte. J'ai fait tripler la garde.

– Pourquoi tripler ?

– Une mauvaise affaire. Crois-moi, tu ne risques rien. Personne n'entre ici, à part moi.

– Et ta garde ne parlera pas ?

– Elle est la mieux recrutée qui soit. Ce sont des hommes sûrs.

Lÿs considéra les étagères, les objets disposés au-dessus du lit. Tirchair admirait sa silhouette. La fille avait abandonné son aube claire et gardé sur elle un voile effrontément ajouré. Elle faisait et défaisait des poses alanguies, inspectant la cabine de Tirchair.

– Tu parais bien curieuse, marmonna-t-il. Que cherches-tu ?

– C'est la première fois que je te rencontre dans un endroit qui t'appartienne, qui te ressemble peut-être ? J'essaie de te mieux connaître.

– N'y compte pas trop.

– Serais-je déçue ?

Elle avait une habitude de laisser traîner ses fins de phrases qui la rendait irrésistible.

Tirchair sourit et commença à défaire la boucle de son ceinturon.

Il s'arrêta net.

Lÿs était près d'une tablette dépliée. Une feuille était posée, un peu froissée. Très visible. Tirchair fronça les sourcils.

– C'est toi qui as apporté cela?

Il montrait le feuillet.

La fille le saisit et le parcourut rapidement.

– Non, dit-elle. Je ne sais même pas de quoi cela traite...

L'homme bondit et le lui arracha des mains.

Lÿs avait l'œil brillant.

Sous couvert d'anonymat, Cosimo avertissait à travers ce mot de son intention de restituer le « dossier volé » sur l'enquête d'Ismale Gui. L'heure et le lieu de la rencontre étaient fixés. Les exigences du receleur seraient exposées au moment dit.

Tirchair roula la lettre en tampon.

– Eh bien, dit Lÿs, ta garde a des progrès à faire si le premier venu peut encore déposer une lettre dans ta cabine!

Elle n'eut pas le temps d'achever, ni de remettre sa robe de repentie; elle fut jetée hors du compartiment de Tirchair.

Peu lui importait. Avec cette lettre, Lÿs était enfin payée de ses peines. Cela faisait des jours qu'elle se donnait à cet immonde personnage en espérant lui tirer un indice pour sa maîtresse. En vain.

Mais cette soirée était la bonne. Elle venait de découvrir le lieu et l'heure d'un échange secret qui concernait Ismale Gui! Erichtô serait ravie.

Sur le pont, un des gardes en faction proposa de la raccompagner au quai.

C'était Cosimo.

Lÿs et lui se retrouvaient pour la première fois depuis leur rencontre sur le convoi de Robert de Craon. La fille pâlit, presque effarée de revoir ce garçon qu'elle avait oublié.

– Eh bien, lui dit-il, je vois qu'on poursuit ses affaires.

– J'en ai autant pour toi.

– Je travaille pour mon compte. Mais toi ? Ta maîtresse jouerait-elle avec le diable ? Elle te laisse bien libre, il me semble. Pèlerine ou espionne ?

– Tu te présentes un jour en pénitent, aujourd'hui en garde... Ne fais pas l'entendu, tu n'es pas de taille.

Mais des hurlements montèrent de la *Francesca Maria* et interrompirent leur conversation. Tirchair quittait sa cabine avec le mot de Cosimo.

– Adieu donc, dit Lÿs en souriant. Ou à bientôt.

Elle disparut.

Cosimo pensa faire de même, mais il retourna à son poste. Il ne voulait pas être remarqué. Tirchair insulta longtemps l'incompétence de ses gardes avant de descendre à terre rejoindre ses chefs.

Le lendemain, Roland et Cosimo gravissaient les marches de l'escalier qui menait au campanile de l'église de Formantiza. Cette pointe dominait une placette vénitienne, ouvrant la perspective sur les ruelles qui s'y rejoignaient, ainsi que sur les toits environnants. La cloche était logée dans un espace encadré par quatre arches. Elle flottait dans l'air, masse sans vie au-dessus d'un trou où pendait la corde du sonneur. Un vent léger faisait vrombir son ventre comme celui d'un monstre qui dort. Le bedeau attaché à l'entretien passait sur une bande de pierre large d'un pied qui bordait l'espace tout entier. C'était là qu'arrivèrent Cosimo et Roland.

Dans peu de temps, la nuit allait envelopper toute la cité.

À hauteur de bras, une bougie flambait dans un renfoncement. Dès son arrivée, Cosimo la souffla.

Les deux compagnons se dissimulèrent derrière les pieds des arcs, les yeux tournés vers la piazza et les ruelles. Ils épiaient les moindres mouvements. C'était à cet endroit que devait avoir lieu la rencontre avec Tirchair.

La nuit était claire. Mais quelques gros nuages plongeaient par instants la cité dans l'obscurité. Un vent d'altitude balayait la nue alors qu'au ras des hommes tout était calme.

– Regarde, murmura Cosimo.

Il désigna une enfilade de toitures. Une dizaine de personnages se déployaient en silence, tout autour de la placette. Roland devina des flèches et des lames. C'étaient des soldats.

– Les hommes de la Milice ?

– Peut-être.

L'un des membres de cette troupe vint se placer sur une terrasse plus basse, non loin du campanile de Formantiza. Il était vêtu de noir.

– Ils ressemblent davantage à des mercenaires, dit Cosimo.

Quelques minutes plus tard, un homme apparut sur la piazza, seul. C'était Tirchair. L'heure du rendez-vous imposée par la lettre de Cosimo arrivait. L'homme s'appuya contre un pilier et attendit, regardant autour de lui.

Cosimo épiait les toits et les étages des maisons qui surplombaient le lieu du rendez-vous. Il fronçait les sourcils lorsqu'un nuage s'éternisait. Les

mercenaires étaient eux aussi dissimulés et attentifs. Cosimo laissa les minutes s'égrener. Tirchair
ne bougeait pas. C'est Roland qui indiqua un
mouvement suspect dans une ruelle menant à la
piazza. Les deux compagnons échangèrent leurs
places. Cosimo n'eut qu'à se basculer pour avoir
une vue sur l'endroit indiqué par Roland. Une silhouette était là, observant elle aussi la scène où
patientait Tirchair. L'inconnu portait un manteau
rapiécé de pèlerin avec une capuche à lacets et une
visière.

« Voilà un visage masqué qui m'intéresse », se
dit Cosimo.

La silhouette fit un pas en avant et entra dans la
lumière brève de la lune. Elle releva lentement sa
capuche pour observer les mercenaires sur les toits.
Son visage se dessina, le temps d'un éclair, visible
jusqu'au campanile de Cosimo.

– En vérité !

Cosimo manqua de tomber. Il restait stupéfait,
cloué au-dessus du vide.

La silhouette fit un mouvement d'épaules puis se
retourna, pressé de s'éloigner de la piazza.

Cosimo bondit. Roland le crut devenu fou. Il le
vit bloquer le battant de la cloche avec une fourche
prévue pour les changements de timbre.

– Ou je suis un dément, dit Cosimo, ou la nuit
me trompe...

Il se suspendit dans les airs.

– ... ou c'est mon oncle que je viens de voir en
bas !

Il se laissa filer le long de la corde. Éberlué,
Roland le suivit. Les deux hommes se retrouvèrent
dans les rues de Venise.

– Il ne faut le manquer sous aucun prétexte, dit
Cosimo en se mettant à la course.

Il repéra vite l'ombre mystérieuse. Le manteau et la visière la trahissaient. Elle montait sur une barge avec deux rameurs qui l'engagèrent dans un canal sans accotement pour les piétons.

– Nous le rattraperons au prochain croisement, dit Roland.

Les deux hommes partirent en se guidant à vue. Mais la semi-obscurité les égarait soit sur des entrées de palais, soit dans des culs-de-sac ou des ruelles qui se renvoyaient les unes aux autres. Impossible de retrouver la barque.

Ils cherchèrent jusqu'aux premières lueurs du jour.

En vain.

Plus aucune trace d'Ismale Gui dans Venise...

∞

– Je n'arrive pas à y croire...

Croitendieu avait rejoint Cosimo et Roland. Les trois amis étaient dans une petite taverne. La vision d'Ismale Gui sous le beffroi de Formantiza ne cessait de hanter Cosimo.

– Que veux-tu faire ? lui demanda Roland. Vas-tu apprendre à Payns que ton oncle est toujours en vie ?

Par une fenêtre de la salle, Cosimo voyait les quais et les mâts des bateaux. Il contemplait la flotte.

– Songes-tu qu'il peut être quelque part sur un de ses navires ? Déguisé en simple pèlerin ? D'abord je le crois mort, ensuite j'apprends qu'il est un traître, et maintenant je vois qu'il est toujours en vie ! C'est à n'y rien comprendre.

Il repensa à son retour au Tabor, au récit de l'assassinat de Draguan par Ruysdael et le Conseil,

les secrets de l'architecte, les livres envoyés...
Était-ce les préparatifs d'un départ pour la Terre
sainte ou d'une disparition habilement menée ? Un
simulacre d'assassinat ? Pour qui ? Vivant, aujour-
d'hui, quels étaient ses liens avec l'Homme sans
main et sans visage ou avec Hugo de Payns ?
Était-il seul ? Œuvrait-il à son compte ? Que voulait-il ?

– Je ne peux rien dire à Payns tant que j'ignore
le rôle exact d'Ismale, dit Cosimo.

– Étrange histoire, dit Croitendieu. Il y a tant de
pistes qui se perdent. Au fond, nous n'avons qu'un
mot : la Borne. Depuis notre départ, qu'avons-
nous appris dessus ? Rien. C'est comme un rêve,
un fantasme qui anime ces neuf chevaliers...

– Tu ne regrettes pas de t'être engagé ?
demanda Roland. Qui sait ce qui nous attend au
bout de cette aventure. Si ton oncle t'a tenu à
l'écart de ses intentions, de ce pèlerinage, s'il ne
t'en a jamais parlé, c'était sans doute pour une
bonne raison.

– Pour l'instant, répondit Cosimo, plus les questions s'accumulent, et plus j'ai l'envie d'avancer.
Ismale voulait-il me protéger en me défendant
autrefois d'apprendre le métier des armes ? Ou
voulait-il éviter que je n'entre un jour trop vivement dans ces affaires ? Ce que je fais aujourd'hui
en somme...

Il garda un long silence.

– Il faut poursuivre, conclut-il. Il est impossible
de s'arrêter.

– Que faisons-nous du dossier sur Ismale ?
demanda Roland.

– Nous l'emportons. Garde-le avec toi.

Il se tourna vers Croitendieu.

– Où en es-tu, mon ami ?

Depuis leur séparation avant Longue-Bois, Croitendieu était resté seul sur les convois, mais tout aussi immobilisé que ses compagnons par les ordres de Hugo de Payns. Ce n'est qu'à Venise que les trois amis purent se rejoindre et reprendre leurs activités. Le retard imposé par les autorités de Venise, le regroupement massif de tous les convois réduisaient à rien toutes les précautions de Hugo de Payns. C'était pour eux une aubaine. Alors que Roland s'occupa de Montbard, Croitendieu débuta ses menées autour du chevalier Godefroy de Bisol.

– J'avance péniblement autour du navire de Bisol, dit-il. L'homme est, semble-t-il, le « guide » du pèlerinage. J'ai appris qu'il était le seul à avoir parcouru tout le trajet, en reconnaissance. C'est lui qui a préparé les étapes de ravitaillement et situé les passes dangereuses à emprunter en Terre sainte. Mais je n'arrive pas à mettre un pied sur son vaisseau. Je dois me faire passer pour un marin de Venise. Je rencontre bientôt le capitaine de *L'Élection*, un navire privé qui va suivre le pèlerinage. Par lui ou par l'un de ses hommes, je pourrais peut-être connaître un matelot qui travaille près de Bisol et le remplacer.

Pour contenir le retard imposé par Venise, Hugo de Payns avait ordonné aux plus riches du pèlerinage d'affréter leurs propres bateaux. Ils devaient louer des navires et suivre le pèlerinage. Les capitaines indépendants de Venise comme Vandeslas Numa de *L'Élection* étaient toujours plus prompts et parés à prendre la mer que les lourds navires de commerce.

– Bien, dit Cosimo. Roland et moi allons rejoindre le bâtiment de Saint-Amant. Si nous ne nous revoyons pas d'ici le départ, nous nous retrouverons à Brindisi ou à Otrante qui doivent être l'une ou l'autre la prochaine étape du pèlerinage.

– Bien.

Ils quittèrent la Taverne pour le port.

Cosimo regardait les visages dans la foule; il s'attendait partout à voir paraître celui d'Ismale.

# II

## Le Complexe de Zénon

Les philosophes sont plus anatomistes que médecins : ils dissèquent mais ne guérissent pas.

RIVAROL

Pour cette étape d'Aquileia, Anx habitait une petite chambre du château qui accueillait leur convoi, perché sur une colline bordée de cyprès et d'arbres taillés en cône. La halte fut accueillie avec soulagement par les savants. La marche était pénible pour ces copistes, ces érudits, ces traducteurs plutôt habitués à se tenir assis tout le jour devant un lutrin qu'à arpenter les routes.

Il faisait nuit close. La jeune fille était seule, assise près de son lit à une table de travail éclairée par une bougie. Sous ses yeux, l'exemplaire du *Timée* de Platon tiré de la bibliothèque de son maître. Les pages étaient claires, les phrases suivaient un alignement impeccable, ornées de figures colorées dans les marges.

À l'aide de palets de rectangle numérotés et de deux lanières de cuir, Anx essayait de reconstituer la formule algébrique usée par Platon pour expliquer l'ordonnance de la voûte céleste. Elle s'apprêtait à faire pivoter les deux lanières lorsque la porte de sa chambre se mit à trembler. On heurtait rudement et sans marquer de pause.

La gamine se dressa. Elle rabaissa le capuchon de sa coule de clerc et alla dégager le loquet. C'était Flodoard. Le maître était habillé en grand équipage. Depuis l'entrebâillement de la porte, il jeta un regard sur la chandelle, la table de travail et le livre béant. Il nota que le lit n'avait pas été défait.

– Nous partons, dit-il. Maintenant.

Le nouveau jour n'avait pas une heure.

– Le supplément de soldats qui doit nous conduire et nous protéger vient d'arriver, dit Flodoard à sa disciple qui ne cachait pas sa surprise. Le départ est pour tout de suite.

Dans la chambre, Anx ferma son livre, rangea ses palets dans une boîte, réajusta ses vêtements, tourna ses cheveux pour retrouver son air de garçon, souffla la bougie et se précipita vers la sortie pour rattraper son maître.

Dans la cour du château, en dépit de la nuit, tout s'agitait. Depuis que le convoi des clercs avait quitté l'itinéraire de Hugo de Payns, il était sous la garde exclusive du capitaine Tudebode et d'une trentaine de ses meilleurs lanciers. Anx fut stupéfaite de découvrir ici un nouveau bataillon de soldats, étrangement accoutrés à la mode byzantine. Ils portaient des surtouts vert et bleu, des casaques blanches et des sabres à nu fortement élargis à la pointe.

– Ce sont des hommes dépêchés par le basileus de Constantinople, dit le bibliothécaire. Ils vont nous escorter jusqu'à sa cité.

Ils montèrent comme d'habitude dans la roulotte. La fille s'assit à son écritoire. Un feu brûlait dans la cheminée. Au bout de quelques minutes, l'attelage fut remis, le soc retiré et le branle du voyage recommença.

Une heure plus tard, on frappa à la porte. Le capitaine Tudebode entra sans que la roulotte ralentisse.

– Tout est en place, dit-il. La nouvelle garde byzantine a un peu de mal à entendre mes ordres, mais l'habitude nous donnera le même langage. Voici les conseils de route proposés par les hommes du patriarche.

Tudebode posa un rouleau sur le bureau de Flodoard. Il jeta un œil vers Anx. Personne encore n'avait reconnu le lecteur pour une jeune fille.

Flodoard lut une liste d'étapes principales : après Aquileia, Trojane, Petrijanec, Sandrovec, Cibalae, Sirmium, Glogovac, Rampiana au sud d'Aleksinac, Serdica, relais de Soneium à la frontière de la Dacie, Philipopolis, Daphabae, Tunurollum, enfin Constantinople. Cette liste ne déviait pas beaucoup des indications proposées par Bisol à Troyes.

– Il semble que la Hongrie soit notre partie la plus périlleuse, avança Tudebode.

– Nous serons vigilants, dit le bibliothécaire. Nous voyagerons désormais de nuit.

– Elles sont encore courtes en cette saison. Nous ne pourrons qu'avancer lentement.

– Nous marcherons à plus grand train, voilà tout. Nous ne voulons pas rater notre rendez-vous de Jérusalem. Vous savez comme le comte Hugues insiste pour qu'il n'y ait aucun délai supplémentaire.

Tudebode acquiesça. Il salua et sortit retrouver son poste en tête de convoi.

Flodoard inspecta de nouveau le rouleau des Byzantins.

– C'est loin, gémit-il.

Anx ne dit rien. Depuis le départ de Grousset, ses questionnements sur le bibliothécaire et ses hommes ne cessaient de se multiplier. Notamment lorsque, après trois jours de voyage, deux soldats rejoignirent le convoi à cheval avec, dans un coffret, la tête tranchée du pauvre Ignatius. Flodoard avait laissé ces enquêteurs derrière lui et ils avaient réussi à rattraper l'évadé et à le liquider. Erich présenta ce triste trophée aux autres savants. Ce jour-là, Anx comprit que ces hommes de savoirs et d'horizons différents n'étaient pas des prisonniers comme ils en avaient l'air, mais qu'ils avaient été engagés et payés de longue date par la Milice pour une mission qui devait se poursuivre et s'achever à Jérusalem. Aucun d'eux n'était autorisé à rompre l'accord d'ici là. L'exemple d'Ignatius était éloquent.

Depuis ce drame, Anx ne passa pas un jour sans se rappeler l'unique conseil que lui avait donné son père avant qu'ils se quittent : quelles que soient les conditions, même les plus favorables, toujours connaître un moyen de s'échapper. À chaque étape, à chaque lieu investi, le premier souci d'Anx était de s'assurer une issue. Elle connaissait la rotation des troupes de Tudebode, elle se renseignait sur la progression de l'itinéraire, sur les villages où elle pourrait se réfugier. Elle étudiait chaque soir l'emplacement d'arrêt de la roulotte de son maître et ses environs. Partout, tout le temps, elle pouvait s'enfuir sur-le-champ et semer ses poursuivants.

L'étoffe de croix consacrée du convoi des savants lui ouvrait de nombreuses portes. Elle put s'approcher sans crainte des chariots de livres et même parcourir les registres tenus par les clercs. Il y avait là des centaines d'œuvres. Presque toutes de grands savants arabes des cinq derniers siècles. L'entreprise de traduction avait été lancée par Hugues de Champagne en 1110. Anx avait désormais ces montagnes de pages à sa disposition et Flodoard l'encourageait à en lire le plus possible. Sa frustration n'en fut que plus mordante lorsqu'elle découvrit que quatre équipages, eux, restaient formellement interdits à tout le monde. Ils n'étaient pas couverts de toile, mais barricadés de bois et de fer, fermés par des serrures. Douze gardes leur étaient spécialement attachés. Personne n'en parlait. Elle n'osa pas s'en ouvrir à Flodoard, mais elle chercha un moyen de deviner ce qu'ils renfermaient.

Bien qu'il n'y eût plus beaucoup de prêtres avec eux, Anx se pensait toujours dans un pèlerinage et elle était souvent la seule à suivre les rites des pénitents, parfois au grand dam du bibliothécaire qui avait une lettre à lui dicter ou une leçon à finir. Le relâchement de piété inquiétait cette fille autant que les propos alarmants d'Ignatius sur le but de la Milice. Étaient-ils liés ? Et voilà que cette nuit des gardes envoyés par l'empereur de Constantinople venaient encadrer leur marche !

– Tout cela est étrange, dit soudain Anx à son maître en dépit de sa concentration.

Il releva le front, surpris.

– Comment ?

– Nous emportons près de deux bibliothèques d'abbaye avec nous, nous voyageons sous la garde d'hommes envoyés par les ennemis de Rome, et de nuit ! Je ne vous vois jamais prier, je ne vous vois pas marcher. Pour quelle raison, mon Dieu, faisons-nous ce pèlerinage ? Que se passe-t-il ?

Un froncement de colère rida le visage du bibliothécaire.

– Si je pouvais répondre d'une phrase à ces questions, ma petite, cela ne vaudrait pas toute la peine que je me donne, crois-moi. Tu es impatiente. Les jalons d'un chemin se respectent. Il n'y a pas de raccourci non plus dans le domaine qui nous concerne. Nous sommes ensemble depuis plusieurs semaines et je tâche de t'instruire en prenant les choses dans le bon ordre. Tout viendra en son temps.

Flodoard reprit l'étude du trajet.

Déçue, Anx fit mine de retourner à ses lectures. Elle songea au *Timée* de Platon et à sa curieuse sphère représentant l'âme du monde...

Depuis son introduction auprès du bibliothécaire, elle suivait une initiation itinérante commencée par l'étrange « Croire en tout » ; mais ce n'était qu'un modeste début, chaque leçon la trouvait plus surprise ou plus décontenancée par les arguments de Flodoard.

Un jour, il assena :

– L'héritage de la pensée grecque est une catastrophe. La religion chrétienne aurait pu élargir une voie neuve et merveilleuse, la première depuis des siècles, mais elle a été contaminée et sabotée par ses Pères grecs et latins. C'est un gâchis lamentable !

Anx n'arrivait pas à croire à cette sortie. L'Antiquité ? Toute la culture occidentale était basée sur son legs. On n'avait pas assez de mots pour louer les philosophes grecs, pas assez de louanges pour le raffinement de leur pensée.

Elle protesta :

– N'est-ce pas aux Grecs que nous devons tout ? Nous réfléchissons, nous étudions, nous approfondissons notre monde, notre condition, tel qu'ils nous ont appris à le faire. L'Antiquité, c'est la lumière avant le Christ !

Flodoard hocha la tête.

– Les Grecs n'ont fait qu'une seule découverte, ma petite : c'était que l'homme prenait *plaisir* à penser. Tout part de là. Naturellement la raison grecque a suggéré aux hommes : vous pouvez tout comprendre. Elle nous a inoculé l'idée que, en puissance, il n'est pas d'énigme sur cette terre qui n'ait quelque part sa solution. À l'évidence, c'est flatteur, cela encourage à raisonner, mais c'est totalement faux ; l'homme ne peut pas tout comprendre. Le comble est que certains philosophes de cette période ont tôt perçu cette évidence. Mais ce n'est pas ce que les siècles futurs ont décidé de retenir de l'aventure grecque. Ils ont gardé la pensée sans la sagesse. Connais-tu Zénon ?

– Celui des paradoxes ?

– Voilà pour le coup un véritable « miracle grec » et qui confirme ce que je viens de dire. Zénon d'Élée est du $v^e$ siècle avant Jésus-Christ. Il est bien connu pour avoir un jour démontré à un archer que sa flèche ne pourrait jamais atteindre sa cible. Selon lui, pour aller de l'arc à la botte de paille, il lui fallait *en réalité* franchir dans les airs les premiers dix mètres, les premiers cinq mètres, le premier mètre, le premier centimètre, le premier demi-centimètre, et ainsi de suite à l'infini de l'infini des fractions de l'espace. Pour Zénon, le mouvement n'existait pas et la flèche devait rester éternellement immobile, toujours prisonnière d'un nouveau point intermédiaire à franchir. L'archer sourit de la déduction, décocha son coup en pleine mouche et rentra chez lui. Les paradoxes éculés de Zénon ont diverti des générations de penseurs. Ils sont comme des jeux. On s'étonne, on s'ébahit devant leur logique implacable, on s'en inquiète un instant, puis, tous autant que nous sommes, nous faisons comme l'archer de la légende : un petit acte quotidien pour nous assurer que tout cela n'est qu'une fable et l'on rentre chez soi, comme si de rien n'était. J'insiste : *comme si de rien n'était*. Zénon a nié le Temps de la même manière que l'espace, rappelant que pour qu'une seconde s'écoule il fallait qu'elle dépassât sa demie, puis son quart, puis son tiers, les fractions des millisecondes, etc., sans jamais trouver la moindre possibilité de passer d'un moment à l'autre. Cela peut-il être vrai ? Le Temps existe-t-il vraiment tel que nous le vivons ? Qu'importe ! On détourne l'attention. C'est ce que j'appelle le Complexe de Zénon. Il s'applique à toutes les théories établies par l'homme depuis qu'il songe sur de grands ensembles : on réfléchit, on prend un plaisir fou à cela, on échafaude des systèmes fabuleux, mais si jamais ces derniers ont le malheur de limiter la portée de notre intelligence, voire s'ils aboutissent à révoquer le fait même que nous existions, alors on se contente de sourire bêtement et de revenir à des concepts plus tranquilles.

— Je ne vous suis plus, dit la fille. Il y encore peu, vous m'ordonniez de croire en tout, les rites égyptiens, païens, celtes, grecs, indiens ; et aujourd'hui, vous me demandez de *douter* de tout ? Y compris du Temps ?

— Ce n'est pas cela. Je peux croire que l'univers a été créé en six jours, ou que le soleil se lève chaque matin tiré par un Jupiter sur son char d'or, mais je dois renoncer à savoir pourquoi cet univers est là, je dois renoncer à expliquer l'existence de la lumière ! L'homme cherche à percer les secrets de l'univers comme s'il l'observait de l'extérieur, comme s'il en dominait la perspective. Il pense recenser les mécanismes de la vie alors qu'il est un agent, une manifestation de cette vie. Il est limité. Il n'a pas toutes les données du problème en main. On n'explique pas un phénomène lorsqu'on est soi-même une expression de ce phénomène ! C'est absurde. En tout cas, sa vue est condamnée à demeurer fragmentaire, incomplète.

Anx fronça les sourcils.

– Alors... la flèche n'atteint jamais sa cible ? dit-elle.

Flodoard acquiesça d'un lent mouvement de la tête, en souriant.

– Et la première seconde ne s'écoule jamais, dit-il.

La fille prit un temps, troublée.

– Le temps et le mouvement n'existent pas ? Comprendrai-je ce « charabia » avant d'arriver à Jérusalem ?

– Je ferai tout pour t'y aider, dit l'homme. Mais pour l'heure, il faut que tu désapprennes à réfléchir comme tes pairs te l'ont enseigné. Méfie-toi de la logique. Dès que l'on veut atteindre certains sujets, elle devient tout simplement un « leurre ». Et ce qui révolte ta raison, comme aujourd'hui sur l'espace et le temps, est parfois plus proche de la *réalité* que ton entendement des choses quotidiennes.

Depuis cette étrange leçon, Anx s'était précipitée sur le *Timée* et sur tous les ouvrages approchant de l'ère antique. Elle étudia ce plaisir de penser exacerbé par les Grecs et ces folies entraînées par une logique inflexible.

Dans le même temps, elle chercha à approcher ces quatre chariots blindés.

# III

## Le Mécréant des Pèlerins

Celui qui nous jugera sur ce que nous aurons fait dans notre vie est Le Même qui nous a créés fragiles.

STEVENSON, *Le Maître de Ballantrea*

L a flotte de Hugo de Payns avait enfin quitté la lagune de Venise. Un vent léger gonflait la mâture carrée des bâtiments. Au loin, on voyait s'estomper les lignes de terre. La mer était belle et lumineuse. Cosimo se tenait avec Roland sur le pont arrière du *Carlus Magnus*, le navire de tête du chevalier Étienne de Saint-Amant.

Ils s'étaient placés de manière à parler dans le vent à l'abri des autres passagers. Le tillac était encore pris dans le désordre du départ. Depuis une cale, on entendait les soubresauts d'un cheval mal suspendu. À l'entrepont, des querelles montaient au sujet des accommodements, beaucoup de « marcheurs de Dieu » étaient déjà écœurés par le roulis qu'ils découvraient pour la première fois.

À l'horizon, les bâtiments armés des chevaliers encadraient les embarcations des pèlerins. Ces dernières cinglaient en ordre rangé. Tout avait été pensé pour contrer une attaque d'envergure. Les bateaux privés des nobles restaient eux aussi à des encablures raisonnables pour profiter de la protection de la Milice.

À Venise, Roland avait brièvement fait son enquête sur Saint-Amant.

– C'est un personnage suspect, dit-il. De tous les chevaliers de l'ordre, la rumeur raconte qu'il est le moins religieux, le moins chrétien. Personne jusque-là ne l'a vu assister à une messe. Il ne porte aucun attribut chrétien, ni croix, ni indice monastique comme ses frères.

– Qu'en est-il vraiment ? demanda Cosimo.

– Cela semble assez vrai. L'homme est peu disert. Il est surtout occupé par la « technicité » des moyens du pèlerinage. Par exemple, dès son arrivée à Venise, il a été le premier à investir son navire, l'étudiant dans tous ses aspects. En quelques jours, il a perfectionné le système de cordage et de voile. Les marins vénitiens n'en revenaient pas. Cet homme, qui n'avait jamais mis un pied sur les flots, a saisi en quelques jours le fonctionnement des bâtiments soumis aux vents et, par théorie seulement, a inventorié les dangers et les caprices de la mer. Nous voilà aujourd'hui sur le navire qui vogue le plus vigoureusement de toute la flotte. Regarde ces poches de récupération d'eau de pluie qu'il a installées sur les vergues ! Nous ne manquerons de rien avec un homme comme lui.

– Des poches de récupération d'eau ? Alors Saint-Amant est un ingénieur...

– J'ai noté qu'il avait refusé de se séparer de ses outils de travail pendant la traversée. On m'a dit qu'il avait fait agrandir sa cabine pour pouvoir entrer tout son matériel. Il reste à peine assez de place pour tendre un lit de corde.

Saint-Amant apparut un peu plus tard sur le pont. Cosimo le regarda passer. C'était un homme petit et rond. Il avait le crâne rasé et une longue barbe grise.

Il traversa le navire, suivi par un jeune clerc, habillé de couleurs vives, et s'engouffra dans l'entrepont principal. Cosimo nota sa mine inquiète.

– Il est certainement préoccupé parce que son « christianisme » va être bientôt mis à l'épreuve, dit Roland. Une femme enceinte fait partie des pénitents embarqués. Elle est à quelques heures de son terme.

– Eh bien ?

– Saint-Amant est la seule autorité religieuse à bord. Dès qu'il a su la présence de cette future mère, à Venise, il a fait chercher partout un prêtre. Mais aucun n'a voulu abandonner ses pauvres ou sa paroisse. Saint-Amant ne pouvait pas interdire sa passerelle à cette femme sans créer un scandale. Maintenant, si l'enfant naît vivant, il faudra le baptiser. Saint-Amant va devoir présider et conduire la cérémonie. S'il est si peu chrétien qu'on le prétend, la vérité éclatera tout de suite.

– On baptise les enfants ?

– En mer, oui. Les chances de survie sont maigres. Il faut agir vite.

– Qui est le garçon qui le suit ?

– C'est Dieujuste, son fidèle. Il ne le quitte pas d'une ombre et participe à tous ses projets. Il est le seul qui soit autorisé à entrer dans sa cabine. Il est du reste le seul à détenir le double de la clef.

– On ne sait rien du passé de Saint-Amant ?

– Tout ce qu'on apprend ici s'apprend par la rumeur et, pour l'instant, la rumeur veut seulement savoir s'il est chrétien ou non.

– Bien.

∞

Trois nuits plus tard, en pleine obscurité, les navires du pèlerinage languissaient à l'arrêt, à peine balancés sur la mer immobile. Tout se taisait. Seul le bois des carènes craquait, par intermittence. La nuit était sombre et tiède. Pas de vent. La flotte reposait.

Sauf le *Carlus Magnus* de Saint-Amant.

Tous les passagers étaient rassemblés sur le pont. L'équipage avait suspendu des lanternes aux vergues et le long des haubans. Une lumière blême baignait tout le navire. Quelques marins des bâtiments voisins contemplaient sans comprendre ce spectacle étrange. Une telle lumière dans la nuit ne présageait rien de bon.

Sur le tillac du *Carlus Magnus*, personne ne parlait. Les pénitents étaient en cercle autour de la mère en souffrances qu'on avait apportée à l'air libre.

Saint-Amant attendait, en retrait. C'était la première fois qu'on le voyait ceint d'un crucifix pectoral. Beaucoup priaient pour l'enfant à naître, d'autres observaient la femme en sueur, d'autres encore ne quittaient pas leur maître des yeux. Il agitait ses doigts, jetant des regards brefs sur la scène.

Cosimo Gui était à quelques pas du chevalier.

Après deux longues heures, l'enfant parut. Son premier cri fut foudroyant. On l'entendit de bord en bord, sur plus de dix navires.

Le cercle des témoins s'écarta pour laisser passer Saint-Amant. L'assistance attendait sa réaction. Saint-Amant prit une inspiration et s'avança. Lentement. Personne encore ne s'était réjoui de la naissance de l'enfant, pas même l'accouchée. On attendait le sacrement de l'Église.

Saint-Amant arriva près du nourrisson. La vue du sang gouttant sur le plancher l'écœura. Son visage blanchit, mais il réussit à se contenir, évitant de regarder la flaque noirâtre qui coulait entre les jambes de la mère. En dépit de cette première faiblesse, on sentit bientôt qu'il attachait à son devoir une attention particulière. Il débuta la cérémonie. À l'énoncé des premières phrases en latin, connues de tous, la tension s'évanouit. On se sentit libéré. L'homme était bien des leurs, et il baptiserait ce nouvel enfant dans la perfection des rites et du canon.

Cosimo observa. Après les chants, le nom de Lazare fut donné à l'enfant. Le chevalier accomplit sobrement du pouce un signe de croix sur le petit front rougi.

Cosimo pâlit en voyant ce geste. Saint-Amant n'avait pas fait une croix ! Personne ne l'avait remarqué.

Après le dernier hymne, l'on se sépara. La mère fut emportée avec son fils. De tous, le plus prompt à disparaître fut Saint-Amant lui-même. Il avait retrouvé son teint inquiet et livide. Il s'engouffra vers sa cabine.

Cosimo le suivit.

∞

Ayant clos la porte derrière lui, le premier réflexe du chevalier fut d'arracher la croix qu'il avait sur le torse et de l'envoyer voler.

– C'est à vomir. Ce sang...

Partout des malles étaient empilées, au point de réduire la cabine à trois pas d'espace. Le chevalier se précipita sur un coffre sorti des rangs et tourné à la verticale. Il défit le verrou. L'intérieur était prodigieux : tendu d'étoffes, il présentait trois niveaux couverts de figurines religieuses, des morceaux de pierres et des fragments de parchemins. Une statue blanche trônait au milieu.

Saint-Amant en tira un manuscrit, un miroir et une règle à chiffrer. Il chercha aussi une plume ou une mine pour écrire.

Il entendit la porte qui s'ouvrait et se refermait derrière lui.

– Dieujuste, dit le chevalier sans se retourner, où as-tu rangé mes styles ? Je dois reproduire cette abjecte cérémonie avant de me purifier.

Pour toute réponse, il sentit la pointe glacée d'une lame se figer dans la partie en creux de sa nuque.

– Ne bougez pas, dit une voix.

Saint-Amant se raidit. Son miroir et sa règle à chiffrer tombèrent au sol.

– Que voulez-vous ?

– Parler.

Saint-Amant fit mine de vouloir refermer sa malle.

– Ne bougez pas.

La pointe se fit plus pressante.

– Parler... Parler de quoi ?

– J'ai reconnu le geste que vous avez pratiqué sur l'enfant.

– Le geste ?

– Ce n'est pas une croix que vous dessiniez sur son front.

Quelque chose se figea au fond de Saint-Amant. Il ne répondit pas.

– Et là, reprit la voix, ce que j'aperçois dans cette malle confirme votre imprudence de tout à l'heure. Le personnage central, tout orné de richesses, me direz-vous son nom?

Les lèvres de Saint-Amant s'entrouvrirent, mais rien ne sortit. La statuette représentait un souverain biblique, le poing tendu, debout devant son trône, une huppe à sa droite, une fourmi rongeant le sceptre royal. Le roi Salomon.

– Les pèlerins avaient raison de mettre en doute votre piété, reprit la voix. Pour un soldat de Dieu, au service des pénitents, comment reconnaître qu'on se voue à un autre culte que celui de Jésus? Un culte oublié depuis longtemps.

– Que me voulez-vous? dit Saint-Amant.

– Aucun mal. Pour vous prouver mes bonnes dispositions, je vais même détendre la pression de mon fer. Ne croyez pas la menace partie. Si vous vous retournez, je vous égorge comme une bête.

Saint-Amant sentit la pointe se relâcher.

– Causons de ce « S » que vous avez imprimé sur le front de votre nouveau chrétien. Ainsi, il est encore aujourd'hui de bons hommes d'Occident pour perpétuer la mémoire d'un vieux roi juif? J'ai eu beau m'intéresser à Salomon autrefois, je n'arrive toujours pas à saisir l'intérêt d'un tel culte.

Saint-Amant soupira.

– Vous ne connaissez pas Salomon.

– J'en sais ce que dit la légende.

– Les textes juifs et chrétiens avouent assez peu de choses sur son compte. Il y est révéré, mais tout n'est pas dit.

– Il existerait un Salomon que nous ignorerions?

– Il est au-delà de ce que vous pouvez imaginer. Mais c'est impossible à dire sous la menace d'une arme!...

– C'est égal, vous résumerez.

Saint-Amant sentit la lame lui griffer la peau. Il fut un long temps avant de reprendre.

– La tradition du Livre des Rois de la Bible s'est contentée de comptabiliser les actes et les richesses de Salomon, fils de David. Elle honore le fondateur du Temple, le roi couvert d'or, le puissant chef de paix, le justicier et le sage, mais elle passe sous silence ce qu'il a vraiment été. Sans doute par précaution, peut-être par méfiance, afin que cette figure n'effaçât pas pour de bon Moïse et David lui-même. En tout cas, c'est un Salomon amputé de ses ambiguïtés qui a traversé les âges.

– Continuez.

– Pour les Arabes, il est tout autre. Les prophètes et les rois du passé n'étaient pas pour eux des êtres voués à Dieu répétant aux hommes les ordres que leur Seigneur leur inspirait. Ils possédaient *en propre* la sagesse divine. Dieu leur avait cédé le don de faire des miracles. De tous ces êtres privilégiés, Salomon fut le plus favorisé. Aucun secret ne lui résistait. Il connaissait tout de ce monde, mais aussi des autres qui existent en parallèle du nôtre, au-delà de notre réalité ; il maîtrisait les éléments et les choses, il savait le langage des oiseaux, l'incohérence des songes, le vol des diables au-dessus de nos têtes. Le premier, il domestiqua les démons, ces êtres du mal qui infestaient la terre. Le premier, il les rendit à sa merci ! Comment imagine-t-on que Salomon soit devenu si riche ? Comment a-t-il pu faire bâtir un si beau Temple ? Pourquoi ce monument n'a-t-il jamais été reconstruit à l'identique en dépit de toute la force et de la science des hommes ? Qui plongeait au plus profond des océans pour lui rapporter cet or et ces pierres précieuses dont on parle encore avec ravissement ? C'étaient les démons ! Les diables aux pouvoirs surnaturels dont il avait réussi à vaincre la rébellion. Les djinns.

– Vous vénérez un roi qui aurait assis sa gloire grâce aux forces du mal?

– Non pas. Nous vénérons le premier des maîtres qui comprit, dans toute sa grandeur d'âme, que le bien et le mal étaient faits pour s'unir et non pour s'opposer, qu'ils étaient complémentaires et que seul leur asservissement sous une même volonté permettrait à ce monde imparfait de s'achever. Il a utilisé les diables-djinns pour accomplir ce que les hommes ne pouvaient exécuter, il a pris les hommes pour penser ce que les diables-djinns ne pouvaient entendre, il a pris les anges pour parfaire ce que ces deux Natures ne faisaient que rêver. Cette sagesse, c'est Salomon qui la personnifie. Il fut le roi des hommes, des anges et des démons. Personne avant, personne après lui ne s'est plus attelé à cette union des forces.

– C'est un conte...

– Un conte? Attendez que nous arrivions à Jérusalem. Un conte? Vous verrez bien.

– Comme tout le monde, je connais la légende du sceau de Salomon, de l'anneau qui lui donnait sa sagesse... Est-ce là ce que vous cherchez? L'anneau sacré?

– Bah! répondit Saint-Amant. Pas du tout. Le sceau est un symbole confus, un jouet agité pour détourner l'attention des curieux. Non, il y a bien plus fort que cela, bien plus estimable.

Le chevalier avait de la peine à rester à genoux.

– Vous me forceriez à vous en dire plus, reprit-il, je ne le pourrais pas. Je ne suis qu'un ingénieur. Regardez ces outils.

Il y eut un long silence.

– Nous retournons chez Salomon, et la vérité apparaîtra. C'est une certitude. Ce qu'il a su, nous le saurons enfin !

Rien.

– Vous êtes toujours là ?

Pas de réponse.

Saint-Amant recula les épaules. Il ne sentit aucune pression, pas la moindre pointe d'épée.

Lentement, il se retourna.

L'inconnu avait disparu. La porte était ouverte.

Saint-Amant bondit.

Dans le couloir, son fidèle Dieujuste était évanoui par terre. Sur son ventre gisaient négligemment sa clef de la cabine et son épée.

Saint-Amant se précipita sur le pont.

Le jour se levait, les premiers rayons commençaient de blanchir la ligne d'horizon. Il n'y avait que quelques membres d'équipage en vue.

Le chevalier gronda intérieurement.

« Je vais passer des jours sur ce navire avant la prochaine étape. Parmi la centaine de pèlerins que nous emportons se cache mon assaillant... »

Un homme passa près du chevalier en le gratifiant d'un salut respectueux.

Désormais, le moindre regard lui paraîtrait suspect.

Saint-Amant retourna à sa cabine, décidé à ne plus se montrer.

Cosimo rejoignit Roland.

– Eh bien ?

Ils parlèrent à voix basse, loin de tous.

– Saint-Amant est un adepte de la secte salomonienne, comme Ismale l'était autrefois. Il parle lui aussi d'une *Révélation* qui doit avoir lieu à Jérusalem. Il est ingénieur. Ses outils et son savoir doivent servir en Terre sainte, des machines seront donc nécessaires aux objectifs de la Milice. Cette Borne ressemble de plus en plus à une relique protégée par des forces obscures, un mécanisme de sûreté, et dont la découverte doit révolter le monde. Une relique liée à une histoire de Solomon que nous ignorerions. Saint-Amant a parlé des anges et des djinns. Cela rejoint le récit que j'ai entendu à propos de Carl et de ses pouvoirs. Il a refoulé les esprits dans une grotte gauloise! Et cette masse reconstituée que j'ai découverte avec Croitendieu chez Jean du Grand-Cellier dans son laboratoire avec les sphères? Il faudra sans doute tous les talents de l'ingénieur Saint-Amant pour l'extraire si elle est enfouie sous terre. Un emplacement souterrain que seul un architecte comme Ismale Gui pouvait mettre au jour. Ce que m'a avoué Oberon de Saintyves était juste: chaque chevalier est là pour une mission précise, chacun est une force, ils s'associent. C'est une organisation incroyablement réfléchie, mais où chacun avoue ne connaître qu'une partie de la mission. Seuls quelques-uns doivent savoir le but ultime de cette expédition. Et tout cela venant insensiblement rejoindre Salomon. Salomon?

Cosimo songea aux souvenirs qu'il avait gardés de ce roi. Il revoyait le tableau que son oncle avait suspendu dans son bureau à la Ghilde: la Condamnation du djinn...

– Bien sûr, le djinn!

Ce démon étrange qui avait compilé tous les secrets du roi sur quatre livres. La connaissance absolue. Les livres dissimulés dans la base du trône que personne n'avait retrouvés...

– Est-il possible que ces livres existent vraiment? La Milice part-elle les retrouver? Mais pourquoi ce nom de Borne? Quelle Borne? Quel lien avec des livres ? La légende parle d'un savoir infini... alors pourquoi le mot de Borne ? Qu'est-ce qu'elle limite ?

– Il nous manque encore des indices, dit Roland.

Il regarda la flotte.

– Et Ismale quelque part, au fait de tout cela.

– Oui. Ismale quelque part...

# IV

## Un Océan noir

Qui que nous soyons, nous sommes des ignorants. Ignorants de ceci, sinon de cela. Nous pas-
sons notre vie à avoir besoin de révélations. Il nous
faut à chaque instant la secousse du réel.

VICTOR HUGO, *Le Promontoire du Songe*

Alp Malecorne était seul. Il observait la réflexion de son visage sur la vitre du vaisseau. Son teint pâle glissait sur le fond d'étoiles et de galaxies qui se déroulait lentement. Plus près, il apercevait les autres croiseurs du pèlerinage de Hugo de Payns. Ils avançaient en formation serrée, accumulant les parsecs dans le silence des profondeurs.

Une porte s'ouvrit. Alp ne bougea pas, l'un de ses mercenaires entrait. Comme son maître, ce dernier avait quitté son uniforme de tueur pour endosser un costume de pèlerin. Erichtô avait fait de ses filles des prostituées en quête de pardon, Alp avait fait de ses soldats des moines d'un monastère des contrées du Nord, trop éloigné pour être reconnu.

Le mercenaire déposa un cube noir sur la table ronde du centre de la cabine. Alp fit un geste pour signifier qu'il n'avait besoin de rien d'autre. L'homme sortit.

Malecorne resta encore à sa contemplation des astres. Il sortit un commutateur de sa poche et lança soudain un ordre à ses hommes :

– Faites sortir les deux prisonniers et conduisez-les sur le pont.

Il se tourna ensuite vers la boîte noire qu'avait apportée le mercenaire. Elle portait un cercle rouge sur sa face supérieure. Il s'avança et posa lentement un doigt dessus : une source lumineuse jaillit des arêtes du cube. Alp recula. En quelques secondes, une masse se dessina en hologramme. Un bloc, un rocher avec quatre trouées réparties sur ses deux flancs principaux. Alp observa la simulation réduite du sarcophage de la Borne.

– Te verrai-je jamais en réalité ?

Il tourna autour.

– L'erreur de Hincmar, se dit-il, comme celle de ceux qui l'ont précédé, était double. D'abord il n'avait pas le compte exact de sphères. Ensuite, il était seul.

Il se rapprocha.

– Si l'Homme a raison et que le synchronisme d'entrée des sphères est indispensable, cela veut dire, d'après l'emplacement des ouvertures, qu'il faut être deux pour pouvoir libérer la Borne. Deux personnes.

Alp se prit à rêver qu'il serait l'une de celles-là !

Puis il éteignit le cube lumineux. Il fronça les sourcils et prit subitement la sortie.

Depuis son embarquement avec Erichtô sur ce croiseur dans le système de Venise, il attendait avec impatience la prochaine étape de la traversée de l'Océan, située sur la planète d'Otrante.

« L'Océan ». C'était une zone de dangers. Chargée de matière négative, cette étendue de l'espace occupait les deux tiers de l'univers connu. Elle permettait de voyager plus rapidement avec une dépense d'énergie quasi nulle. Mais ce milieu était instable. Des courants, des remous de nappes pouvaient coucher les bâtiments et les engloutir. Les épaves ne reparaissaient jamais. Les croiseurs Asimo 5 n'étaient pas habilités à naviguer sur cette zone. Les *Flottants* étaient des appareils conçus pour disperser un champ de particules « neutres » autour de leurs coques et les protéger de la matière noire. Les pèlerins durent tous débarquer dans le système de Venise pour rembarquer sur des *Flottants*.

Alp et Erichtô patientèrent comme tout le monde sur ce port stellaire en bord d'Océan qui était le comptoir commercial le plus florissant du moment. Les deux envoyés de l'Homme sans main et sans visage s'alarmaient de ne recevoir aucun ordre nouveau de leur maître. Ils durent se plier aux conditions de la Milice qui commandait aux pèlerins fortunés de faire appareiller leurs propres vaisseaux. Alp et Erichtô recrutèrent un vaisseau, un capitaine, un équipage et de l'espace pour leurs filles et leurs mercenaires. Personne d'autre ne fut toléré à bord. Le vaisseau trouvé par la courtisane se nommait *L'Élection* et le capitaine, Vandeslas Numa.

Alp entra dans la chambre d'Erichtô sans se faire annoncer. Il vit une silhouette sortir des draps de la femme et disparaître derrière une porte. Il avait reconnu un de ses hommes.

La femme avait coutume de profiter des mercenaires vigoureux de Malecorne. C'était sa manière de passer le temps.

– Ce pèlerinage est d'un ennui, gémit-elle comme pour se justifier.

Elle s'étira sous des plis légers, couchée sur la poitrine, les coudes en avant. Les draps couvraient son dos à demi.

– Regarde-toi ! reprit-elle. Tu t'inquiètes trop. Tu ne dors pas, tu ne manges plus.

Alp s'assit sur le bord du lit, insensible aux épaules nues de la femme.

– Que veux-tu encore ? demanda la courtisane.

– Nous ne devrions pas rester sur ce pèlerinage ! C'est trop dangereux.

– L'Homme n'a rien ordonné. Si tu veux lui désobéir, libre à toi.

Un hublot ouvrait sur l'Océan. Alp scrutait l'espace noir comme on guette l'entrée d'un antre.

– Sa flotte est parée, dit-il. Il ne va plus tarder à affronter les vaisseaux de Payns. Comment nous reconnaîtra-t-il entre tous ces appareils ? Nous n'avons aucun moyen de nous faire identifier. Nous serons massacrés avec les chrétiens.

Erichtô se redressa mollement. Un drap relevé sur les seins, elle rapprocha ses genoux et s'assit entre des coussins.

– Est-ce cela seulement ? murmura-t-elle. À ta place, je serais plus inquiète de revoir le maître et de n'avoir rien de nouveau à lui soumettre. Malgré les indications de Lÿs à Venise, tu n'as pas su mettre la main sur le dossier d'Ismale. La torture de nos deux prisonniers ne t'a rien apporté et elle risque même de nous être fatale si l'on subit un contrôle de la Milice à Otrante.

Alp marcha droit au hublot.

– Je les ai fait monter sur le pont, dit-il. Ils vont disparaître.

– Soit. Mais ils n'ont rien avoué au sujet du neveu d'Ismale...

Alp ne répondit pas. Tout était allé très vite.

La femme agita une cordelette pendue à la tête du lit. La jeune Lÿs entra avec un plateau de boissons tièdes.

354

– La misère de ce voyage est à vous tirer des cris, dit Erichtô. De l'eau chaude !

Alp regardait l'espace. Une lune rousse se détachait de plus en plus dans le noir de l'Océan.

– Nous approchons d'Otrante, dit-il.

– Dépêche-toi de t'occuper des prisonniers. Expulse-les sur l'Océan. Pas de trace, pas de risque.

Alp haussa les épaules. Cet homme sans âme gardait un fond de dégoût lorsque ces femmes se montraient cruelles comme ses tueurs.

Sur ce, il quitta la courtisane.

# V

## Le Troisième Compagnon

> La vraie vérité est toujours invraisemblable, le
> saviez-vous ? Pour rendre la vérité vraisemblable, il
> faut absolument y ajouter un peu de mensonge.
> C'est ce que les hommes ont toujours fait.
>
> DOSTOÏEVSKI, *Les Possédés*

La flotte conduite par la Milice arrivait à l'extrémité sud de l'Italie, devant le golfe d'Otrante. Les navires mouillèrent en rade du port de marchandises que leur avaient cédé les autorités le temps de l'étape. Là, un long approvisionnement d'eau et de vivres se mit en mouvement. Les navires étaient convoqués selon un ordre strict, mais beaucoup se ruaient sur l'embouchure de la jetée. Le passage du *Carlus Magnus* où étaient Cosimo et Roland se fit dans un vrai désordre.

Dès la passerelle lancée à terre, Cosimo et son ami furent les premiers à débarquer. La foule couvrait intégralement les quais. Ils se faufilèrent et passèrent devant le premier navire à avoir atteint l'étape : *L'Acturus* de Hugo de Payns.

– Il ne quittera plus le port avant le départ de la flotte, dit Cosimo. La halte doit s'étendre sur quatre jours. Il faut d'ici là découvrir un moyen de monter à bord. Mais, en premier, retrouvons Croitendieu.

Une règle avait été établie depuis longtemps entre les trois amis : partout où ils devaient se réunir sur des terres étrangères, ils devaient repérer l'auberge la plus fréquentée et s'attendre ou laisser un mot pour les autres. Cosimo et Roland appliquèrent leur formule. Ils remontèrent les ruelles encombrées. La venue des pèlerins bouleversait Otrante. Le soir tombait, mais la foule ressemblait à celle des grands marchés. Elle se ressentit encore plus à la Taverne d'Erick où les deux compagnons pénétrèrent après s'être renseignés. Ils n'y trouvèrent pas Croitendieu. Le tavernier haussa même les épaules à leurs questions. C'est qu'il n'était pas d'humeur : ses salles pouvaient être pleines, là où d'habitude ce n'était que beuverie, chanson, danse, et tonneaux en perce, il n'avait que des pénitents fatigués attablés sans grande soif. Cosimo et Roland interrogèrent autour d'eux à propos du *Bastidus*, le vaisseau de Godefroy de Bisol où devait s'être introduit Croitendieu à Venise. Personne ne savait.

– Il ne reste qu'à retourner sur le port et savoir si le vaisseau de Bisol est amarré, dit Cosimo après avoir laissé un mot pour son ami à la femme du tavernier.

En questionnant les marins, ils apprirent que le *Bastidus* avait été l'un des premiers navires à accoster. Les deux amis retrouvèrent même son quartier-maître et lui dépeignirent Croitendieu. L'homme ne reconnut personne sous cette description pourtant détaillée. Il était formel quant à son équipage.

Cosimo et Roland commençaient à s'inquiéter.

– S'il n'a pu rejoindre le navire de Bisol, il se sera enrôlé sur un autre pont.

– J'espère qu'il ne lui est rien arrivé, répondit Cosimo. Ou qu'il n'est pas resté bloqué à Venise.

La nuit tombait, la situation ne pouvait évoluer ce soir. Les compagnons apprirent seulement qu'il restait encore six navires à débarquer le lendemain. Ils prirent le parti d'attendre, et, comme la plupart des pèlerins, se couchèrent à même le sol d'une des rues étroites transformées en dortoirs, bondées de corps alignés, avec des couvertures cédées par les habitants.

Au petit jour, Cosimo et Roland examinèrent chaque navire nouvellement arrivé avec l'espoir d'en voir descendre Croitendieu.

– S'il avait été à terre avant nous, il aurait trouvé un moyen de se manifester autour de la taverne, dit Roland.

Mais leur compagnon n'apparut jamais. Il n'y avait plus de navire de la Milice à inspecter.

– Il reste encore les bâtiments « privés », dit Cosimo. C'est notre dernière chance.

La flotte des nobles était plus éloignée du centre du port. Le premier vaisseau qu'ils visitèrent était celui d'Eustache de Boulogne. Encore une fois ils firent une description de Croitendieu, sans succès.

Ils passèrent en revue les autres vaisseaux, interrogeant matelots et passagers. Aucune réponse favorable.

Au bout de la jetée, ils tombèrent sur un dernier bâtiment de moyen tonnage, un peu moins apprêté, isolé du reste de la flotte, sans personne autour, ni va-et-vient de chargements. Aucun équipage à première vue. Sur une caisse au pied de la passerelle était assis le capitaine du bord, un bras en écharpe, soigné par une vieille panseuse d'Otrante. Un enfant attendait à côté d'elle en tenant la sacoche de la femme. Le marin était blême, fiévreux. Cosimo reconnut le nom du navire : *L'Élection*.

– Croitendieu nous a cité ce navire à Venise. Il cherchait à connaître ses matelots pour rejoindre le *Bastidus*.

Le capitaine blessé était Vandeslas Numa.

– Êtes-vous les envoyés de la Milice ? leur lança-t-il à leur arrivée.

Il grimaça de douleur pour avoir parlé trop fort.

– C'est que j'ai des plaintes à formuler, gémit-il.

– De quelle nature ? demanda Roland.

Numa lui rendit un regard suspicieux.

– De la nature qui ne vous regarde pas si vous n'êtes pas les hommes que j'attends. Allez-vous-en.

Cosimo mentionna alors le nom d'emprunt utilisé par Croitendieu à Venise.

– C'est un ami à nous, dit-il. Je sais qu'il vous a parlé.

Le capitaine se radoucit subitement. La vieille panseuse achevait le bandage de son épaule droite, imbibé d'onguents. Numa avait reçu un profond coup d'épée.

– Ne bougez plus, dit-elle, ne vous énervez pas et revenez me voir deux fois chaque jour.

– Pourrai-je repartir ?

La vieille haussa les épaules.

– C'est à vous de connaître le fou que vous êtes.

Elle reprit son ballot de produits et de linges des mains de l'enfant et ils quittèrent la place. Le blessé resta tout benoît sur sa caisse. Il soupira. Les deux garçons attendaient sa réponse sur Croitendieu.

– Ce bateau est à moi, dit-il en montrant *L'Élection*. Je l'ai loué à Venise à deux têtes de seigneur qui voulaient être conduites en paix jusqu'en Terre sainte. Drôles de pèlerins, en vérité. Un homme et

360

une femme. Et ces frères et ces sœurs qui les accompagnaient ? J'aurais dû me méfier.

Le capitaine décrivit les personnalités d'Alp Malecorne et d'Erichtô, mais sans pouvoir citer leurs noms véritables. Il parla aussi des mercenaires et des filles en pénitence. Cosimo reconnut les compagnes de Lÿs.

– Personne d'autre qu'eux ne fut toléré à bord, hormis les membres de mon équipage.

Là, Numa évoqua Croitendieu.

– L'homme qui me payait faisait embarquer de nombreuses caisses à Venise, dit-il. J'ignorais ce qu'on carguait, mais après tout, j'étais suffisamment rétribué pour ne pas me montrer indiscret. Vu le nombre de passagers, j'ai quand même engagé deux matelots supplémentaires avant le départ, afin de pouvoir manœuvrer *L'Élection* et d'être assez en nombre sur le pont pour rester maître chez moi. C'est ainsi que votre ami a été accepté parmi mes hommes.

– Il était sur votre bateau ?

– Oui. Il n'avait pas trouvé d'autre bord pour partir vers la Terre. Mal m'en a pris de le choisir en tout cas. C'est à cause de lui que cette traversée s'est transformée en cauchemar. En enfer ! Et c'est de cela que je veux entretenir les maîtres du pèlerinage !

Sur ce, il afficha le désir de se taire.

Il fallut force promesses d'argent et force rapports sur l'amitié qui liait les trois garçons pour qu'il se résolve à reprendre son récit. En vérité, il craignait de conter la vérité...

– Pendant la traversée, votre ami a été frappé comme moi par la mine de complot qu'avaient tous nos pèlerins. Seulement, au lieu de rester sagement à ses affaires, l'imprudent est allé épier leurs conversations, rôder près de leurs bagages.

– Et après ? demanda Cosimo qui s'inquiétait.

– Après, c'est tout un roman ! L'homme de mon bateau n'emportait pas que des malles, mais un prisonnier aussi. Enfermé dans la sentine, et supplicié comme un malheureux. Le plus imprévisible de tout fut que votre ami vint me dire qu'il le connaissait !

– Il le connaissait ?

– C'était un compagnon à lui, tombé depuis des semaines aux mains de ce monstre qui le torturait pour des raisons que j'ignore.

Cosimo voulut tout de suite savoir où Croitendieu se trouvait aujourd'hui.

– Votre ami a été pris de folie, je crois... Oui, vraiment, ce n'était pas sage... Il a été surpris alors qu'il cherchait à s'échapper de *L'Élection* avec son ami, sur un canot. Il s'est trouvé attrapé à l'instant où il allait lâcher l'amarre. Il a été mis aux fers avec l'autre. Je n'avais aucun pouvoir. Pendant des jours, ils les ont torturés.

– À quoi ressemblait le second compagnon ? demanda Roland.

Numa réfléchit.

– Un grand gaillard. Il avait un teint décharné à cause de ce régime de coups et de questions. Mais j'ai cru distinguer une tignasse rousse engluée de sang.

– Jason ! dit soudain Cosimo. C'est Jason ! Jason a été enlevé à Eerl !

Il pâlit.

– Où sont-ils ? demanda calmement Roland au capitaine. Où les ont-ils emmenés ?

Vandeslas Numa fronçât les sourcils.

– À l'heure qu'il est, leurs corps reposent au fond des eaux. Je suis désolé.

Cosimo s'assit sur une caisse et prit son front entre ses mains.

– Comme vos amis ne voulaient pas répondre aux questions de leur tourmenteur, reprit le capitaine d'une voix éteinte, il a finalement résolu de les jeter par-dessus bord, peu avant notre arrivée. J'ai voulu intervenir mais il m'a frappé et je suis resté prudemment à faire le mort.

Les visages de Cosimo et de Roland étaient livides.

– Où sont-ils? gronda le second. Tes passagers, l'homme et la femme, où sont-ils maintenant?

– En fin de matinée, un messager est monté pour leur délivrer un pli. L'instant d'après, ils ont décampé, payé mon équipage pour qu'il se disperse et ne parle pas. Et me voilà à présent avec mon vaisseau sur les bras!

– Ils ne repartent plus? demanda Cosimo.

– Non. Pour eux, le pèlerinage s'arrête à Otrante.

– Quand sont-ils partis? insista Roland.

– Il y a une heure. Ils quittaient la ville, ai-je compris.

Roland regarda Cosimo.

– Ils ne peuvent pas être loin.

– Mais ils sont nombreux... dit Cosimo qui devinait déjà la résolution de son compagnon.

– Nous ne pouvons pas laisser ces meurtres impunis, dit Roland. Il faut les rattraper. Séparons-nous. Tu dois rejoindre le navire de Payns et nous n'y parviendrons pas tous les deux. Je deviens inutile jusqu'en Terre sainte. Continue l'enquête, découvre Ismale et la fin de cette aventure. Si tu échouais, nos amis seraient morts pour rien. Moi je retrouverai leurs assassins. Je te rejoindrai à Jérusalem.

Cosimo voulut protester.

– Il n'est plus temps, dit Roland. Je dois aller vite. C'est ici que nous nous quittons.

Le capitaine assistait stupéfait à la scène.

Les deux compagnons s'étreignirent et jurèrent de se revoir.

Roland disparut au bout de la jetée.

Cosimo resta le regard fixe dans sa direction.

– Voilà un homme, dit simplement Numa après un silence.

∞

Le lendemain, après avoir longuement prié pour ses amis et essayé de tempérer sa colère, Cosimo retourna sur le port, face à *L'Acturus* de Hugo de Payns. Il resta à observer les mouvements près du vaisseau du maître de la Milice. Les tonneaux d'eau douce étaient amenés à terre pour être remplis, des parcelles de voile usées étaient changées, des gardes faisaient des rondes régulières : il était impensable d'approcher de ce vaisseau ici.

Il renversa l'obstacle :

« Puisque je ne peux l'atteindre lorsqu'il est à quai, pourquoi ne pas trouver un moyen de le gagner lorsque nous sommes tous *en mer* ? » se dit-il.

Il retourna vers le *Carlus Magnus* de Saint-Amant et examina les larges poches de récupération de pluie de l'ingénieur. Il réfléchit, puis quitta le port et remonta vers la citadelle. À plusieurs reprises, il questionna des gens du pays.

– Je cherche le marchand de mercure, disait-il.

Un marchand de mercure était une appellation qui mêlait les alchimistes, les guérisseurs et les jeteurs de sort, toutes sortes de personnages interdits mais qu'on trouvait partout. Après quelques échecs, un enfant d'Otrante vint à sa rencontre. Il suivait Cosimo depuis quelque temps, amusé par son enquête.

– Je connais la personne que vous cherchez.

Il partit devant Cosimo qui le suivit dans des rues étroites et peu engageantes. L'enfant descendit une volée de marches et ouvrit une petite poterne avec une clef qu'il portait au cou.

– Nous y sommes.

Ils entrèrent dans une cave. Des feux faisaient trembler le couvercle de chaudrons ; partout des bocaux de baume, des herbes exotiques, des corps d'animaux séchés ou sanguinolents pendus à des crocs. Le garçon s'immobilisa et attendit sans parler. Une porte latérale s'ouvrit et une vieille femme entra.

Sans jeter le moindre regard à Cosimo, elle dit :

– Payez Gringoire !

Ce devait être le nom de l'enfant. Assez assuré d'être là où il voulait, Cosimo paya une somme au petit, qui disparut. La vieille restait de dos, inclinée sur une de ses préparations fumantes.

– N'est-ce pas vous qui étiez déjà sur la jetée hier matin ? demanda-t-elle.

Cosimo reconnut alors la guérisseuse qui pansait l'épaule du capitaine Numa.

– Que voulez-vous ? interrogea-t-elle en se montrant enfin.

– J'ai besoin de quatre manipules de fleur d'Artémisia.

La femme haussa les épaules et se retourna brusquement.

– Je guéris, jeune homme, et ne tue pas. Repars d'où tu viens, ce n'est pas à moi que tu dois parler.

Son ton de voix était sans appel.

– L'Artémisia soigne autant qu'elle intoxique, insista Cosimo. Je sais ses vertus.

– Un connaisseur ? railla la sorcière en levant un couvercle pour jeter une pointe d'épices.

L'Artémisia était l'un des rares poisons à être soi-même son propre remède. Froid, il infectait; bouilli, il guérissait le mal qu'il avait causé.

La magicienne vint devant Cosimo.

– Assieds-toi.

Elle approcha une bougie de son visage. De ses doigts qui sentaient mille aromates, elle écarta ses paupières, scruta le blanc de l'œil.

– Tu n'es pas un mauvais bougre, conclut-elle, seulement on ne voit rien en toi. Pas de passé, pas d'avenir, quel drôle d'oiseau tu fais! Tu es différent, ou tu vas le devenir. C'est selon.

– Je ne vous suis pas.

– C'est égal. Ce n'est pas une prédiction puisque je ne vois rien. Une page blanche! C'est un cas. Allez, je veux bien te céder tes fleurs d'Artémisia. Mais pour vingt pièces!

Cela faisait une fortune.

Cosimo était pris. Il n'accordait aucune espèce de sérieux au spectacle que venait de lui jouer la panseuse pour faire grimper son prix, mais le résultat était le même, il lui fallait sa fleur. Sa bourse était encore garnie au quart de l'héritage d'Ismale. Il paya la femme, qui ouvrit une armoire et revint avec les quatre pieds d'herbe.

– C'est beaucoup, dit-elle.

Cosimo hocha la tête.

– C'est suffisant.

La guérisseuse cracha au sol.

– Fais-en ce que tu dois. Je n'y participe pas.

Là-dessus, elle l'ignora définitivement. Cosimo sortit de l'officine, ses pétales dissimulés dans un sachet. Il retourna à *L'Acturus*.

À la nuit tombée, il se faufila sur le quai entre les caisses et les charrettes qui faisaient sous la lune des angles d'ombre. Mais Cosimo n'avança vers son objectif qu'après avoir repéré la méthode de ronde des gardes sur le navire. De longues heures durant, il attendit le moment propice. C'est ainsi qu'il réussit à s'approcher des trois tonneaux d'eau potable de *L'Acturus* réapprovisionnés, prêts à être remontés à bord. Ils étaient posés au pied de la passerelle. Cosimo ne put entrouvrir qu'une des barriques. Il mastiqua longuement une feuille d'Artémisia jusqu'à ce qu'elle se réduise en une pâte humide. Il l'introduisit dans l'eau douce. Aussitôt après, il cracha longuement et s'échappa.

Au matin, il retourna vers le *Carlus Magnus* de Saint-Amant où il devait réembarquer pour la suite du voyage. En dépit de l'aube, il arriva sur la passerelle en même temps qu'un autre passager, un vieil aveugle qui faisait partie du voyage depuis Venise. Il l'aida à monter à bord...

– Merci, jeune homme, lui dit l'Aveugle.

# VI

## A S 0 4

On se moque des visions et des apparitions sur-
naturelles : quelques-unes, cependant, sont si bien
attestées que, si l'on refusait d'y croire, on serait
obligé, pour être conséquent, de rejeter en masse
tous les témoignages historiques.

MÉRIMÉE, *Vision de Charles XI*

Anx Columban avait enfin découvert la *clef*
des quatre coffres blindés du convoi de
Flodoard !

Elle avait cru un moment qu'elle n'était
pas de ce voyage, gardée plutôt par un autre chevalier de la Milice. Personne hormis les gardes ne
s'approchait des quatre chariots. Le bibliothécaire
ne les mentionnait jamais ; pourtant ils étaient les
mieux placés et les mieux défendus des équipages.

Enfin, un soir dans la roulotte, une manche attaquée par des étincelles échappées de sa cheminée,
Flodoard laissa brièvement voir une longue chaîne
qui lui tombait jusqu'au milieu du ventre. Une clef
pendait à son extrémité.

Anx était certaine de ne l'avoir jamais vu l'utili-
ser.

Rien ne permettait d'être sûr de sa fonction,
mais il ne restait qu'un moyen de s'en assurer...

Leur convoi avait passé la Dalmatie et avançait en direction d'Andrinople en Thrace. Depuis la rencontre avec les gardes envoyés par Constantinople, il progressait exclusivement de nuit, à marche forcée. Les savants avaient peu de temps pour eux, soit le soir, soit tôt le matin.

Ce soir-là, une heure avant le crépuscule et le début de la marche, Anx retourna voir le bon Rogatianus et sa double roulotte riche d'instruments.

– Tiens, te revoilà, jeune homme, lui dit-il avec son air aimable. Je ne te vois pas souvent. De quoi as-tu besoin ?

Anx demanda quatre bougies comme les précédentes...

– Bien.

... un parchemin, une pierre d'étincelle et un peu d'amadou.

– Avec mes compliments.

Ces attributs étaient sans surprise pour un lecteur ou un copiste. Rogatianus fit un paquet qu'il tendit à la jeune fille.

– Merci, dit-elle.

Elle s'éloigna.

Le lendemain, à l'aube, à la fin de la marche, elle s'écarta au bord d'un cours d'eau comme elle le faisait souvent pour se laver seule et entretenir la teinte de ses cheveux. Là, elle cueillit une huitaine d'herbes différentes dont trois tiges de passiflore qu'elle avait choisies pour leurs vrilles très rouges. Elle arracha ensuite d'un arbre deux bandes d'écorce épaisses et bien rebondies ; elle remplit la première avec un fond d'eau claire et y déposa des extraits de ses herbes. Laissant le bain se faire, elle prit une bougie et, avec son petit couteau, elle en sectionna le haut sur quatre centimètres sans endommager la mèche. Elle réunit les éclats de cire dans le creux de la seconde écorce. Avec la pierre d'étincelle et l'amadou, elle enflamma un faisceau de brindilles et se mit à fondre avec soin les morceaux de bougie. L'opération était délicate : tenir la cire liquéfiée assez longtemps pour y mêler l'eau baignée de plantes et la pulpe du bois qui avait absorbé une partie de la décoction à froid. Lorsque le mélange eut pris, il fallut encore remettre la bougie en état. Elle l'enroula dans le parchemin qui lui servit de moule et se mit à la regarnir, goutte à goutte, en suivant la mèche. Le produit final la satisfit. En limant les bords, la bougie paraissait intacte, la cire supérieure légèrement piquée de points de bois, ce qui n'était pas inhabituel.

De retour dans la roulotte de Flodoard, qui dormait profondément, elle posa la bougie sur la pile derrière son bureau. Elle nota qu'il lui en restait six autres.

Anx ne pouvait pas prévoir le jour où Flodoard emploierait sa mèche empoisonnée. Elle attendit près de dix jours. Flodoard l'alluma en pleine nuit, alors que le convoi cahotait laborieusement sur une route en bord de fleuve. La cheminée flambait et le battant du toit était grand ouvert. La jeune fille fit aussitôt mine de vouloir se coucher. De son propre chef, elle referma l'ouverture du plafond.

– Pourquoi fermes-tu ? demanda Flodoard.

– Le temps est à l'orage, si nous nous endormons tous les deux il se pourrait que l'eau pénètre demain matin.

– Dormir ?

La roulotte fit un saut terrible.

– Comment veux-tu dormir avec un mouvement pareil ?

371

– La fatigue, maître. Vous-même, vous m'avez l'air abattu...

– C'est assez vrai.

Anx regarda avec inquiétude la flamme de sa bougie. La fumée était plus épaisse et plus blanche que d'ordinaire. Elle se recula pour ne rien inspirer et se roula dans un drap près de sa petite écritoire. Elle releva le tissu sur son nez et, les yeux mi-clos dans l'ombre, elle observa son maître.

La formule qu'elle avait employée pour la cire était souvent utilisée dans la péninsule irlandaise de son enfance. Ingurgité avec du lait, cet hypnotique servait à endormir paisiblement les malades : mais inhalé, il était foudroyant. Les éleveurs de moutons qui transportaient leurs bêtes d'une île à l'autre sur leurs petits bateaux s'en servaient chaque année pour les tétaniser.

À trois reprises Flodoard s'essuya les yeux. Il toussa une fois. La fumée commençait de faire un nuage sur sa tête. Il voulut se lever pour rouvrir le battant, mais, d'un coup, après un cahot brutal, il bascula au sol. Inerte. Parfaitement évanoui.

Anx bondit et ouvrit en grand la porte de la roulotte. Elle saisit une bougie dans son sac, l'alluma à la place de la mèche empoisonnée. La pièce vite aérée, elle referma la porte en tournant le verrou. Ensuite, elle agit avec calme et dextérité. Elle saisit la chaîne et la clef autour du cou de Flodoard et s'assit à son bureau près de la cheminée. Elle déroula son parchemin ; avec un tison tiré du feu, elle se mit à liquéfier une seconde bougie tirée de son sac. Dès qu'une pâte molle assez large avait coulé, elle saisissait la clef et imprimait son empreinte pendant quelques secondes. Elle recommença à cinq reprises : les deux faces, le plat du haut, le plat de la denture, la tête enfin. Elle jetait des regards inquiets vers son maître. Les soubresauts de la marche semblaient capables de le réveiller et son corps oscillait parfois comme s'il voulait se relever. Anx vérifia attentivement qu'elle possédait toutes les formes de la clef avant de ranger son parchemin et de remettre la chaîne au cou de Flodoard. Cette opération fut la plus périlleuse. Elle dut redresser ses épaules pour laisser glisser la clef le long de sa poitrine. Nez à nez, le cœur battant, elle s'attendait à tout moment à voir une de ses paupières se rouvrir. Il avait une respiration heurtée, ses traits étaient contractés dans le sommeil. Anx se releva. Elle était en nage. Elle recouvrit le bibliothécaire avec son drap et cala sa nuque sur une chemise roulée. Elle ne pouvait pas le porter jusqu'à son lit.

Ensuite de quoi, elle libéra le verrou de la porte.

Une heure plus tard, le maître se réveillait, sans souvenir. Anx lui rappela qu'il s'était assoupi à son bureau et avait été renversé après un choc violent de la route. Inquiète, elle l'avait veillé jusque-là.

Flodoard ne se tourmenta que pour le temps de travail perdu...

Les jours suivants servirent à Anx, dans ses instants libres, à « sculpter » un double de la clef du maître. Elle choisit des morceaux de bois très denses et, à l'aide de la pointe de son couteau, patiemment elle les cisela par petites touches jusqu'à ce que l'ensemble adhère parfaitement aux empreintes de la cire. La fin de l'ouvrage était la plus critique ; plusieurs épreuves se brisèrent sous ses doigts. À la sixième tentative, elle tenait sa clef.

∞

Les quatre chariots avaient profité de l'apport des troupes byzantines à Aquileia ; huit gardes supplémentaires les surveillaient, ce qui portait les forces à vingt personnes. Mais Anx connaissait leurs horaires de rotation. Elle savait aussi qu'elle n'avait qu'une fenêtre de quelques secondes pour s'approcher des chargements secrets ; le temps d'un ou deux mots échangés par les soldats au moment de la relève. Elle n'ignorait surtout pas qu'elle n'aurait qu'une tentative à jouer. Si elle était prise, c'en serait fini pour elle.

Le fait que le convoi soit à l'arrêt pendant la journée était un avantage, pensa-t-elle. Elle emporterait un cierge pour s'éclairer à l'intérieur : de nuit, c'eût été impossible, la lumière serait apparue à la jointure d'une planche ou d'une bande de fer. De jour, cet inconvénient disparaissait.

Comme à Troyes, elle profita d'une journée de forte pluie. Les quatre chariots étaient regroupés et formaient un carré. Anx était derrière un bosquet, à vingt mètres de la première roue. Les cheveux couverts d'une toile graissée pour en protéger la teinture, elle attendait la relève. Les hommes de garde arrivèrent avec un peu de retard, ce qui poussa ceux qui piétinaient depuis quelques minutes à se précipiter pour rejoindre le convoi. L'occasion ne se représenterait pas ; Anx bondit. Elle partit si vite qu'elle manqua de glisser dans la boue. La clef dans la main droite, elle se faufila entre deux chariots et se dressa en équilibre sur le marchepied. Essoufflée, elle essuya son front ruisselant. Malgré la hâte, elle ne s'était jamais sentie aussi maîtresse de ses gestes. À son grand soulagement, la clef pénétra parfaitement dans la serrure. Anx s'imposa alors de faire pivoter le pêne le plus lentement du monde. C'était un véritable supplice ; elle sentait le mécanisme qui forçait, le bois qui se courbait insensiblement sous ses doigts. Elle retenait son souffle, la mâchoire bloquée. La clef fit un tiers de tour. Une voix résonna derrière la roulotte. La clef accomplit un deuxième tiers. La voix approchait. Anx n'écoutait plus. Elle termina d'un coup le dernier tiers.

Et la clef se brisa.

Anx resta médusée, sa tige dans la main. Elle regarda la porte close. Il fallait fuir. Fuir, vite. Tout de suite. Grimper sur un toit ou se replier entre les roues. Agir. Elle se pencha plutôt pour essayer de retirer du bout des doigts les éclats qui restaient dans la serrure ; elle ne voulait surtout pas laisser de trace au cas où elle parviendrait à s'échapper. En tirant sur une écharde, elle vit soudain la porte venir à elle. Le pêne avait tourné avant la brisure du bois ! La porte était ouverte !

Elle s'engouffra dans la roulotte et se renferma dans le noir.

Le souffle patiemment revenu, elle attendit de savoir si son passage pouvait être suspecté par les gardes : traces de pas dans la boue ou marchepied souillé de terre. Mais la pluie assurait un net relâchement de l'attention de la troupe. La prochaine relève viendrait dans deux heures. Jusque-là, Anx ne bougerait pas. La pluie faisait un terrible tapage sur les langues de fer qui blindaient le toit de la roulotte. Les parois étaient parfaitement isolées, pas un rai de lumière ne pénétrait. Anx sortit de sous sa robe la bougie, l'amadou et la pierre d'étincelle un peu humides. Elle mit un moment à en tirer une petite flamme, mais tout s'éclaircit autour d'elle.

Sa première réaction après un tour d'horizon :
– Des livres encore...
C'était décevant.

Ceux-là n'étaient pas enfermés dans des caisses comme sur les autres chariots, mais inclinés sur des étagères et retenus par des liens. En tout, il n'y avait pas plus d'une trentaine d'ouvrages, plus une caisse de fer posée dans le fond. Les livres étaient grands, tous reliés avec des panneaux de bois peints au rouge. Anx saisit le plus proche et l'ouvrit. Elle ne vit que des images, larges, colorées, sur l'intégralité des pages. Pas de texte, hors quelques légendes. Le premier dessin qu'elle déchiffra montrait une sorte de démon colérique, volant dans les airs, et qui, du bout d'un doigt, projetait impitoyablement un torrent de flammes sur un pauvre homme à genoux, les bras écartés devant un sarcophage. Une phrase latine était inscrite sur la bande d'or qui figurait le feu : « Le Djinn châtie Anhour, prêtre d'Égypte, pour avoir profané la loge sacrée de Salomon. » Anx tourna la page et découvrit un autre dessin qui représentait le même démon et la même punition, mais avec une victime différente : « Le Djinn châtie Tarquin, centurion de Marc Aurèle, pour avoir profané la loge sacrée de Salomon. » Troisième dessin, troisième victime : « Le Djinn châtie Hincmar Ibn Jobaïr pour avoir profané la loge sacrée de Salomon. » Anx observa cette loge, elle était sombre et vide, avec seulement ce bloc étrange au centre, défendu par le terrible Djinn.

Elle remonta vers le début du livre et s'arrêta sur un dessin qui s'étendait sur deux pages et montrait le même Djinn ligoté et présenté devant une cour royale, la tête basse, à côté d'un immense vase d'airain. Un halo de lumière entourait la tête du souverain qui faisait le geste de rendre la justice. C'était Salomon.

Image par image, Anx finit par comprendre toute l'histoire de ce démon mystérieux : alors que le roi Salomon s'était séparé de son anneau sacré le temps d'une libation hors de son palais, et qu'il l'avait confié à la garde d'une de ses épouses, le Djinn était traîtreusement apparu à la femme sous les traits du bon roi et lui avait subtilisé l'anneau. Au retour de Salomon, il le fit chasser comme un intrus. La cour, trompée par le sceau que détenait le Djinn, prit le parti de l'imposteur. Le démon se mit à régner et Salomon devint un simple pêcheur. Mais le Djinn savait que le fils de David était rusé et que son répit sur le trône serait de courte durée. Alors il se mit à transcrire sur papier, minutieusement, tout le savoir, toute la puissance que conférait l'anneau à celui qui le portait. C'était le seul privilège absolu de Salomon. Sur quatre livres gigantesques, le Djinn enregistra la connaissance du Tout, la réponse aux énigmes et la fin du Doute qui hante les fils des hommes. Il avait achevé ce travail et l'avait dissimulé dans la base du trône lorsque Salomon parvint à regagner le palais et à le confondre aux yeux de tous. Souverain à nouveau, le roi le condamna à une sentence éternelle : le Djinn devint le gardien de son bien le plus précieux, celui-là même qu'il s'était évertué à décrire par écrit dans ses quatre livres que personne n'avait retrouvés. Il patienterait enfermé dans un immense vase d'airain.

Après la partie consacrée à la légende de ce Djinn, Anx découvrit des images qui traitaient de la Grande Croisade, vingt ans plus tôt ! Elles dépeignaient de manière héroïque l'entrée de Hugues de Champagne en Palestine, la découverte de la bibliothèque de Hincmar Ibn Jobaïr à Alep, l'entrée dans Jérusalem et la Tour de Salomon, l'arrivée enfin dans la grotte. Anx se pencha et observa minutieusement : elle reconnaissait bien les visages du comte vu à Troyes et de Hugo de Payns ! Qu'est-ce que cela voulait dire ? On aurait dit une chronique mise en couleurs pour la compréhension du bon peuple. Des images de propagande.

Elle se leva et saisit un deuxième livre. Il était identique au premier. Elle en ouvrit un autre, puis un autre encore. Tous, tous identiques.

« À qui sont-ils destinés ? »

Anx poursuivit la lecture : elle trouva des portraits des neuf chevaliers, chacun magnifié comme une sorte de saint ou d'ange. D'abord Ismale Gui, le découvreur de la loge, Carl de Ruy, le mage qui savait contenir les Djinns, Saint-Amant, l'ingénieur qui transporterait le sarcophage si les sphères de Du Grand-Cellier ne fonctionnaient pas, etc. Toute la Milice était présentée avec ses attributions secrètes.

Quatre pages dévoilaient aussi ce à quoi devaient ressembler les quatre livres du Djinn renégat.

« Voilà donc ce qu'ils recherchent, pensa-t-elle. Voilà ce qui effrayait tant cet Ignatius, le traducteur des odes de Salomon ! Les livres... La connaissance absolue, la fin des énigmes... Mais quel pouvoir alors ! C'est pour cela qu'ils ont fait ces images... pour les donner aux évêques, aux patriarches, au peuple, le grand jour ! Pour leur expliquer l'inexplicable ! La Milice cherche les livres et Flodoard sait tout cela... »

Non !

Non, ce n'était pas ça.

Une idée soudaine lui glaça le sang.

Quatre chariots ?

Elle tourna lentement la tête et regarda la boîte en fer posée au fond de la roulotte.

Quatre chariots.

Elle se leva et s'approcha avec sa bougie. Elle s'accroupit.

La boîte n'était pas cadenassée.

Elle ouvrit le couvercle.

Au fond, un gros ensemble de feuillets était enserré par deux planches de bois. Le même aspect exactement que sur le dessin de la Milice.

Anx frissonna.

Les ais étaient maintenus par un fermoir en or.

Il lui suffit de l'effleurer pour qu'il s'ouvre dans un cliquetis doux.

Anx vit alors passer devant ses yeux l'image sévère du démon condamné par Salomon.

Elle sortit le manuscrit et le posa devant elle.

Elle n'entendait plus la pluie, elle ne songeait plus au danger, elle était envoûtée.

L'image du châtiment passa encore dans son esprit.

Le doigt de feu du Djinn...

Anx approcha sa bougie de la première page.

Rien.

Blanche.

Elle tourna délicatement le deuxième feuillet.

Rien.

Blanc.

Intriguée, elle fit défiler les pages.

Pas une ligne, pas un mot.

« Comment ? »

Elle pensa d'abord à une encre sympathique ou à un effet de lumière, mais arrivée au milieu de l'ouvrage elle comprit : sur ces quelque deux cents feuillets, « les œuvres gigantesques » de la légende, il n'y avait que quatre signes écrits en caractères minuscules au milieu de l'ouvrage : A S 0 4.

« Toute la connaissance du monde ? »

Le Djinn et l'anneau sacré, l'aventure de Salomon pour aboutir à ce simple code ? Et les trois autres ?

« Mais alors, se dit Anx, s'ils possèdent les livres du Djinn, s'ils en ont percé le secret, que vont-ils chercher en Terre sainte ? »

Elle repensa à la masse étrange dans la loge de Salomon. Aux trois morts. Au Djinn encore.

Sur un des dessins, sur l'image même de la masse étrange dans la loge, était écrit en latin : l'éclat de Dieu.

Anx s'assit dans la roulotte et attendit l'heure de s'échapper.

Elle ne comprenait pas.

# VII

## L'Esquif entre deux Mondes

L'inconnu, c'est la part du lion.

FRANÇOIS ARAGO

ès que le *Carlus Magnus* reprit la mer à Otrante, Cosimo s'installa à la proue du navire et ne la quitta plus. Il fixait l'horizon.

Le voyage jusqu'à Corfou se fit sans heurt ni surprise. La halte dans l'île fut de courte durée et le pèlerinage reprit en direction de la Crète. Cette fois, un ordre passa parmi les navires pour qu'ils se rapprochent et les soldats de la Milice se montrèrent plus nerveux. On savait que ces eaux devenaient dangereuses, à la portée d'escadres à la solde des mahométans. Cosimo guettait toujours. Il ne perdait jamais de vue les voiles de *L'Acturus* qui cinglait à la tête de la flotte. La mer devenait plus houleuse. On essuyait quelques orages et des brumes matinales qui se dressaient comme des murs. Des poussées de vent debout ralentissaient l'allure.

Mais un soir, Cosimo vit enfin apparaître l'indice qu'il attendait depuis Otrante. Devant l'étrave du *Carlus Magnus*, il discerna deux gros tonneaux qui flottaient. Un troisième apparut peu après. Ces tonneaux venaient sans erreur de *L'Acturus*.

Le lendemain matin, à l'aube, alors qu'un léger brouillard stagnait à fleur d'eau, une embarcation vint cogner aux flancs du *Carlus Magnus*. Toute la flotte était encore à l'arrêt. Deux marins du navire de Hugo de Payns montèrent à bord pour réclamer de l'aide. Ils avaient le teint pâle; épuisés, ils n'avaient pas dormi de la nuit.

– Notre eau potable a viré, dit l'un d'eux. Beaucoup de nos hommes sont malades. On ignore lequel de nos tonneaux est à l'origine du mal entre ceux remplis à Otrante et ceux de Corfou; aussi nous avons dû passer le tout par-dessus bord.

– Maître Payns sait que vous emmagasinez des surplus d'eau de pluie, dit le second. Il prétend à votre bonté pour sauver son navire.

– Bien entendu, dit Saint-Amant qui avait mis au point des systèmes fameux pour retenir l'eau sur son bateau.

Ce système n'avait pas échappé à Cosimo dans sa manœuvre.

Deux barils furent aussitôt apprêtés et encordés pour être transportés sur *L'Acturus*.

– Il vous faudra cette quantité dans un premier temps pour soigner les malades. Nous vous en porterons davantage sous peu.

Le premier tonneau fut descendu à bout de drisses dans le canot des deux marins. Alors Saint-Amant se tourna vers l'équipage du *Carlus Magnus*.

– Qui de chez nous part avec eux pour les suivre avec le second fût?

Il voulut pointer du doigt dans la direction du navire de Payns, mais, surpris, on ne voyait plus que la brume du matin : au lieu de s'estomper, elle avait terriblement forci, au point qu'on ne repérait pas un mât, dans quelque direction qu'on se tournât. La demande de Saint-Amant fut accueillie à froid. Les deux marins de Payns s'inquiétèrent eux aussi du climat.

– Eh bien ? reprit Saint-Amant. La flotte est encore à l'arrêt. Le vent est bas. Le brouillard ne vous tuera pas.

– Moi, j'irai.

C'est Cosimo qui avait parlé.

– Dieu te bénisse, garçon. Il nous faut un autre homme avec lui.

– J'irai aussi.

La voix avait résonné derrière le groupe d'hommes. C'était le vieil Aveugle qui se proposait.

– Mes bras sont encore forts, dit-il. Une paire d'yeux suffit pour se guider sur la mer. Vous ne pouvez pas me refuser d'être employé au moins une fois. Je peux être utile.

Saint-Amant s'approcha de lui.

– Quel est ton nom ?

– Clinamen.

– Tu peux partir.

Un canot du *Carlus Magnus* fut appareillé pour Cosimo et le vieil homme. On stabilisa le tonneau d'eau potable. La brume était toujours aussi épaisse ; elle semblait s'étendre comme un sortilège. Avant de suivre l'embarcation des hommes de Payns, Cosimo observa le pli exact des vaguelettes pour ne pas perdre son cap.

– Espérons qu'il ne tourne pas, dit l'Aveugle, comme s'il avait deviné que son compagnon songeait au vent.

Au bout de quelques coups de rames, les hommes se retrouvèrent sans vue. Même le premier canot avait disparu. Le *Carlus Magnus* s'était évanoui, ils évoluaient lentement dans un amas à la clarté diffuse. Le clapotis de l'eau faisait une résonance mate. Cosimo et l'Aveugle restaient silencieux, face à face, de part et d'autre du fût. Le jeune homme put observer sa figure hiératique et ridée, ses cheveux blancs perdus dans des filets de brume comme un prêtre au-dessus d'un encensoir.

– J'espère que le mal des hommes de *L'Acturus* provient de leur eau et que ce n'est pas plus grave et contagieux qui nous attend, dit l'Aveugle.

Cosimo allait répondre lorsqu'il se rendit compte que le visage de l'Aveugle venait sensiblement de *changer*. Ses traits avaient mué, ils étaient presque... aimablement plus familiers.

– Nous sommes-nous jamais rencontrés ? demanda Cosimo qui doutait tout à coup. Votre figure me rappelle quelqu'un.

– C'est possible. À partir d'un certain nombre d'années, les hommes finissent par avoir un visage convenu. Les idiots ont une tête d'idiot, les forts une tête de fort, les courageux, les menteurs, les batailleurs, les héros, les lâches, il existe une apparence déterminée pour chaque type de caractère humain. Si les hommes imaginent passer leur vie à bâtir des empires ou à vouloir ébouler ceux des autres, je dis, moi, qu'ils la passent à se composer un visage.

– Et vous, quel type de traits portez-vous ?

– J'ai toujours eu le goût du mystère. Je dois avoir un visage mystérieux. Encore que je sois assez mal placé pour juger.

Il y eut de nouveau un long silence. Cosimo était pourtant certain que ce visage avait *changé*...

Il se retourna pour chercher un signe de la flotte ou retrouver le premier canot. Mais un coup de

tonnerre retentit brusquement, à quelques encablures de la barque. Le son fendit l'air. La brume
toujours blême s'illumina violemment de tons
jaune et rouge.

L'avant d'un immense bâtiment armé, sorti de
nulle part, brisa les eaux et passa devant les deux
canoteurs avant de disparaître. C'était une trirème
poussée par trois rangs de rameurs.

– Des pirates ? dit Cosimo.

– Non, répondit l'Aveugle sans s'affoler.

De nouvelles explosions éclatèrent alentour. Des
cris résonnèrent bientôt, du bois vola, avec des
coups terribles de trompes. Près de Cosimo et de
l'Aveugle, l'eau se mit à s'agiter, c'étaient les
ondes répercutées des coques qui roulaient dans
l'assaut. Une flotte était en train de fondre sur les
navires du pèlerinage ! La nuit et la brume avaient
parfaitement masqué l'attaque. L'Homme sans
main et sans visage attendait depuis plusieurs jours
que le climat lui soit favorable. La surprise était
totale.

Cosimo et l'Aveugle se mirent à ramer de toutes
leurs forces. Ils renversèrent le tonneau par-dessus
bord pour mieux guider leur barque. Ils arrivèrent
péniblement sur le flanc droit de *L'Acturus;* une
partie de son pont était déjà en flammes. Un vaisseau ennemi l'abordait. Sans hésiter, Cosimo
s'agrippa à un cordage qui flottait d'une vergue et
grimpa en direction des combats. Il atteignit
l'extrémité d'un espar et se remit sur ses jambes.
Sur l'eau, il aperçut l'Aveugle qui reculait la
barque aux prises avec les remous autour du
navire. Il disparut dans la brume, comme un fan-
tôme.

Cosimo avança jusqu'au mât. De ce point élevé,
il put mesurer l'ampleur du conflit. Une vingtaine

de vaisseaux ennemis s'en prenaient aux pèlerins. Les abordages se faisaient sur les navires commandés par des chevaliers, pendant que les autres étaient coulés avec une arme diabolique dont le jeune homme n'avait jamais entendu parler. Elle répandait sur l'eau une couche noire et épaisse que les assaillants embrasaient avec des flèches enflammées. Cosimo découvrait le prodige de l'eau qui flambe. Les bâtiments chrétiens ne pouvaient éviter ces nappes fumeuses et ils se consumaient tout entiers. Cosimo discerna même des hommes et des femmes qui se jetaient par-dessus bord, pour sombrer tout vifs dans un océan de flammes. Le feu grégeois illuminait la brume de rouge et de noir.

Sur les ponts de *L'Acturus*, la bataille faisait rage, mais avec moins d'hommes pour la défense que prévu, certains abattus par l'Artémisia. Cosimo chercha une arme. Il glissa le long d'une balancine et tomba à quelques pas d'un soldat inerte. Il saisit son épée et fonça dans la mêlée.

Sur le pont principal, deux assaillants à la peau de Damascène se ruèrent sur lui. Le premier le bouscula et le second lança le tranchant de sa lame, déjà couvert de sang, droit sur sa gorge...

Cosimo allait mourir.

# VIII

## Un Soir à la Terrasse

Zénon! Cruel Zénon! Zénon d'Élée!
M'as-tu percé de cette flèche ailée
Qui vibre, vole, et qui ne vole pas!
Le son m'enfante et la flèche me tue!
Ah! le soleil... Quelle ombre de tortue
Pour l'âme, Achille immobile à grands pas!
Non, non!... Debout! Dans l'ère successive!
Brisez, mon corps, cette forme pensive!

VALÉRY, *Le Cimetière marin*

Le soir ne s'était pas montré aussi doux depuis longtemps. Des terrasses assemblées en étages bordées par des statues d'échanson dominaient les jardins du castel Concini. Sur une table de porphyre, au niveau le plus élevé, des infusions d'Orient fumaient sur un plateau vermeil. À l'horizon, le ciel virait au crépuscule. Quelques oiseaux attardés sur des haies d'aubépine sifflaient leurs derniers motifs avant la nuit. Flodoard et Anx, assis, seuls, goûtaient en silence cette nature idéale.

Leur convoi venait de faire halte près d'Andrinople, dans la demeure d'un seigneur génois qui avait légué d'importantes sommes à la Milice de son ami Hugues de Champagne.

La route à travers la Dalmatie n'avait été émaillée que de faibles incidents avec des habitants de village. Anx n'avait pas couru le risque de découvrir le contenu des trois autres chariots blindés. Pour elle, c'était désormais à travers Flodoard et ses leçons qu'elle devrait percer l'énigme des livres du Djinn de Salomon et l'objectif caché de cette Milice. Son maître était toujours aussi énigmatique dans ses propos : désapprendre quoi ? Penser comment ? Pourquoi avait-il besoin d'elle ? Que cherchait-il à lui dire ?

Ce soir-là sur la terrasse, il reposa sa tasse de thé sur la table et dit avec ce ton détaché qui annonçait toujours une nouvelle leçon :

– La seule chose que l'homme soit capable de découvrir, ce sont des lois. Lois de la physique, lois de la nature, lois organiques, etc. Des Lois. Partout.

Anx venait d'admirer un jardin sous les derniers rayons du jour, des pétales se rétractant comme des poings d'enfant et des danses d'insectes qui s'évanouissaient dans des tourbillons, et lui, il voyait des *Lois* ?

– La seule chose qui soit à la portée de la raison de l'homme, poursuivit-il, c'est de lire ces Lois. Rien d'autre. Et cela suffit à son bonheur. Les Lois, c'est son domaine favori. Reprends les découvertes des hommes : tu n'y trouveras que des systèmes, des théories, des doctrines qui reposent sur les notions d'ordre, d'équilibre, d'harmonie.

– D'accord, dit Anx. À l'évidence, la nature autour de nous est organisée, et nous l'étudions.

Flodoard hocha la tête. Il saisit près de lui un gros volume qu'il avait emprunté dans la bibliothèque du maître des lieux. Il le posa sur la table.

– Voici les *Traités* de Simplicius, dit-il en se rasseyant. C'est un livre que je connais par cœur, et depuis de longues années. Je sais aussi que tu ignores tout de ce philosophe.

Anx prit le livre. Il était lourd et magnifiquement relié.

– Si tu voulais aujourd'hui apprendre l'œuvre de Simplicius, dit Flodoard, nous n'aurions pas d'autre choix que de te faire lire ces *Traités* en entier. Au vrai, il n'existe pas d'autre moyen pour que la pensée de Simplicius « entre » dans ton cerveau, pas de stratagème pour qu'elle y surgisse tout d'un coup, comme on peut ressentir une douleur à l'épaule ou une émotion. Chez l'homme, la transmission de la pensée ne s'accomplit que dans l'espace et dans le temps. Dans l'espace, car il lui faut de la matière pour la diffuser (un livre, une image, l'air d'un discours), et dans le temps, car de longues heures te seront nécessaires avant d'arriver au bout de ces pages. La raison humaine est ainsi faite, ou plutôt elle est ainsi limitée : elle ne peut rien acquérir d'un Tout. Elle est réduite à une nature successive. Dans le cas présent : succession de sujets, de chapitres, de pages, de paragraphes, de phrases, de mots, de signes organisés selon une loi grammaticale stricte. Tu vois, une loi encore ! Par une « incapacité » analogue, il nous est impossible de penser deux choses en même temps. Essaie un jour, tu verras, c'est instructif. L'homme peut accomplir des actions simultanées, mais il ne peut dédoubler le cours de ses pensées. Elles seront aussi rapprochées que tu le voudras, ce sera toujours d'une manière consécutive. En l'homme, tout s'enchaîne, rien ne se superpose. Pas plus les sentiments, les volontés, les instincts, que les pensées.

Anx reposa le livre sur la table. Elle songea au Tout, à la connaissance qu'étaient censés renfermer les travaux du Djinn. La fin des énigmes.

– Si l'homme est restreint dans le cours de ses pensées, dit-elle, s'il est confronté à une nature exclusivement successive, cela le lie à une Loi comme il en trouve dans la nature ! Une de plus. Vous confirmez l'existence de ces lois ; je pensais vous voir la ruiner.

– Reconnais que je n'ai jamais dit cela. Et pourtant... Tu pourrais être surprise.

Flodoard se leva.

Il se plaça devant l'immense baie vitrée du vaisseau Asimo 5. Devant lui, la petite lune artificielle de Concini orbitait près de la planète d'Andrinople. Anx était assise. L'exemplaire de Simplicius devant elle. Son maître poursuivit :

– Faisons cette réflexion : l'homme trouve des lois dans le monde qui l'entoure. C'est un fait. Elles sont toutes rigoureuses et parfaitement organisées. Soit. Mais la vraie question est de savoir si ces lois de la nature sont organisées en elles-mêmes, ou si elles nous apparaissent ainsi parce que c'est la seule façon que nous ayons de les *lire*.

– Les lire ?

– Oui. Exactement comme pour les pages de ce livre. Cette nécessité d'ordre et de succession. Pouvons-nous envisager la réalité qui nous entoure autrement que dans le cadre immuable de nos moyens, de notre sensibilité ?

Anx appuya ses coudes sur la table de porphyre.

– Je ne suis pas sûre de vous suivre...

– Remarque bien, reprit Flodoard, que cette organisation en lois, l'homme, tôt ou tard, la retrouve partout. Même là où il ne l'attendait pas. Par exemple, pendant des siècles, les humains ont cru que l'apparition de la vie sur terre était un prodige divin, un miracle unique dans l'univers qui dépasserait toujours leur entendement ; et puis un jour, voilà qu'ils découvrent que ce phénomène se réduit à un mélange d'eau, de carbone et d'acide aminé. Une loi encore, et qui n'a plus rien de miraculeux. Même l'origine de son espèce, l'homme a réussi à la mettre en équation ! Rien n'échappe à son système : pas plus la chimie, la physique, la génétique, que l'énergie.

– Où voulez-vous en arriver ?

– Si ces lois de la nature sont à ce point omniprésentes dans l'univers, si nous les lisons partout, jusqu'où peuvent-elles aller ? Interviennent-elles dans le Destin ? N'y aurait-il pas des lois de l'Histoire, des lois du Temps, comme il y en a qui régissent la course des soleils ou les propriétés de la lumière ?

– Des lois du Temps ?

– Oui. Pourquoi celui-ci ne se résumerait-il pas lui aussi à des règles qui seraient l'origine, les causes et les effets de tout ce qui nous arrive à chaque instant ? Un modèle rigoureux posé une fois pour toutes et reproductible ?

Anx répliqua :

– Parce que le Temps ne répond à rien ! On peut décomposer la constitution de la lumière, prévoir les effets de la gravité, mais personne ne peut prédire ce qui va se passer dans une heure, dans un jour, ou dans un an, parce que « tout » peut arriver !

– Tout peut arriver ou tout « arrive » ?

Flodoard se rassit.

– Prenons un jour comme aujourd'hui, toi et moi sur ce vaisseau spatial en route pour la Terre des Origines.

– Oui.

– Confrontons-le à la première idée que l'on se fait du Temps. Notre raison admet assez facilement que le Temps soit une chose « infinie ». Tout comme l'espace. La preuve en est que l'hypothèse de sa fin nous indispose plus que son éternité.

– C'est vrai.

– Entends-moi bien : si le Temps est sans limites, s'il s'écoule à jamais vers le futur, on peut raisonnablement penser que ce jour que nous vivons aujourd'hui possède une « infinité de chances » de demeurer unique dans l'Histoire, mais qu'il a aussi une *égale* « infinité de chances » pour qu'il se reproduise dans l'avenir ou qu'il se soit déjà produit dans le passé. On dit souvent de manière légère que « le temps se répète », mais si le Temps est *réellement* infini, a-t-il seulement le choix de ne pas se répéter ? S'il est infini, ce jour doit pouvoir exister plusieurs fois dans le Temps, même *à la parfaite identique.* Jusqu'aux hommes, aux physionomies, aux noms, à ce grain de beauté que tu as sur le sourcil. À partir du moment où il existe, l'infini, c'est un infini de diversités, mais c'est aussi un infini de choses égales ! Et le temps n'y échappe pas.

Anx réfléchit.

– Dans l'infini du Temps, dit-elle, est-il envisageable que des événements puissent se recouper, qu'une même suite de causes et d'effets reproduise des actions identiques ? Oui, on peut autoriser une telle idée. Elle nous surpasse, évidemment, mais elle reste *concevable,* pour l'essentiel. S'il existe des coïncidences dans une simple vie d'homme, pourquoi pas sur des centaines de milliers d'années ?...

Flodoard secoua la tête.

– Allons, tu me déçois, Anx. Vraiment, cette idée est concevable ? En es-tu si sûre ? Car c'est la même exactement qui rappelle avec Zénon qu'une infinité d'intervalles dans l'espace retient la flèche d'un archer d'atteindre sa cible et qu'une infinité de fractions dans le temps empêche une seconde d'être jamais comptée ! Il faut que tu fasses un choix, ma petite. Soit l'infini est, soit il n'est pas. S'il est, il fonctionne dans tous les sens. Divers et égal, grand et petit.

– Pas du tout ! Pardonnez-moi, mais vos contradictions sont enfantines. La flèche ne doit pas voler ? Sans doute. Pourtant elle vole ! Il existe une infinité de chances dans le Temps pour qu'une autre Anx, identique à moi, vive dans le futur ce que je vis, ou l'ait vécu, et cela dans les plus petits détails ? D'accord ! Mais alors il doit aussi y avoir une « infinité de chances » pour que je ne sois *jamais apparue* ! Et pourtant je suis là ! J'existe ! Alors quoi ? Que fait-on ? J'existe *et* je n'existe pas, c'est cela ?

Flodoard sourit ; il s'approcha, posa le bout de son index sur le front de sa disciple en colère et le tapota gentiment.

– Presque !

Il quitta la pièce pour se préparer à la réception que donnait le Génois Concini sur sa petite lune.

Le lendemain, les carrioles et les chevaux du convoi reprenaient leur voyage dans les plaines de Thrace, vers Constantinople et la Terre sainte.

# IX

## Il y a une vague
## dans les affaires des hommes

Tout ce que les spécialistes des particules consti-
tuantes de l'atome savent de ces particules, tout ce
que leur a appris d'elles l'irréfutable logique
mathématique, c'est qu'à chaque instant elles ne
sont ni quelque part ni ailleurs – ni ici, ni là, ni
autre part – ni nulle part ni partout...

Et pourtant ce sont ces particules improbables
tournant autour du néant qui constituent le papier
de ce livre et votre main qui le tient et votre œil qui
le regarde et votre cerveau qui s'inquiète... Inquiétantes, effrayantes, vagabondes particules de votre
corps... Elles ne sont jamais à leur place et pourtant
jamais ailleurs. Il n'y a rien entre elles, et là où elles
sont, il n'y a rien.

Alors, vous qu'êtes-vous ?

BARJAVEL, *Post-scriptum au Voyageur
imprudent*, mars 1958

**S**ur *L'Acturus*, Cosimo Gui évita de justesse
le coup mortel porté sur sa gorge et décapita d'un trait son adversaire. Pivotant, il
planta son arme dans le flanc du second
combattant. Les deux hommes tombèrent au sol.
Leur sang coula sur le synthétique clair qui couvrait les allées du croiseur spatial. Par le hublot,
Cosimo vit les faisceaux de feu qui traversaient

l'espace entre les navires. Il repartit à l'avant des combats.

Hugo de Payns se débattait, une épée dans chaque main. Le pont supérieur du bateau brûlait. Les secousses du bateau ennemi contre la coque de *L'Acturus* le faisaient rouler et déséquilibraient les bretteurs. À tribord, Hugo vit une masse sombre apparaître dans la brume. C'était un nouveau navire ennemi. Il ordonna :

– Libérez les balistes !

Le vaisseau noir qui surgissait était un Clark-1. Il était entouré de patrouilleurs qui inondaient l'espace de salves laser pour ouvrir sa route. À l'intérieur, l'Homme sans main et sans visage trônait dans une salle d'écrans qui reflétaient en temps réel la progression de l'attaque. Sur le terminal principal, il observait le vaisseau de Hugo de Payns.

– Je veux les chevaliers vivants, dit-il aux lieutenants qui attendaient ses ordres derrière lui. Enlevez en particulier Carl de Ruy et Étienne de Saint-Amant. Massacrez les pèlerins.

L'Homme commanda l'expulsion d'une nappe de particules. Ces jets convertissaient la matière négative en feu. Des morceaux entiers d'espace devenaient incandescents, enveloppant et consumant les vaisseaux chrétiens.

L'aveugle Clinamen était toujours sur le modeste véhicule de liaison du *Carlus Magnus*. Après avoir déposé Cosimo sur *L'Acturus*, il le contourna et immobilisa son appareil à la poupe. Là, sans quitter son poste de pilotage, sans bouger, ni dire le moindre mot, il *disparut*...

... pour reparaître sur un autre vaisseau du pèlerinage, le *Retz*. Le vieillard se matérialisa dans une salle d'hibernation où venaient d'entrer en force six mercenaires prêts à renverser les habitacles des pèlerins endormis. L'apparition de Clinamen les surprit, mais son vieil air n'inquiéta pas. Ils avancèrent. Les prunelles laiteuses de l'Aveugle devinrent noires comme des puits. Son corps se mua en une boule de lumière, si intense qu'elle pétrifia les six hommes et les fit tomber au sol, inconscients.

Cosimo saisit l'extrémité d'une drisse et se projeta dans les airs, traversant toute la longueur de pont de *L'Acturus*, une main agrippée au bout, l'autre faisant des moulinets avec son épée. Il égorgea un assaillant qui était proche de déborder Hugo de Payns. Cosimo finit son envolée en s'abattant sur la passerelle arrière, pieds joints contre un infidèle qui bascula par-dessus bord. Aussitôt après, il se mit à sectionner les cordes en feu pour empêcher l'incendie de se propager et sauver les voiles carguées du navire.

Sur un autre bateau pèlerin, l'Irlandais Létald Columban s'assurait que son épouse et son fils étaient à l'abri. À l'initiative du père Soffrey, les femmes et les enfants avaient été placés sous la cloche sacrée, transformée en bouclier. Le combat n'avait pas encore pris sur leur bâtiment, mais les explosions approchaient dangereusement.

– Suivez-moi, dit Soffrey.

Tout l'équipage descendit dans les cales. Là, ils défirent les nœuds et les bâches qui couvraient le chargement. Ils découvrirent, ébahis, des lances, des arcs, des sabres, des catapultes et des boulets cloutés. C'était une partie des armes que Cosimo avait aperçue à Troyes et que Hugo de Payns avait fait répartir à Venise sur les bateaux. On achemina l'arsenal sur le pont supérieur.

Sur le *Carlus Magnus*, que les talents d'ingénieur de Saint-Amant avaient entouré d'un champ magnétique de protection, le chevalier restait cloîtré dans ses appartements. Il avait occulté les baies ouvertes sur l'espace, éteint les lumières et condamné les portes. À genoux devant Salomon, le monarque des Anges et des Djinns, il priait continûment pour l'issue du combat, les yeux fermés. Au loin résonnaient les explosions stellaires.

Pierre de Montdidier se tenait en équilibre à la proue de son navire, l'arme au clair. Il avait été le premier à ordonner de tirer les voiles de son *Protée* dès le début des combats. Le vent était faible, mais il suffit à mettre le bâtiment en mouvement. Montdidier voulait remonter jusqu'à *L'Acturus* pour défendre la tête du pèlerinage. Il avait fait sortir ses armes de lancée. Arrivé à hauteur, face aux deux vaisseaux qui assaillaient *L'Acturus*, il ordonna le premier tir. Quatre balistes déchirèrent le ciel brumeux et vinrent fracasser les ponts ennemis.

Le choc fut redoutable. Les secousses des vaisseaux adverses ébranlèrent d'autant *L'Acturus*. Cosimo Gui, qui déjouait les tirs laser d'un mercenaire, manqua de tomber et de se faire percer.

Létald Columban était désormais aux commandes d'un torpilleur. Le vaisseau des Irlandais était armé comme un destroyer. La première décharge qu'il initia fut d'une violence inouïe.

Hugo de Payns entendit les navires des pèlerins qui commençaient à riposter. Il fit un bond pour atteindre la baliste que ses hommes avaient péniblement dégagée dans la bataille. Sans attendre, il libéra un boulet bardé de piques qui fonça droit vers le bateau de l'Homme.

La charge brisa son beaupré et décima une rangée de rameurs. La panique se lut sur les visages des lieutenants qui entouraient l'Homme. Son navire, comme tous ceux de son armada, avait le ventre gavé au ras de naphte et de pétrole ! Tout n'avait pas été encore déversé sur les eaux. La riposte des chrétiens n'était pas prévue aussi vive.

Jean du Grand-Cellier et ses hommes défendaient leur chargement de sphères d'émeraude. Deux navires les attaquaient sur tribord et se préparaient à libérer leur feu grégeois. Les chrétiens tiraient tout ce qu'ils pouvaient pour les écarter.

– Que faisons-nous ? demanda, terrifié, un des graveurs de sphères à du Grand-Cellier. Ils vont nous incendier. Vous avez vu les autres navires... ? Il faut agir vite !

Jean abandonna le pont et se précipita dans la cale. Il ouvrit une porte de fer avec une grosse clef qu'il tenait autour du cou. Le compartiment était uniquement rempli de boîtes contenant les dizaines et dizaines de prototypes de sphères fabriquées par ses hommes. Une fortune en émeraude.

En entrant, il entendit soudain des hurlements descendus du pont et sentit une forte chaleur envahir l'air. Le feu commençait d'attaquer la coque du bateau ! Il s'essuya le front. Il fallait garder les idées claires. Choisir au plus vite les quatre meilleures sphères et abandonner le reste. Tout était noté. Noté. Il fallait lire les inscriptions sur les boîtes. Mais les planches de la coque sur tribord commençaient à fumer à l'intérieur ! L'incendie prenait vite. Jean ouvrit plusieurs caisses pour retrouver les derniers « y » mis au point. La fumée noircissait. Dans peu de temps, Jean n'y verrait plus. Il trouva une sphère, puis une deuxième. Ses yeux brûlaient. Encore quelques secondes et il ne pourrait même plus s'échapper. Il fallait impérativement quatre sphères identiques. Identiques, insistait Hincmar ! S'il échouait... Il toussa. La dernière boîte qu'il put ouvrir en y voyant suffisamment était la bonne !

Il bondit sur le pont. Là, un mur de flammes avança sur lui comme une déferlante de tempête. À bâbord, il vit une chaloupe avec ses hommes qui ne l'avaient pas attendu. Les langues de feu cernaient le navire. Il n'avait pas le choix : il sauta dans les flots incendiés, sur la partie la moins prise et vers la barque. Il plongea et nagea longuement sous l'eau. Il voyait au-dessus de sa tête le prodige diabolique des vagues d'écume pleines de feu ! Presque évanoui, à bout de souffle, il réussit à sortir hors de portée des flammes. Ses hommes le tirèrent dans la barque.

Lorsqu'il reprit connaissance, ce fut pour voir son navire se briser en deux et sombrer avec tout son chargement de sphères d'émeraude.

Un faisceau de particules rouge vif claqua dans l'air comme un fouet. Cosimo posa un genou à terre et hurla. Le coup venait de l'atteindre à l'épaule. Son adversaire vida son arme sur un autre pèlerin tout proche dont le corps vola en éclats. Le tueur s'approcha de Gui et apposa le canon d'une seconde arme sur son front. Mais son visage se pétrifia d'horreur et il tomba à la renverse. Cosimo, le front ruisselant du sang de l'autre pèlerin, aperçut confusément une silhouette qui se dessinait à quelques pas derrière le mercenaire inanimé.

C'était l'Aveugle.

Cosimo s'évanouit.

Dans la cabine de commandement, l'Homme sans main et sans visage contemplait le revirement de la bataille. Tous les vaisseaux chrétiens répondaient avec des salves laser. Pas un chevalier n'avait été enlevé. Il secoua la tête d'un air de mépris, puis envoya à ses troupes l'ordre de repli.

Robert de Craon observait la bataille depuis sa cabine, sous le pont arrière du *Gabriel*. Soudain, il vit un vaisseau exploser comme une immense décharge de soufre. Des morceaux de bois volèrent à des dizaines de mètres à la ronde. Sidéré, le chevalier se précipita au jour pour saisir ce qui arrivait. La birème ennemie qui avançait droit vers lui changea de cap. Elle vira et disparut dans la fumée des incendies. Le bruit commençait de s'atténuer. Une corne résonna au loin.

C'était la fin des combats.

Sur *L'Acturus*, l'Aveugle soutenait Cosimo, avançant entre les débris et les cadavres. Le jeune homme inconscient perdait son sang. Aux flancs du navire, les deux vaisseaux d'abordage se détachaient et s'évanouissaient dans la brume de particules neutres. L'éclat de leurs réacteurs scintilla brièvement dans le noir : ils quittaient la zone spatiale.

Hugo de Payns était debout à la proue de son bateau. Son équipage essayait de contenir les restes de feu. On n'entendait plus que le crépitement des bâtiments qui finissaient de sombrer, les cris des hommes à la mer et les prières des épargnés qui, d'une voix unanime, remerciaient le Seigneur de les avoir sauvés. Le maître de la Milice apprit que l'un de ses chevaliers était mort. Benoît Clerc avait été retrouvé écrasé sous un mât.

Tout était confus.

Le pèlerinage était au bord de disparaître...

# X

## Les Frères des Parques

Alors le chevalier Malheur s'est approché,
Il a mis pied à terre et sa main m'a touché.
Son doigt ganté de fer entra dans ma blessure
Tandis qu'il attestait sa loi d'une voix dure.
Et voici qu'au contact glacé du doigt de fer
Un cœur me renaissait, tout un cœur pur et fier.

VERLAINE, *Sagesse*

ais quelques heures plus tard, un archipel de roches nues se découvrit en pleine mer ; trois îlots déserts formant une anse paisible au milieu de nulle part. La flotte de Hugo de Payns y fit aussitôt escale. Cette aire de repos était inattendue, absente de toutes les cartes.

La halte était indispensable. Après la bataille, tout restait à faire ; il fallait mouiller, reprendre le gros œuvre, évaluer les pertes matérielles, les réparations, panser les blessés, compter les morts et les disparus.

L'humeur du pèlerinage avait changé en tout. L'abandon se lisait sur les visages. Les prières étaient interrompues par des cris de douleur et parfois de colère. C'était la première fois depuis

Troyes. On avait cru jusque-là le pèlerinage protégé par la main de Dieu. Le réveil était rude.

Les premiers avis de désistement se firent entendre peu après la fin des combats. Des pénitents renonçaient à aller plus loin. Dès l'arrivée sur l'archipel, il fut décrété qu'un des vaisseaux ferait demi-tour et emporterait ceux qui souhaitaient retrouver Venise. Il y eut des accrochages pour enregistrer tous les partants, au désespoir des prêtres et des chevaliers qui prêchaient pour les convaincre de revenir à des sentiments de pèlerins.

– La souffrance est liée au voyage, disaient-ils. Ne savez-vous point qu'elle purifie vos âmes ? Le Salut ne nous attend pas à la porte de chez vous. Reprenez le chemin de la Croix !

À terre, sur l'îlot le plus escarpé et le moins hospitalier, deux pèlerins étaient partis s'installer pour la nuit. L'un d'eux portait le second sur ses épaules.

C'étaient Clinamen et Cosimo.

Le jeune homme était toujours évanoui. Il avait perdu beaucoup de sang. L'Aveugle eut soin de se mettre à l'écart des autres voyageurs pour le soigner à sa manière. Avec des herbes sèches arrachées à tâtons entre les roches, il alluma un feu qui brûla sans s'épuiser jusqu'au matin. Sa main droite passait longuement sur la plaie de Cosimo ; elle était lumineuse.

Le blessé se réveilla avec le jour. Il fut surpris du lieu où il avait dormi, et de voir l'homme qui veillait sur lui.

– Vous m'avez porté ?

La douleur lui lança à l'épaule. Il était fiévreux.

– Ne te tourmente pas, dit Clinamen. Il n'est pas l'heure de questionner.

Cosimo ingurgita une pâte préparée par l'Aveugle. Il s'endormit.

Il ne rouvrit les yeux qu'au soir. Là, il se sentit plus léger; le mal et la fièvre l'avaient quitté. Sa blessure avait disparu. Seule une fine cicatrice rappelait l'incident. Cosimo se souvint des combats, du coup porté à l'épaule, de la silhouette de l'Aveugle, puis de son évanouissement.

Il voulut parler mais sombra encore dans le sommeil jusqu'au jour suivant, qu'il passa protégé du soleil par la cape de Clinamen.

Le deuxième soir, il put se lever et faire quelques pas. Une nouvelle ration de la mixture du vieil homme acheva de le remettre en état. Il observa du haut de l'îlot la flotte du pèlerinage tassée dans l'archipel. Le soleil se couchait. On entendait de loin les coups de marteau, les cris des manœuvres de réparation. Sur les deux autres îles, des couches de blessés avaient été pratiquées à la hâte. Cosimo était seul avec l'Aveugle.

– Qui êtes-vous? demanda-t-il.

Clinamen tournait sa face vers le crépuscule, ses yeux et son teint pâle rougis par le soleil couchant.

– Je te dois des explications, dit-il. Assieds-toi.

Cosimo s'agenouilla.

– Comment expliquer? Prenons une légende. Connais-tu les Parques de la mythologie antique? demanda curieusement Clinamen.

– Ce sont trois sœurs qui filent sur leur fuseau le passé, le présent et le futur de chaque homme, dit Cosimo.

– C'est cela. Pour les Grecs, Clotho file les jours et les événements de l'existence, Lachésis enroule le fil et tire les sorts, et Atropos coupe le fil et ôte la vie. *Personne n'a jamais eu la fortune d'attendrir ces trois fileuses*, dit le poète Martial. Il a raison. Les prières des hommes sont inutiles aux oreilles des Parques, on ne peut les corrompre; elles ne choisissent pas le Destin, elles le déroulent, c'est tout. Aucune n'intervient dans le cours des êtres et des choses. C'est à d'autres « entités » que revient cette tâche.

– Des entités ?

– Elles sont en quelque sorte de la même famille que ces trois fileuses. Nous dirons pour plus de clarté que ce sont les *frères* des trois Parques.

Clinamen expliqua alors les pouvoirs dévolus à ce type d'incarnations immortelles. Ils pouvaient se mouvoir en tout endroit du temps et de l'espace. Ils étaient omniscients et omnipotents dans l'Histoire.

– Quel est leur rôle ? demanda Cosimo.

– Ils surveillent *l'application des règles*, la bonne conduite des Lois qui régissent ce monde tel qu'il est présenté aux hommes. Ils ont presque tout pouvoir pour cela. Les phénomènes inexpliqués, les miracles, les apparitions qui frappent tant l'imagination humaine : c'est toujours l'un d'eux en train d'intervenir, de guider un homme ou de le perdre. Ils conduisent, *recadrent* son apprentissage, son évolution. Mais pour que la condition des hommes perdure, pour que ce monde reste ce qu'il est, il est essentiel que certains codes, certains secrets demeurent inviolés. Et l'un de ceux-là est en passe d'être brisé. Bientôt. Trop tôt. C'est pour cela que je suis ici.

– C'est pour cela que vous êtes *ici* ?

– Oui.

Le soleil disparaissait à l'horizon. Des lanternes avaient été dressées sur les navires et faisaient un tapis de lumières qui se balançait lentement sur l'eau. Un vent rafraîchi vint souffler sur le rocher. Le feu de Clinamen continuait de brûler, sans besoin d'être ranimé.

– *Ici*? insista Cosimo.

– Dans le rôle qui m'est dévolu en tant que « frère des Parques », j'ai besoin d'un homme à mon côté. Et cet homme, c'est toi.

– Comment? Si vous avez tout pouvoir, en quoi un vulgaire humain peut-il vous être nécessaire?

– Il est indispensable. Vois-tu, nous pouvons inciter les hommes à commettre ou à ne pas commettre certaines choses, mais non agir à leur place. Nous pouvons inspirer par des signes une histoire d'amour ou un meurtre, nous ne pouvons pas les forcer à s'accomplir. Nos pouvoirs ont été astreints à certaines limites, et parfois ils manquent leurs cibles. Nous ne sommes pas des dieux. Certains miracles, certaines apparitions au cours de votre histoire n'ont pas rendu les effets désirés.

– Mais alors, moi? demanda Cosimo. Pourquoi suis-je ici avec vous? Pourquoi moi?

L'Aveugle se tut. Il ne reprit qu'après un long silence.

– Les héros *que nous faisons* ne savent pas toujours pourquoi ils partent à l'aventure, qui les guide et où ils cheminent. Tu es de cette famille de héros. L'essentiel pour nous est de toujours mettre sur la route du bon personnage l'action à accomplir, l'intuition à avoir, la personne à rencontrer. C'est ce que j'ai fait avec toi depuis ton retour au Tabor. Avec toi et avec quelques autres. Aujourd'hui, ce que je ne peux pas accomplir par mes propres moyens, tu peux le faire pour moi; et ce que tu veux savoir, je peux te le faire apprendre. Nos routes convergent vers le même point, et le même endroit.

– Où?

– Jérusalem.

– Qu'y a-t-il là-bas? La Borne? Qu'est-ce que la Borne?

Cosimo pensa à Ismale et à la Milice. Aux livres cachés du Djinn de Salomon...

– Est-ce cela qu'ils recherchent ? demanda-t-il. Les quatre livres du diable, ceux qui apportent la Connaissance de l'anneau ? Ils savent où ils se cachent, n'est-ce pas ?

Clinamen secoua la tête.

– Non. Ces livres ne sont rien en eux-mêmes. Ils ne servent qu'à localiser le lieu où...

– ... où se dissimule la Borne ?

– Oui. Chaque livre porte une coordonnée spatiale. Les quatre combinés situent le lieu secret voulu par Salomon. Le Djinn avait tout pensé. Lorsqu'il s'est saisi de l'anneau du roi, il a réussi à mettre sur papier la seule connaissance nécessaire et entière : le lieu de la Borne. Ces quatre manuscrits ont échappé à Salomon. Ils n'ont été retrouvés que deux mille ans plus tard par de vulgaires pilleurs qui revendirent ses pages blanches au poids à la bibliothèque de Tripoli. Les livres furent entreposés sans que personne soupçonne leur valeur. Seul un jeune homme appelé Hincmar Ibn Jobaïr est tombé dessus. *Par hasard*. Grâce à ce point de départ, ce grand savant a réussi à remonter toute la piste de la Borne, et de ses fonctions magiques. De Hincmar, ce savoir est passé pendant la croisade à Ismale Gui et aux chevaliers de la Milice.

– Mais cette Borne, qu'est-elle vraiment ?

Clinamen fit un vague signe de la main.

– Dois-je le savoir ? reprit Cosimo.

– Tu comprends vite. Apprends que la Borne ne *s'explique* pas. Il faut la découvrir, la voir, c'est tout. Tous les mots pour la décrire sont vains.

– Mais alors c'est elle, c'est sa découverte qui bouleverserait ces règles que vous avez à défendre, c'est cela ? Les Lois de ce monde ?

408

– Tout à fait. Nous devons empêcher ensemble non seulement que la Milice n'atteigne son but secret, mais aussi l'Homme sans main et sans visage. L'enjeu est trop important. La Borne doit rester inviolée. Je t'ai dit que le déséquilibre des choses qu'elle peut entraîner est trop précoce et inopportun pour les hommes : il ne doit tout simplement pas avoir lieu.

Cosimo regarda la lune qui montait.

– Conserver l'équilibre des choses... Par où commencerons-nous ?

Clinamen sourit.

– Demain, nous partons pour joindre la Terre sainte avant tout ce monde-là.

Il désigna de son bâton la flotte de Hugo de Payns amassée dans l'archipel.

– Ensuite, tu suis mes pas jusqu'au sanctuaire.

– C'est tout ?

– Non. Bien sûr que ce n'est pas tout...

∞

Les passagers les plus résolus à abandonner le pèlerinage s'étaient concertés pour réquisitionner un des bateaux demeurés intacts après la bataille. Ils choisirent un navire privé, de ceux qui emportaient les nobles depuis Venise. Le départ fut décidé pour l'après-midi même, deux jours avant celui prévu pour la flotte.

L'Aveugle précéda Cosimo à son bord et lui assura une place.

Avec surprise, le jeune homme reconnut le navire. C'était *L'Élection*.

– Capitaine, dit-il, vous êtes toujours du pèlerinage ?

– Oui, répondit Vandeslas Numa. Après avoir été abandonné par cet homme et cette femme à

Otrante, j'ai réussi à dénicher une poignée de pénitents qui étouffaient sur les croiseurs trop étroits de la Milice. À bon prix, j'ai réuni un équipage et décidé de continuer la route. Jusqu'à aujourd'hui où je trouve de nouveaux passagers décidés à me payer davantage pour les ramener chez eux ! Je me moque d'aller jeter l'ancre en Terre sainte, moi. Je ne suis pas en pèlerinage, mais en affaires.

Il s'approcha du jeune homme.

– Avez-vous reçu quelques nouvelles de votre ami ?

– Pas encore, dit Cosimo. Mais je dois retrouver Roland à Jérusalem.

– Jérusalem ? Mais que faites-vous là ? Mon bateau repart pour Corfou !

– Nous verrons bien.

Le jour même, on tira les voiles et *L'Élection* abandonna les autres navires.

La traversée s'annonçait calme. Les anciens pèlerins se défirent de leurs tenues austères, rangèrent leurs croix et se mirent de nouveau à rire et à s'esclaffer. Ils se congratulaient de leur décision, assurés que leurs frères restés en arrière n'iraient pas bien loin sur ces eaux infestées.

Mais quelques heures plus tard, un événement inattendu se produisit. Une voix s'éleva du pont supérieur et appela les passagers.

C'était Roger Marcabru.

Il était monté sur une échelle de corde, Cosimo et Clinamen assis en dessous de lui.

Le bon Troyen, qui avait pendant des années personnifié un Oriental de comédie pour enrôler les fidèles, et qui s'était engagé dans son premier voyage, conforté par la présence de la Milice, avait aussi été un des premiers à ressentir, après la bataille, une furieuse envie de retrouver ses estrades champenoises, son petit vin pétillant et son salaire à l'évêché.

Mais là, sans se démonter, il se mit à plaider vigoureusement pour un prompt retour vers la Terre sainte ! Marcabru n'appelait plus à faire fortune ni à profiter des femmes de Syrie, il invoquait l'esprit de contrition et le courage de la vraie Foi ! Ses dons de bonimenteur firent un effet foudroyant : comme en Champagne, l'homme emportait progressivement l'adhésion de son audience. De pauvres fidèles terrorisés par les ennemis de la Croix, il les retourna en pèlerins de cœur ne craignant plus ni les combats ni la mort. C'était son heure de gloire.

Cette victoire le transporta. En comédien qui ne perd jamais le sens des réalités, Marcabru eut la soudaine impression qu'il venait d'« entrer dans l'Histoire », qu'on parlerait longtemps de ce comédien qui avait su ranimer la foi de pauvres fidèles égarés.

On vira de bord.

Droit vers l'orient.

Vandeslas Numa s'inquiéta.

– Avec cela, on ne va plus me payer le même prix, grommela-t-il. Retour au tarif du pèlerinage ?

– Patience ! répondit Marcabru dont on ne pouvait plus contenir l'élan. Pensez, capitaine, aux récompenses qui vous attendent si vous nous conduisez avant tout le monde en Terre sainte ! Quel accueil pour les « premiers pèlerins » à Jérusalem ! Le roi vous couvrira d'or, le patriarche vous bénira comme un sauveur. La foule vous portera aux nues.

– Oui ? Bon. En ce cas...

Et *L'Élection* de cingler droit vers la Terre sainte, avec deux jours d'avance sur les vaisseaux de Hugo de Payns.

Cosimo se plaça à la proue, le regard rivé sur la ligne d'horizon.

Pour féliciter et réconforter les pèlerins, Clinamen façonna dans le ciel un ensemble de nuages en forme de crucifix, escorté par des anges. Et le soleil du soir faisait comme un nimbe de feu autour de cette apparition. Tout le monde tomba en prière devant ce signe évident de la reconnaissance de Dieu.

Pendant ce temps, Marcabru comptait les pièces de monnaie que lui avait données Cosimo pour son grand discours méritoire.

Faible il était, faible il resterait.

# Livre Quatrième

*Le Temps est un grand maître, dit-on. Le malheur est qu'il tue ses élèves.*

BERLIOZ

# I

## Pas une idée neuve

LES BORNES DE L'ESPRIT HUMAIN
Elles sont partout, pauvre docteur. Veux-tu
savoir comment ton bras et ton pied obéissent à ta
volonté, et comment ton foie n'y obéit pas ?
Cherches-tu comment la pensée se forme dans ton
chétif entendement, et cet enfant dans l'utérus de
cette femme ? Je te donne du temps pour me
répondre. Qu'est-ce que la matière ? Tes pareils ont
écrit dix mille volumes sur cet article ; ils ont trouvé
quelques qualités de cette substance : les enfants les
connaissent comme toi. Mais cette substance,
qu'est-ce au fond ? et qu'est-ce que tu as nommé
esprit, du mot latin qui veut dire souffle, ne pouvant faire mieux parce que tu n'en as pas d'idée ?

VOLTAIRE, *Dictionnaire philosophique*

Anx et Flodoard atteignirent Constantinople
le 16 janvier 1119. La jeune fille découvrit
pour la première fois l'ancienne Byzance.
« La Rome antique ne devait pas être différente ! » se dit-elle, étourdie devant ces visages,
ces habits, ces parfums du monde entier qui se
mêlaient dans les rues, toujours renouvelés.

Le bibliothécaire et son disciple s'installèrent
dans un palais proche du célèbre Milion de
Constantin. Là, pendant plusieurs jours, Flodoard

organisa seul la redistribution de ses livres, de ses manuscrits et de ses outils scientifiques. Une grande partie allait demeurer sur place, comme l'avait suggéré Hugues de Champagne à Troyes, afin de parvenir plus rapidement à Jérusalem. Anx comprit que son maître ne conservait que le strict nécessaire pour accomplir la mission de ses maîtres en Terre sainte, soit : cent neuf manuscrits arabes traduits, trois manuscrits de sortilèges chaldéens conservés dans un coffre d'airain et enveloppés de soixante-six couches de lin, des instruments pour lire le ciel et une machine de poulies entièrement démontée avec son faisceau de cordes qui pesait plus de quarante livres. Anx vit aussi les livres d'images et les quatre manuscrits du Djinn rejoindre le convoi allégé.

Flodoard était nerveux, hanté par la crainte de laisser derrière lui un objet essentiel ou que la garde attribuée à ses milliers d'ouvrages ne soit pas suffisante. Il essaya de forcer le capitaine Tudebode à demeurer avec sa bibliothèque, mais celui-ci se récria.

Anx patientait au palais. Sur les ordres de Flodoard, elle étudiait le parallèle historique des figures du Salomon juif et du Salomon arabe. À plusieurs reprises, elle fut interrompue par Erich, l'ancien clerc principal de Flodoard qu'elle avait remplacé sous son déguisement de garçon. Il jalousait sa proximité avec le maître et la tenait pour responsable de son éloignement. Anx dut subir ses questions insidieuses, mais elle sut le tenir à distance et ne jamais se trahir. Elle resta au palais à attendre son maître. Elle sentait bien que l'issue du voyage était proche et qu'avec un peu de patience elle finirait par comprendre, par lier ce qu'elle avait découvert et ce que son maître cherchait à lui enseigner...

Flodoard connaissait parfaitement le palais; il appartenait au comte Hugues qui l'avait acheté à son retour de la croisade. Le bibliothécaire y avait passé six séjours prolongés pour la préparation du pèlerinage. La veille du départ, alors que tout était prêt et qu'il pouvait enfin souffler, il conduisit Anx dans un souterrain dont l'accès était dissimulé dans une salle de bustes, derrière un large Pythagore d'onyx.

– Il est un endroit que je veux te faire découvrir, lui dit-il.

Le souterrain descendait le long de salles fermées par des portes doublées de fers croisés. À la lueur d'une simple torche, ils pénétrèrent dans une grande pièce vide, aux murs ornés de fresques jusqu'au plafond. Autour d'Anx, les couleurs, la démesure, les sujets des tableaux apparurent. Chacun d'eux était une allégorie. Là les sciences, là les arts, les religions, les cycles de la nature, ici l'ordonnance des éléments, les races animales, etc.

– Je vois une succession d'images, dit-elle à son maître.

– Observe un personnage, dit-il. N'importe lequel.

Il lui désigna un bonhomme perdu au milieu d'une évocation illustrant le monde de la Physique.

– Si tu l'étudies bien, dit Flodoard, tu verras que ce physicien regarde sur sa droite, hors du cadre de son tableau. Et si tu te retournes et que tu suives son regard, tu t'apercevras qu'il épie dans la direction de l'allégorie de la Mathématique.

Il s'approcha de ce tableau couvert d'équations et reprit :

– Là, un des personnages principaux observe lui du côté de la représentation qui évoque la Logique, dans cet angle à ta gauche.

Anx pivota et, suivant la torche de Flodoard, elle reconnut la Logique, jeune fille au regard triste assise aux pieds d'un auguste Aristote.

– En t'appliquant, tu découvriras que tous les personnages figurés sur ces dizaines de tableaux forment un seul et même regard ; il voyage à travers la pièce comme un miroir réfléchissant sa propre image. Lorsque tu en observes un, tu les observes tous, en même temps. L'Histoire, la Musique, la Médecine, la Folie, la Justice, toutes les disciplines concevables dans l'esprit de l'homme sont unies par ce fil ininterrompu.

Anx découvrit en effet qu'outre les poses et les regards des personnages il y avait aussi des symboles et des reflets en trompe-l'œil qui permettaient d'effectuer des liaisons plus subtiles.

– Aussi loin que porte l'entendement humain, ses pensées, ses créations, ses intuitions, tout est consigné dans cette pièce. La pensée de l'homme, ma petite, c'est tout ça !

Anx tourna sur elle-même.

– Il a dû falloir des années pour ajuster autant de données ! dit-elle.

– Et ce travail reste permanent. À chaque nouvelle découverte, un artiste vient ici ajouter un détail ou un personnage.

– C'est fascinant, dit Anx.

Elle passait d'un tableau à l'autre.

– Ces disciplines ! Je n'aurai jamais assez d'une vie pour les connaître toutes.

– Tu as l'air heureuse, dit Flodoard.

Il lui jeta un regard en dessous.

– Tu devrais être déçue.

Elle bondit.

– Déçue ? Déçue alors que je mesure enfin ce qu'il me reste à *apprendre*, à *découvrir* ?

Flodoard haussa les épaules.

– Je t'ai dit qu'à chaque nouvelle découverte nous ajoutions ici un détail; note bien que je n'ai pas dit que nous ajoutions un tableau. D'ailleurs, tu peux le voir, la salle est pleine, les murs n'offrent plus aucune place pour un sujet supplémentaire. Lorsqu'il pense, l'homme est convaincu d'élargir ce cercle qui nous entoure, de repousser les limites de sa condition; il prend sa curiosité et son don de réflexion pour des outils de libération, alors qu'il ne fait jamais qu'alourdir inlassablement ces tableaux : il ne saura rien, ne concevra jamais quoi que ce soit qui puisse exister *en dehors de cette pièce*!

– En dehors?

Anx repensa au jour où elle avait voulu se figurer l'un des mondes créés par Dieu selon les textes de Tabari, et qui devait n'avoir rien en commun avec celui des hommes; elle se souvint de son incapacité à penser quelque chose de *nouveau*. Elle ne produisait que des variantes, des déformations de ce qu'elle connaissait déjà.

– La pensée de l'homme est limitée, dit-il. Souviens-toi de ce que je t'ai dit le premier jour. Souviens-toi du livre de Simplicius. Souviens-toi de Zénon. Nous savons confusément qu'il a raison avec ses fractions de seconde; « en théorie » la minute ne devrait pas s'écouler, et pourtant « en acte » le temps est là, dans la chronologie et dans l'espace. Je t'ai dit que l'intelligence de l'homme ne pouvait accepter qu'un savoir morcelé et progressif. Aussi il est vain aujourd'hui d'essayer de te convaincre que toute la réalité qui nous entoure n'est qu'une réalité « recomposée », une infime partie du Tout, exactement comme le Temps n'est en fait que la reproduction « morcelée » de l'Éternité. Je ne peux pas t'expliquer cette totalité car nous n'avons aucun des sens requis pour la comprendre, c'est évident... mais je peux mieux : je peux te le *prouver*.

– Le prouver ? C'est impossible !

– Crois-tu ? Voyons : comment démontres-tu le mouvement ?

– Le mouvement ?

– La réponse est simple : pour qu'il soit perceptible, un mouvement doit posséder un point fixe qui serve de référence à son observation. Si ce repère n'existe pas, le mouvement aura les propriétés de l'immobilité. Rien ne permettra de le distinguer, ni de le mesurer. Par la suite, si d'autres mouvements se mettent en action autour du premier, le paradoxe, c'est que c'est lui qui deviendra subitement le point de référence. Et les mouvements se ressentiront autour de lui.

– Je suis d'accord.

– Eh bien, dans notre vie de tous les jours, c'est exactement ce qui se passe. Des mouvements autour d'un mouvement qu'on ne perçoit pas. Le temps de réfléchir au Temps, le Temps s'écoule. Le temps d'étudier la réalité, elle subit son déroulement implacable et nous avec ! Peut-on arrêter le temps, peut-on s'en extraire pour le connaître ? Jamais. Nous sommes contraints à étudier un phénomène dont nous sommes une des manifestations, ce qui fausse les conclusions. Nous ne pouvons rien connaître du « mouvement » véritable, nous ne pouvons même pas être convaincus qu'il *existe*, parce que, en tout, il nous manque un point fixe. Un point fixe !

Anx resta silencieuse. Le maître reprit :

– C'est pour chercher cet élément que nos neuf chevaliers sont en train d'accomplir ce voyage en

Terre sainte. Pour trouver cette PREUVE dont je te parle.

– Une preuve ?...

– Oh, rien d'extraordinaire en apparence. Une pierre. Une pierre lumineuse. La seule différence avec tout ce que tu peux connaître, c'est que cette Borne *n'obéit à aucune des lois qui régissent notre réalité* ! Lorsqu'on la regarde, tout bouge autour d'elle, même le témoin, même la pensée qu'a le témoin de ce qu'il observe. C'est, paraît-il, un sentiment insoutenable de vertige, une sensation d'écoulement dont on se voit soi-même faire partie. Cette pierre est le seul point fixe que nous connaissions dans notre univers. Celui qui démontre, entre beaucoup d'autres choses, que notre Temps est une illusion tenace qui emporte tout ce que nous pouvons savoir.

Il fit un geste en direction des tableaux.

– La Borne est le seul solide de ce monde qui échappe à toutes ces connaissances péniblement accumulées au cours des siècles. Il est inutile d'essayer de la comprendre, de la définir, il faut simplement *l'expérimenter* !

Anx était blême.

– C'est cela que vous vouliez m'apprendre ? demanda-t-elle. Toute cette initiation pour me faire entendre la réalité de cette Borne ?

Flodoard secoua la tête.

– Bien sûr que non. Ce serait trop simple, non ? Décevant même après tous ces efforts.

Il sourit et dit :

– Non, le véritable mystère ce n'est pas tant la nature de cette Borne que la raison de sa présence ici. Pourquoi est-elle sur terre, et surtout d'où vient-elle ? Là est tout l'enjeu. La quête de cet objet dure depuis des siècles, ma petite, elle est plus importante que tous les Graal, toutes les Arches d'alliance, toutes les Vraies Croix, parce que sa seule existence renvoie ces hochets à leur néant !

– Dites-moi !

– Je ne le peux pas. Il faut patienter encore un peu...

Le lendemain, ils reprenaient la route avec leur convoi. Ils allèrent à marche forcée jusqu'à Tarsus, en Arménie Mineure. Là, dans cette ville que Flodoard semblait connaître comme un moine son déambulatoire, existait une petite et discrète communauté juive. C'est au cœur du quartier pauvre que le bibliothécaire conduisit Anx. Sans la prévenir de rien, il l'abandonna dans un réduit sans jour, lui ordonnant d'attendre que quelqu'un vienne à elle.

– *Lui* va t'expliquer, dit-il.

# II

## La Planète des Origines

> Je me figure que les gens qui disent que le
> monde donne de l'expérience doivent être bien
> étonnés qu'on les croie. Le monde n'est que tour-
> billons, et il n'y a aucun rapport entre ces tourbil-
> lons.
>
> MUSSET, *Confession d'un enfant du siècle*

Depuis son cockpit, Cosimo apercevait dans l'espace un croissant lumineux qui se déroulait lentement à mesure que son vaisseau approchait. Ce fragment de planète était d'une clarté magnifique.

C'était la première fois qu'il découvrait la Terre des Origines.

Aujourd'hui, cette planète n'était plus réellement colonisée : elle se réduisait surtout à un enjeu
de luttes séculaires entre des religions qui voulaient s'attribuer le privilège de dominer « le ber-
ceau de l'Humanité ».

À hauteur de Jupiter, Cosimo et Clinamen
avaient laissé le capitaine de *L'Élection* qui voulait
attendre la Milice pour le reste du voyage, et
emprunté un petit vaisseau de contrebande. Ils
prenaient de l'avance sur tous les pèlerins.

Ils franchirent les contrôles de Mars sans encombre, prétextant un chargement de batteries pour les Terriens installés sur la Lune.

Et puis la Terre parut.

– Il est dommage que vous ne puissiez assister à ce spectacle, dit Cosimo à Clinamen.

– Je connais ce monde, répondit le vieil homme. Son apparence tranquille et féminine est trompeuse. C'est la plus tempétueuse des planètes.

En approchant, Cosimo vit des stations orbitales abandonnées, détruites ou lourdement endommagées. C'étaient les stigmates de la Première Croisade, ruines des combats laissées vingt ans plus tôt.

Le vaisseau de Cosimo fut accosté par une unité de gardes envoyée par la porte-station de Jehoshafat. Ces relais de douane ceinturaient la planète Terre et en surveillaient les accès. Clinamen avait insisté pour que son ami se présentât par le continent dit de la Juiverie.

– La porte de Jehoshafat est la plus surveillée, mais elle nous conduira plus vite où nous devons aller.

Cosimo s'identifia comme un pèlerin avancé des convois de Hugo de Payns. On demanda une vérification d'identité qui dura des heures mais qui finit par lui accorder un laissez-passer temporaire à renouveler par les autorités du pèlerinage dès leur arrivée.

Cosimo et Clinamen hibernèrent leur appareil à la station et prirent une nacelle pour rejoindre la surface de la Terre sainte.

∞

Loin derrière eux, la flotte de Hugo de Payns quittait l'Océan pour retrouver une aire spatiale ordinaire et embarquer sur de nouveaux Asimo, à l'entrée du Premier Système Solaire.

Dans la nuit, les pèlerins de Troyes discernaient enfin le faible éclat du « Premier Soleil ». La Terre des Origines approchait. La Terre ! Les premiers hommes ! Ceux qui avaient vu le jour sur des colonies ou sur des vaisseaux galactiques ressentaient avec émotion ce retour aux racines.

L'entrée dans le Premier Système se fit dans un silence solennel. La plupart des fidèles se croyaient déjà arrivés et remerciaient le ciel pour la traversée. Seuls les huit chevaliers savaient que les périls passés n'étaient rien en regard de ceux qui les attendaient.

Et des nouvelles inquiétantes leur arrivaient de Jérusalem...

Les chevaliers étaient réunis sur une lune artificielle près de Neptune. Ils venaient d'apprendre qu'un nouveau roi avait été sacré en Terre sainte. Il s'agissait de Baudouin du Bourg, le frère du Fondateur assassiné en Égypte. L'autre frère, Eustache de Boulogne, qu'ils accompagnaient, ne serait donc pas couronné.

– Cela est bien, trancha Hugo de Payns. Cet esprit creux nous aurait embarrassés.

– Les trois personnes qui nous ont apporté cette nouvelle peuvent nous renseigner sur les premiers actes du nouveau roi à Jérusalem, dit André de Montbard. Leur rapport est éloquent, croyez-moi.

– Qu'elles entrent, dit Hugo.

C'étaient des chrétiens de Syrie. Le premier avait connu le monarque du temps où il commandait son comté d'Édesse, le deuxième vivait à Jérusalem depuis de nombreuses années et le troisième avait assisté aux cérémonies du sacre.

– Baudouin II est très différent de son prédécesseur, dit le premier témoin. Là où le Fondateur était violent, bigame, fastueux et plutôt liant quant aux commandements, lui est un mari exemplaire, un homme doux et stratège, économe pour lui comme pour les autres, et un excellent chrétien. À Édesse, il a su se faire aimer et se faire obéir, ce qui est même qualité chez un bon roi.

Mais en Terre sainte, Baudouin héritait de colonies affaiblies, pressées au nord par l'atabeg de Damas, au sud par l'armée d'Égypte. Les troupes mahométanes se faisaient chaque jour plus menaçantes, avivées par la figure mystérieuse de l'Homme sans main et sans visage. Baudouin II savait qu'il devait quitter Jérusalem et partir à la tête de ses forces pour affermir son droit au trône et rassurer ses sujets.

Avant son départ, il fit annoncer qu'il tiendrait un dais royal près de la tombe du Christ et qu'il recevrait en personne les doléances de son peuple. Cette idée suffit à le rendre populaire.

– Le jour dit, raconta le troisième témoin, la place devant la basilique était noire de monde. Des centaines de personnes venaient solliciter un arbitrage du souverain, ou lui baiser la main et lui souhaiter de vaincre dans toutes ses entreprises. Le soleil était implacable. Le roi écoutait chaque plaidoyer, chaque compliment avec un sourire bienveillant. Au soir, ses lieutenants voulurent l'obliger au repos, mais il refusa. Les audiences se poursuivirent jusque tard dans la nuit, à la lueur d'immenses flambeaux qu'on embrasa autour de la place. À quatre heures, le dernier homme se présenta devant Baudouin II. Il était vieux, ployé, plus misérable et plus pouilleux que tous les vagabonds qui s'étaient avancés jusque-là. C'était le Mendiant du Saint-Sépulcre.

– Ce loqueteux ne doit pas être jugé sur son apparence ! avertit le témoin qui vivait à Jérusalem. C'est l'un des personnages les plus importants de la ville. Il est en poste avec sa sébile à l'entrée du tombeau de Jésus. Cela fait des années qu'il sait tout ce qui se dit, tout ce qui se trame dans les rues. Il est redoutable, chef incontesté de tous les mendiants de Jérusalem. Vous n'ignorez pas combien ils sont nombreux dans la citadelle. Ils affluent du monde entier pour profiter des largesses des pèlerins venus d'Occident. Ils sont partout, cachés, souterrains, avachis à chaque coin de ruelle. Il suffirait d'un mot de cet homme pour que cette armée de malingreux se soulève.

Hugo de Payns hocha la tête pour signifier qu'il avait entendu l'avertissement.

– Qu'a-t-il dit au roi ? demanda-t-il.

– Le vieux mendiant s'est approché du trône.

« – Que désires-tu ? dit le roi.

« – Oh, je ne demande rien ; ce soir, je crois que c'est plutôt moi qui peux quelque chose pour Votre Majesté.

« En toute autre occasion, cette impertinence d'un mendiant à un roi aurait provoqué un scandale.

« – Soit, a dit Baudouin, amusé. Je t'écoute.

« Le vieillard a ouvert sa robe maculée de poussière et en a tiré un gros sac qu'il a déposé à terre. Ce geste a surpris. Un garde l'a saisi et l'a approché de Baudouin. Il semblait très lourd. En l'ouvrant, le roi a découvert de l'or et des pierres précieuses. Il y avait là assez de biens pour équiper plusieurs armées. Exactement ce qui lui faisait défaut.

« – D'où tiens-tu ce trésor ? a demandé Baudouin.

« Le Mendiant a fait un rictus significatif.

« – Ce sont les larmes des pauvres du monde, Majesté. Cet or est le vôtre.

« – Pour rien ?

« Le roi a reposé le sac au sol.

« – Parle.

« – Puisque vous le commandez... Avant vous, le grand roi Baudouin nous a été très cruel, le savez-vous ?

« En effet, deux ans plus tôt, le Fondateur avait fait chasser tous les mendiants qui occupaient les anciennes écuries du Temple. C'étaient de vastes étendues désertées et poussiéreuses qui leur servaient d'abri depuis des décennies. Ils y vivaient entre eux. Cela permettait d'éviter qu'ils ne rôdent dans les rues à la nuit tombée.

« Le Mendiant a supplié :

« – Nous voudrions retourner aux anciennes écuries. Comme autrefois. Nous y sommes en sécurité. Nous ne dérangeons personne. Depuis que je suis dans cette ville, aucun ne s'est jamais plaint de mes malheureux, sire.

« Et c'est très vrai, commenta devant la Milice le témoin qui racontait la scène.

À ce point du récit, les chevaliers se regardèrent d'un air inquiet. C'était Hugues de Champagne en personne qui avait réussi à convaincre le Fondateur de faire évacuer les écuries et de les lui céder à l'arrivée de son ordre en Terre sainte. Les écuries étaient situées à la verticale du sanctuaire de la Borne. C'était de cet endroit du Temple que les chevaliers avaient prévu d'extraire le sarcophage s'il résistait à leurs sphères. Il faudrait regagner ce point stratégique.

Le témoin reprit :

– Sous le dais royal à Jérusalem, Baudouin II a réfléchi à la demande du Mendiant en contemplant le sac. Il pensait à ses guerres à venir, à cette ville qu'il devait quitter pour longtemps : la sagesse voulait qu'on oblige ce vieux quêteur pour éviter les tapages et les complots de rue.

« – Soit, a proclamé le roi. Qu'on rouvre les ruines du vieux Temple aux malheureux !

Il y eut un long silence dans la salle autour de Hugo de Payns. Le maître avait le visage fixe. Sa mission se compliquait encore...

∞

Ce jour-là, les rues de Jérusalem étaient très lumineuses. En plein midi, l'heure sans ombre, les places étaient désertées. Les Hiérosolymitains se gardaient à l'abri de leurs volets.

Clinamen et Cosimo longeaient la piscine où Jésus-Christ avait guéri le paralytique.

– C'est étrange, dit Clinamen, je croyais mourir bien avant de revenir ici !

Il songea qu'à son précédent passage, c'était Abel Gui qui le suivait alors qu'il faisait entrer Champagne, Payns et Ismale dans la cité. Abel avait le même âge que son fils aujourd'hui.

– Mourir ? s'étonna Cosimo. J'avais cru comprendre que vous étiez une entité immortelle ? Comment un être peut-il mourir s'il n'est pas lié au Temps ?

Clinamen répondit :

– Dans le sens que vous accordez au Temps, nous sommes immortels, en effet.

– Alors de quelle « mort » parlez-vous ?

– De la vraie. Pas de celle dont vous vous effrayez avec des accès d'angoisse assez plaisants à observer. Dans votre monde, un homme ne meurt jamais *vraiment*. Un seul acte de sa vie, même anodin, suffit à le rappeler longtemps à la postérité. Un geste peut se survivre au cours d'une chaîne de causes et d'effets qui porte loin, très loin après la mort de celui qui a agi. En dépit des apparences, un homme qu'on met en terre ne disparaît pas. Regarde cet homme, là.

Clinamen montra sans tourner la tête un marchand qui vérifiait son étal.

– Ce matin, il a accepté de faire crédit à une jeune mère pour quelques fruits secs. Dans moins d'une semaine, le fils de celle-ci va tomber malade et elle le sauvera de la mort en revendant ces fruits pour acquitter le médecin du quartier. Toutefois, l'arrière-arrière-petit-fils de ce garçon sera l'un des plus horribles tyrans que l'Orient connaîtra. Ce marchand peut être tenu pour responsable des milliers de morts que provoquera le descendant du fils. Dans leurs blessures, dans le cœur de leurs familles déchirées, dans un siècle, ce marchand d'aujourd'hui sera toujours *vivant*. Je t'accorde qu'il est des exemples plus joyeux. Indiquer un chemin à un inconnu, donner un conseil à un enfant, rectifier une loi inique, raconter un souvenir : cela peut suffire à changer la face du monde. Sinon demain, pourquoi pas dans un siècle ? En chaque homme, il existera toujours la postérité inconnue de ses actes.

– Et vous ?

– Nous, nous *mourons*. Quand l'un de nous s'éteint, il disparaît du Temps. Intégralement. Tant dans ses agissements passés, présents que futurs. Les hommes qu'il a croisés oublient instantanément son existence. Ses actions sont remplacées par une autre réaction de causalités qui peut arriver au même point, mais sans lui. Crois-moi, c'est cela la vraie mort. Un tel oubli, une telle éviction du Tout, est affreux à envisager. Dans votre réalité, cela n'arrive jamais, même pour ceux qui se sentent vides et superflus. Ici, personne n'est inutile, personne ne peut être remplacé. Nous, les Frères des Parques, nous vivons le Temps tel qu'il est : entier et immédiat.

– Alors comment mourez-vous ? Et pourquoi ?

– Nous sommes des agents. Dès que nous commettons des fautes, nous mourons.

– Des « fautes » ?

– Nous sommes soumis à des lois. Des règles. Surtout dans nos rapports avec les hommes. Je te l'ai dit : on peut les influencer, mais on ne doit pas agir à leur place. Auquel cas, nous sommes punis.

Cosimo s'arrêta soudain.

– C'est pour cela que vous êtes aveugle ? C'était une punition ?

Clinamen acquiesça.

– Oui.

– Pourquoi ? Qu'aviez-vous fait ? Dites-moi !

L'aveugle continua de marcher.

– Tu ne pourrais pas comprendre, dit-il. Cela n'est pas encore arrivé...

Selon les indications de Clinamen, Cosimo descendit un escalier étroit qui partait de la crypte de l'église de Saint-Siméon pour aboutir dans une gigantesque salle souterraine soutenue par une forêt de piliers. Il tenait l'Aveugle par le bras.

– À l'époque du roi Salomon, dit l'Aveugle, ces halles servaient aux écuries du Temple. Sur les murs, derrière les atteintes du temps, tu découvrirais des cartouches passionnants.

Cosimo vit surtout une profusion de « S » ouvrés de mille façons.

– Salomon ? Que faisons-nous ici ? Qu'y a-t-il en cet endroit ?

– C'est la seule partie de son règne que le temps ait conservée intacte. Le niveau du sol est ici identique à celui du premier Temple.

Il fit glisser sa sandale sur le sable fin.

– Ce que nous cherchons est quelque part sous nos pieds.

– Vous savez où ?

Clinamen fit un signe affirmatif.

– Oui, mais là n'est pas la question. Encore faut-il découvrir comment TOI, tu vas savoir y aller.

Il s'arrêta soudain.

Cosimo regarda autour d'eux. Lentement, des silhouettes sortaient de terre comme des fantômes. Des ombres s'avançaient. Cosimo ne fut pas long à comprendre que c'était une bande de malingreux qui vivait en cet endroit et que son arrivée dérangeait.

Il voulut prévenir Clinamen, mais, se retournant, il vit que celui-ci avait disparu, évanoui dans l'air.

Une douzaine de mendiants à la mine crasseuse, aux habits sombres, rapiécés, maculés de poussière et de graisse, formèrent un cercle autour du jeune homme.

– Es-tu fou pour parler tout seul de la sorte ? dit l'un des mendiants.

C'était le plus âgé. Le chef. Le Mendiant du Saint-Sépulcre.

– Seul ? Non, je...

– On ne vient pas ici impunément en évoquant le nom de Salomon, ajouta-t-il.

Cosimo voulut faire un pas, mais à l'instant, les loqueteux sortirent de sous leurs manteaux une arme braquée dans chaque main. C'étaient des annihilateurs de particules. Cosimo leva les bras et se rendit.

Ils lui nouèrent un sac sur la tête.

Le lendemain, il fut jeté dans une caravane chargée d'ordures et de carcasses d'animaux qui quittait Jérusalem par la porte de David. Les effluves de décomposition empuantissaient tellement l'air qu'ils faisaient reculer tous les passants, y compris les gardes. Cette sortie de déchets avait lieu deux fois par semaine. C'était le plus sûr moyen de faire évacuer la ville à un espion ou de faire disparaître des cadavres compromettants.

Cosimo était enfermé dans une cage recouverte de peaux, la tête toujours enveloppée par un jute huileux. Il était dans l'ignorance totale de son sort et ne comprenait rien à la langue de ses ravisseurs.

Après Jérusalem, sur la route, seuls les rayons mobiles du soleil couchant à travers les interstices de sa cage lui permirent de deviner la direction empruntée. Il était conduit vers l'est.

Le jour suivant, il quitta les ordures et poursuivit sa route dans sa cage avec une caravane de Bédouins armés. Il dépérissait, buvant seulement les rations d'eau que ses geôliers lui jetaient au visage. Les jours étaient longs, la chaleur insoutenable.

Le convoi fut plusieurs fois retardé, ils essuyèrent une tempête de sable et ses ravisseurs s'arrêtèrent un temps pour chasser une lionne qui rôdait autour.

Le huitième soir, il perçut une agitation et un bruissement de paroles inaccoutumés. Il se roula péniblement près des barreaux, plia un bout de son jute et aperçut une forme étrange, en plein désert. Haute et arrondie dans le ciel crépusculaire. C'était un fort. Gigantesque. On eût dit un mirage ou le décor d'un conteur bagdadien.

C'était une prison en plein désert.

On l'appelait le Crâne de Baphomet.

# III

## L'autre extrémité de l'Infini

**HERMÈS**
Ô mon fils, la sagesse idéale est dans le silence, et la semence est le véritable bien.

**TAT**
Qui la sème, mon père, car j'ai besoin de tout apprendre ?

**HERMÈS**
La volonté de Dieu, mon fils. Le Tout est dans le tout, composé de toutes les forces.

**TAT**
C'est une énigme, mon père, et vous ne parlez pas comme un père parle à son fils.

**HERMÈS**
Ce genre de vérité ne s'apprend pas, mon fils, on s'en souvient quand Dieu le veut.

*Hermès Trismégiste*

435

**D**ans la pièce du quartier juif de Tarsus où l'avait abandonnée Flodoard, Anx patienta de longues minutes.

Le réduit était poussiéreux. Une bougie éclairait un capharnaüm de pots, de parchemins et de plumes. La fille découvrit une Bible en hébreu près d'un verre grossissant aussi large qu'une main.

Des pas retentirent enfin. Ils marchaient moins qu'ils ne se traînaient. Une porte s'ouvrit et un vieil homme entra, épais et court, la barbe broussailleuse, les yeux enfoncés sous des sourcils qui tombaient. Il se racla la gorge et cracha par terre avant de se laisser tomber sur une chaise.

– Je t'écoute, dit-il sans même regarder la jeune fille.

Elle hésita.

– Comment?

L'homme resta silencieux, le menton appuyé contre la poitrine, le regard vissé sur ses sandales.

Anx était interdite.

– Je ne vois pas ce que vous voulez, dit-elle enfin.

– Commence par le commencement. Ne te fatigue pas. Je t'écoute.

Elle songea que l'homme devait la prendre pour quelqu'un d'autre.

– Qui êtes-vous? demanda-t-elle.

– Je m'appelle Nébo. Le maître de ton maître.

Il se tut de nouveau. La jeune fille reprit:

– Pourquoi suis-je ici?

– Parce que Flodoard pense être au bout de son enseignement et qu'il attend de moi que je réponde à tes dernières questions.

Elle haussa les sourcils.

– Connaissez-vous ces questions?

– Il ne peut en rester qu'une. Si ton maître t'a convenablement évoqué la notion d'Infini et les conflits de logique qu'elle suscite en nous, s'il t'a montré que les paradoxes de Zénon engloutissaient tout, le Temps et l'espace, le dernier point qui demeure en suspens est : pourquoi sommes-nous là ? Pourquoi vivons-nous cette vie et pas une autre ? Pourquoi y aurait-il quelque chose au lieu de rien ? Et où le choix s'opère-t-il ? Tout cela se résume dans une même question.

– Mais comment aurions-nous une réponse puisque Flodoard m'a bien répété qu'on ne pouvait comprendre un phénomène dont nous faisions partie ?

Le vieil homme sourit.

– Justement, là est mon sujet. Le fait d'être au cœur d'un phénomène empêche de le voir en entier, de dominer sa perspective, mais cela permet aussi de percevoir des vérités qui échappent à des témoins externes. Flodoard t'a entretenue des limites de l'entendement « extérieur » de l'homme, moi je dois t'ouvrir à sa partie « intérieure ».

Anx croisa les bras, avec un demi-sourire.

– Et m'expliquer par là pourquoi il y aurait de la matière au lieu de rien dans l'univers ?

Nébo hocha la tête.

– Je peux toujours essayer, dit-il. De mes arguments, tu feras ce qu'il te plaît.

Le vieux sage reprit le thème de l'Infini :

– Le problème si l'on prend l'Infini dans son sens entier, c'est qu'il s'annihile lui-même. Tout ce qui justifie l'existence d'une chose peut être contrebalancé par un amas *égal* de raisons justifiant son inexistence. L'Infini se dévore lui-même. Tu l'as pensé un jour, m'a rapporté ton maître : « S'il y a une infinité de chances pour que je sois ce que je suis, il existe aussi une infinité de chances pour que je n'aie jamais existé. Et pourtant je suis là ! » L'Infini est une notion retorse que les hommes utilisent comme un terme courant, sans en mesurer l'étrangeté et les pièges.

– Eh bien ?

– Eh bien, si tu es là, si nous sommes là, aujourd'hui, dans cet univers particulier, avec cette matière répartie dans l'espace, c'est bien que nous nous sommes trompés quelque part !

– Trompés ?

– Notre esprit de logique nous a laissé « concevoir » avec audace le concept de l'Infini. Bravo ! Seulement voilà : pour que nous soyons là à réfléchir sur l'Infini...

Il se pencha vers Anx.

– ... cet Infini se doit d'être *limité*.

Un large sourire se dessina sur le visage de la fille.

– Allons, l'Infini n'est plus infini ? s'exclama-t-elle. Il ne manquait plus que ça !

– Oui. Il est limité, ou contracté sur lui-même, si tu préfères.

– Maître Nébo, dit Anx, Flodoard m'a accoutumée à des notions périlleuses, mais là, je vous attends de pied ferme !

– Pour me faire comprendre, je vais substituer au terme « Infini » celui de « Dieu ». Non par conviction religieuse, mais parce qu'il nous est plus facile d'attribuer des actes ou une volonté à un Dieu plutôt qu'à une idée aussi abstraite que l'Infini. Reprenons avec Dieu. Avant *la création de toutes choses*, Dieu est en lui-même sans fin et intemporel. Rien ne peut exister en dehors de lui, ni abîme, ni matière, il EST au sens définitif du terme. Il est TOUT. Par une certaine contradiction de sa nature, le Tout-Puissant se trouve dans l'incapacité littérale de *créer* ! Dieu ne peut rien produire *en lui*, car cela est déjà. C'est l'idée que j'ai avancée plus tôt selon laquelle « l'Infini se dévore lui-même ». On observe dans les récits bibliques un Divin qui manipule la matière et le vide, le jour et la nuit, les astres et les êtres comme un artiste avec ses outils. Mais c'est faire l'impasse sur la première des conditions nécessaires à cette création.

– Et quelle est-elle ?

– Pour pouvoir créer, Dieu a dû provoquer du vide, un « espace » extérieur à lui. Le premier « Geste de Dieu » n'est donc pas un geste créateur, comme on le suggère, mais un geste de contraction, de repli sur soi. Il a dû se limiter, renoncer à une partie de sa plénitude, se morceler. C'est important : Dieu ne crée pas par sa présence mais par son absence, par sa fuite. Et c'est ce repliement qui a donné naissance à l'univers que nous connaissons.

Anx fronça les sourcils.

– Alors, nous serions ici... parce que Dieu n'y serait plus ?

– Exactement. En créant le vide, Dieu a laissé le champ libre aux « possibles. » On se demande souvent comment, Dieu étant à ce point juste et infini, le Mal peut faire partie de lui et de ses créatures ? Il n'en est rien. Pour créer, Dieu a ouvert un espace en deçà de lui où tout est possible, y compris le Mal. L'univers est un produit de l'absence de Dieu. À présent, si tu réemploies le terme d'Infini à la place de celui de Dieu, tu entendras ce que je désignais plus tôt par « Infini limité ». L'Infini empêche la matière d'être, empêche le Temps de s'écouler ; il faut qu'il se rétracte, il faut qu'il cesse pour que toi et moi puissions être là à discuter, pour que ce monde soit ce qu'il est, que nos jours défilent inexorablement et que la flèche de Zénon atteigne enfin sa cible !

Anx prit un long temps à songer.

– C'est une théorie, dit-elle. Une fois encore, elle est impossible à prouver.

– Ma petite, toute vérité n'est pas nécessairement liée à une déduction de l'esprit. Le thème de l'absence de Dieu, de son vide, n'est pas anodin. L'homme, s'il ne peut évidemment pas le « comprendre », en revanche, le « sent ».

– Le sentir ?

– Ce vide dont je te parle, il n'est pas autour de nous, il n'est pas un sujet d'observation : nous sommes *faits* de ce vide ! Nous existons par ce vide. Il est en nous. Au plus reculé de notre conscience, nous le ressentons tous, même brièvement ; cette familière impression d'incomplétude, de manque, d'absence, cette certitude d'être abandonné dans une vie impermanente et hostile, cette déchirure qui ne guérit pas. Nous sentons en nous un espace que rien n'arrive à combler. Oh, on l'oublie parfois, on a l'illusion de s'en être débarrassé, mais il ne nous quitte jamais, il réapparaît insidieusement. L'abandon de Dieu ! Comme tu le disais justement, la limite de l'Infini ne se prouve pas ; non, elle se *ressent*.

– Alors cette pierre, dit Anx, cette Borne qui échappe à toutes les lois de notre monde et que les chevaliers vont chercher, elle appartiendrait à cette « nature » qui s'est retirée ?

– Tu as compris. La Borne appartient à cet Infini que les hommes évoquent, mais dont ils ne peuvent rien savoir pour en avoir été refoulés dès leurs origines.

Cette explication sonna comme une conclusion. Nébo se leva.

– Comment ? demanda Anx. Vous ne m'en dites pas plus ?

– D'ordinaire, mes disciples restent empêchés pour un bon moment après cette leçon. Quoi ? Tu as encore des questions ?

– Une seule ! Évidemment. Pourquoi ? Pourquoi Dieu a-t-il *voulu* créer ? Tout d'un coup ? Pourquoi a-t-il enfanté le vide et la matière ?

Nébo releva ses gros sourcils.

– Parce qu'il est comme nous tous. Ou plutôt parce que nous sommes tous comme lui. Sans exception. Tu le sais bien.

– C'est-à-dire ?

Il fit un geste vague.

– Il voulait être aimé...

# IV

## La Menace

Sur cette terre où nous autres nous vivons, le
monde désormais n'annonce pas sa fin, il la montre.

GRÉGOIRE LE GRAND, *Dialogues*

**A**lp Malecorne était terrifié. Son long périple
depuis Otrante se poursuivait aujourd'hui
d'une façon sinistre : au pied du cercueil
qui portait en terre la dépouille d'Erichtô.
Son assassin l'avait lardée de coups de couteau au
ventre et au visage. En dépit de tous les efforts
pour lui redonner un semblant de beauté, elle
entrait dans le monde des morts sous les traits du
monstre qu'elle était au fond d'elle.

Les deux envoyés de l'Homme sans main et sans
visage avaient reçu à Otrante l'ordre de quitter le
pèlerinage et de gagner Brindisi. Là, avec leurs
hommes et leurs filles, ils embarquèrent sur un vaisseau léger pour rejoindre la flotte de l'Homme qui
attendait dans les eaux crétoises, prête à fondre sur
le pèlerinage. Dès le début de la traversée, Alp se
sentit menacé, épié ; il crut sa vie en danger.

Erichtô et lui ne participèrent pas à la grande
bataille navale, ils dépeignirent seulement les vaisseaux de Ruy et de Saint-Amant à l'Homme et

443

prirent de l'avance sur ses bâtiments. Ils débar-
quèrent nuitamment, dans le plus grand secret, en
Terre sainte, à Lattaquié. De là, ils se rendirent à
Chayzar où leur maître devait les rejoindre.

Ce fut au tour d'Erichtô de se sentir menacée.
Elle n'eut pas le temps de s'ouvrir de ses craintes :
en pleine nuit, elle fut assassinée, emportant dans
son regard pétrifié l'image du meurtrier. Alp lui-
même recula à la vue de cet œil révulsé. Il savait que
la Terre était riche en présences démoniaques, en
magie et autres mystères inexplicables ; il n'aimait
pas cet augure.

L'Homme sans main et sans visage arriva quelques semaines plus tard à Chayzar.

Il ne se préoccupa que sommairement de la disparition d'Erichtô.

– C'était une sensuelle, dit-il. Elle a plus d'une
fois emprisonné ses amants entre ses cuisses,
jusqu'à la mort, par jeu, par plaisir. Sa dernière victime ne se sera pas laissé faire.

Alp avait songé à cette hypothèse, mais elle ne le
convainquait pas.

– As-tu recouvré les sphères ? demanda
l'Homme.

En arrivant à Chayzar, Malecorne s'était précipité dans un cimetière où il avait récupéré une boîte
en fer enterrée sous une stèle ancienne.

Alp la plaça devant l'Homme et l'ouvrit. À l'intérieur, il y avait quatre sphères d'émeraude, toutes
identiques, marquées de striures comme celle de
Hincmar Ibn Jobaïr et celles de Jean du Grand-
Cellier.

– Je veux les voir de plus près, insista l'Homme.

Alp comprit l'ordre de son maître et fit sortir les
gardes qui les accompagnaient ; il verrouilla l'accès
de la salle et se tint en retrait.

Alors l'Homme s'approcha lentement d'un marchepied à cinq degrés posé dans un angle de la salle, devant une sorte de grand chevalet métallique. L'immense silhouette de trois mètres se plaça de dos et des bruits de cliquetis mécanique retentirent. Il s'immobilisa parfaitement. Une jambe sortit de la robe noire et se posa sur la première marche. Une autre apparut. Un petit homme se dégagea tout entier des plis sombres et descendit jusqu'au sol. Il avait une cinquantaine d'année, les cheveux gris et courts. Il s'était libéré de son incroyable structure de tubulures et de pivots qui lui donnait sa taille de géant. Elle resta derrière lui en suspension, comme une armure.

L'Homme se rapprocha de la boîte des sphères. Il les prit dans ses mains et les regarda avec un air avide.

C'était Ismale Gui.

– Je suis satisfait, dit-il en évaluant les sphères. Elles sont parfaites.

– Nos ouvriers ont bien travaillé, ajouta son ancien disciple à la Ghilde du Tabor. Cela faisait déjà plusieurs semaines qu'ils nous avaient prévenus que les sphères étaient à leur place et nous attendaient.

– Je m'étais assuré pour qu'ils aient *eux* toutes les informations de Hincmar relatives à la structure des sphères du sarcophage. En dépit de tous ces efforts, Jean du Grand-Cellier n'a pu parfaire avec certitude ses prototypes d'après une équation dont il ignore l'une des inconnues ! J'ai bien fait de dérober des pages manuscrites de Hincmar, même si cela a failli me coûter ma couverture.

En effet, ce fut la subtilisation des feuillets de Hincmar qui avait mis Hugo de Payns sur la piste d'Ismale, laissant entendre qu'il trahissait la Milice

445

pour le compte de l'Homme sans main et sans visage. Ayant trouvé une preuve formelle du vol, Hugo avait envoyé des hommes pour arrêter Ismale. Celui-ci fut averti à temps. C'est alors qu'Alp lui avait proposé le simulacre de Draguan. Ismale Gui s'était précipité toute affaire cessante hors du Tabor et était passé pour mort, tué par son « maître ». Il redevenait libre d'agir.

Le premier plan d'Ismale était de rester à la tête d'un des convois de la Milice, de les suivre jusqu'à Jérusalem et de les renverser grâce à ses alliés juste avant qu'il n'entre dans le souterrain de la Tour de Salomon. Ce plan ne pouvait plus être appliqué en l'espèce. Ismale savait que Hugo de Payns était un fin stratège qui essaierait de deviner l'étendue de sa « trahison » avec l'Homme et de changer ses plans pour le contrer. Mais maintenant tout se remettait en place, différemment.

– Encore quelques semaines et la Borne sera à moi ! dit Ismale. Lorsque je pense que je suis le seul à l'origine de cette découverte dans la bibliothèque de Hincmar à Alep ! C'est moi qui ai retrouvé les quatre livres du Djinn et les commentaires en arabe de Hincmar. Moi qui ai trouvé la Tour et qui les a avertis de ne rien précipiter avant d'avoir récolté toutes les informations nécessaires pour tenter l'ouverture de la Borne. Et tout cela, dans la Milice, pour remettre cette relique à cette brute de Hugues de Champagne ? Un pouvoir pareil !

– Quel pouvoir, maître ? demanda Alp avidement.

Ismale lui jeta un regard sombre. Il n'aimait pas qu'on l'interroge sur ses secrets. Alp baissa la tête. La première fois qu'il avait indigné son maître, peu après son éviction de la Ghilde, celui-ci lui avait fendu le visage en deux. Il ne se hasarderait plus à le froisser.

– Tu verras en temps voulu, Malecorne.

Il referma la boîte des sphères.

– Je n'ai pas réussi à enlever Carl de Ruy et Saint-Amant en mer pour qu'ils me servent au Temple, dit-il. Ils sont pourtant essentiels, au cas où les sphères ne fonctionnent pas comme prévu.

– Essentiels ?

– Si je sais tout ce que la Milice connaît de la Borne de Salomon aujourd'hui, j'ignore aussi ce qu'ils ignorent. L'ouverture est un moment important, et plein d'inconnues. Si j'ai passé toutes ces années à bâtir cette Milice avec Hugues de Champagne, c'est bien parce que j'avais besoin de toutes leurs ressources pour atteindre mon but. C'est toujours le cas. Les outils, les livres de la Milice peuvent se révéler primordiaux. Aujourd'hui il n'est plus question d'attaquer frontalement nos ennemis. Le nouveau roi est loin de Jérusalem, vers Damas. Il n'y a plus d'armée. Nous allons entrer dans la ville en secret et attendre les chevaliers pour les surprendre au plus près du but.

– C'est très risqué, maître. Et je croyais que vous aviez renoncé à cette stratégie.

– Voilà pourquoi nous allons entrer *à la place* de quelqu'un d'autre. En premier lieu, nous allons nous mettre au travers du chemin de ce bon Flodoard le bibliothécaire. Je connais tous les passages de Bisol, je sais parfaitement par où il va passer pour rejoindre Jérusalem. Nous en profiterons pour récupérer ses manuscrits et ses formules magiques, sa poulie, et subtiliser tous les habits de pèlerins. Nous entrerons dans la cité comme des chrétiens.

Alp baissa la tête en signe d'assentiment.

– Maintenant, avertis tes hommes en armes, nous partons dans une heure, dit Ismale Gui.

# V

# Le Pouvoir des Contes et des Légendes

> Pourquoi se préoccuper de tout cela ? Puisqu'il y a la vie, et que nous sommes dedans, eh bien, vivons !
>
> Bien sûr... Il n'y a qu'à vivre... C'est ce que nous faisons tous, c'est ce que tu fais d'habitude. Mais il suffit d'un instant... Tu es assis là, sur une pierre chaude ou sur le sable de la plage, ou sur le bois poli de la chaise où tu t'assieds jour après jour pour travailler. Toute la vie s'écoule autour de toi. Et toi avec.
>
> Et tout à coup, suspendu entre le vent, la marée et le soleil, suspendu immobile abandonné tout seul, tout à coup suspendu brutalement lucide, un instant, un éclair, *tu n'es plus dans le coup...*
>
> Naître, vivre, mourir ? Vivre ? Vivre ? Pourquoi ? Pourquoi ?
>
> Ce n'est pas toi qui répondras, ni moi non plus.
>
> Mais, sans espoir de réponse, si tu ne cries pas la question, alors tu n'es qu'un os...
>
> RENÉ BARJAVEL, *La Faim du tigre*

Après la visite au maître Nébo, le convoi de Flodoard et d'Anx joignit la cité d'Antioche. Jérusalem approchait. Là, ils attendirent quelques jours avant de reprendre la route, le temps que leurs gardes regagnent des forces ; le chemin de Saint-Siméon, Baniyas et Tor-

449

tosa promettait d'être dangereux. Les habitations se raréfiaient, le sol devenait stérile, le besoin d'eau pressant, les secours impossibles. Bien qu'on avançât en territoire chrétien, les rebelles étaient partout présents, non par leur nombre mais par leur vitesse de déplacement, plus agiles et mieux rompus au climat que les Francs. Flodoard suivait les conseils de route laissés par Godefroy de Bisol, mais rien ne les tenait entièrement à l'abri. Une passe délicate entre Lattaquié et Chayzar était célèbre pour ses dangers. Tudebode hésita avec Flodoard, mais la nouvelle d'un pillage dans la ville voisine, seul détour possible, les décida pour la passe et le risque de quelques heures de franchissement.

– Hugo de Payns ne tardera plus à arriver dans la Ville sainte, dit le bibliothécaire. Il nous fera envoyer des renforts.

Sur la route depuis Tarsus, hors l'organisation du convoi, Flodoard continuait d'expliquer à Anx les derniers éléments relatifs à la Borne. Son emplacement à Jérusalem, les deux accès pour l'atteindre – la Tour et les anciennes écuries du Temple –, les moyens envisagés pour briser sa carapace d'émeraude sans la corrompre.

– Nous n'avons que très peu d'éléments sur ce qui doit arriver au moment de l'ouverture du sarcophage, dit-il. Nous pensons que la Borne est gardée par des djinns qui apparaîtront pour nous empêcher de l'extraire. Carl est avec nous pour les contenir. Mais l'extraire ? la saisir ? Ce sont des concepts étranges. Il nous faudra du temps. Si l'ouverture échoue, comme Jérusalem est un endroit instable, Saint-Amant nous aidera à déraciner le sarcophage tout entier et à le conduire à l'abri pour que nous l'étudiions. Il a mis près de dix ans à concevoir un ensemble de poulies qui permette de soulever ce poids énorme sans qu'il en ressente le moindre mouvement, avec un équilibre parfait.

Anx repensa à sa longue trajectoire depuis Troyes, à cette première rencontre où Flodoard l'invita auprès de lui et à sa première leçon sur le « Croire en tout »...

– Pourquoi me dites-vous cela ? demanda-t-elle soudain. Pourquoi m'avoir initiée ?

– Dans la Milice, il n'y avait que trois personnes qui connaissaient toutes les procédures concernant la Borne : Hugo de Payns, moi, et Ismale Gui qui a été assassiné. Après sa disparition, nous devions trouver une troisième personne pour respecter notre protocole. Mais depuis de longs mois nous nous doutions qu'un traître nous surveillait, peut-être Ismale lui-même. Il y a eu trop de coïncidences malheureuses. Nous ignorions si des traîtres étaient toujours parmi nous après sa disparition. Le plus sage était de trouver quelqu'un d'innocent et d'extérieur à toute notre histoire. Je devais choisir. Cela a été toi.

Il continua de lui répéter les actions à mener dans la Ville sainte. Il parlait des livres à relire, des formules à réciter en cas de danger, des poulies de Saint-Amant.

– Maintenant que je sais ce qu'est la Borne, lui dit Anx, son origine et ce qu'elle représente ici-bas, Nébo ne m'a pas dit *pourquoi* elle était là ?

– Oh...

Flodoard sourit.

– Lorsque j'étais jeune, dit-il, Nébo répondait à mes questions par des paraboles. L'une d'elles racontait qu'aux premiers temps de la création, Dieu ayant achevé son œuvre de « repli », il décida de laisser une petite trace de sa plénitude, un éclat, et de la dissimuler quelque part dans notre monde. Il savait que l'Histoire avait des chances de s'achever dans le sang ; que, certainement, pour de vaines disputes et des doctrines funestes, les hommes égorgeraient leurs femmes et leurs enfants, qu'ils façonneraient des divinités et des diables à leur propre image. Dieu voulait que cette trace de lui, cachée, retrouvée grâce à la patience d'un sage, leur apparaisse au soir de leur jour le plus sanguinaire afin de renvoyer au néant toutes leurs croyances. Ce simple éclat suffirait à écrouler ce qu'ils avaient construit au cours de leurs longs siècles.

– Mais pourquoi Dieu n'apparaît-il pas lui-même pour ramener les hommes à la vérité ?

– Dieu n'est plus là, ma petite. Dieu n'est *pas* avec nous. Le jour où nous le « reverrons » (mais ce mot est impropre, tu le sais) sera l'instant où il aura « décidé » de regagner le vide qu'il nous a cédé. Tu vois, conclut-il, un petit conte peut suffire à ta compréhension plus qu'un long commentaire savant. On en revient à ma première leçon : les légendes, les religions, les rêves, il faut croire en tout. Tout *exprime* la même chose, la même nécessité : chaque idole, chaque prophète, chaque messie, chaque chanson de rue cherche à *emplir le vide*. L'herbe qui pousse, l'homme qui pense et qui aime, le Temps qui passe, agissent pour *habiter* le vide. Nous nous épandons, la vie s'épand, elle n'a pas d'autre vocation.

Flodoard sourit.

– J'ignore si mon conte a répondu à ta question, dit-il, mais il te suffit d'y croire...

Anx repensa à cet Ignatius rencontré au cours de sa fuite ; lui qui annonçait, terrifié, que les hommes de la Milice n'avaient pas tout compris.

*Au soir de leur jour le plus sanguinaire, la Borne suffira à écrouler ce que les hommes ont construit au long des siècles.* Anx ressentit le danger de ce qui se mettait en place. Savaient-ils seulement ce qu'ils faisaient?

Le convoi était à l'entrée de la passe dangereuse; elle s'ouvrait sur un long défilé bordé de parois rocailleuses idéales pour dissimuler des archers et des bandes d'écorcheurs. Le capitaine Tudebode contra cette menace en faisant monter ses meilleurs hommes au sommet des falaises. Mais le passage restait inquiétant; sur les roches, Flodoard et ses hommes lurent des inscriptions qui louaient les exploits des pilleurs de la région : le décompte sinistre des morts, des femmes violées et vendues sur les marchés d'esclaves. Les clercs et les savants avancèrent à pas comptés.

Soudain, un tonnerre résonna en plein milieu de la traversée; des pierres s'éboulèrent comme tombées du ciel. Les chrétiens virent, par-devant et par-derrière, les falaises se rompre, entraînant dans leur chute les gardes de Tudebode et leurs chevaux. Le convoi était pris entre deux remparts d'amas de roches. Des flèches et des javelines volèrent. Cette attaque n'avait rien d'une manœuvre de brigands; les moyens engagés étaient trop importants.

Les assaillants surgirent. Ils étaient des dizaines à se ruer sur les blessés à coups de sabre.

Anx et Flodoard se trouvèrent pris dans la panique. Elle saisit l'épée d'un des hommes écroulés de Tudebode et commença à défendre son maître en lui ouvrant un passage pour fuir. La fille avait appris à se battre sur les plaines d'Irlande, elle maniait la lame d'une manière inattendue, agile et vive. Elle planta et trancha plus d'un flanc sans hésiter. Flodoard regardait autour d'eux à la recherche d'une issue. Il isola enfin un gros rocher renversé dans l'éboulement. Ils avancèrent tenacement, Anx fatiguait. Flodoard se glissa dans la brèche ; elle le suivit.

Près d'eux, Tudebode se battait, une arme dans chaque poing, et faisait reculer tous ses adversaires. Il fracassa plusieurs crânes et fendit un homme de haut en bas. Cinq mercenaires s'approchèrent ensemble pour le contenir. Tudebode jeta un regard sur ses arrières pour s'assurer qu'il était bien couvert par un allié et décida de foncer droit devant, mais il pâlit soudain, immobilisé, la bouche submergée de sang. On venait de le poignarder dans le dos. S'écroulant, il ne put apercevoir la face d'Erich, le clerc de Flodoard, qui, ravi, regagnait sa lame.

Lorsque Flodoard et Anx s'étaient dissimulés, d'autres savants éperdus avaient aperçu leur cache et voulurent les rejoindre. Ce mouvement était trop visible et il donna l'alerte. Les mercenaires se jetèrent sur eux. Les têtes roulaient, le sang coulait atrocement. L'un des hommes tira brutalement Flodoard et, emporté par son appétit de destruction, le décapita sous les yeux d'Anx. La fille hurla. Le meurtrier s'apprêtait à lui porter le même coup lorsqu'une voix l'arrêta.

C'était encore Erich.

Anx fut surprise de voir le bourreau lui obéir.

Soudain deux chevaux noirs apparurent sur les hauteurs, tirant une litière : l'Homme sans main et sans visage était présent. Alp Malecorne descendit dans le fond de la passe où les combats cessaient sur la victoire de ses mercenaires.

– Il ne fallait pas éliminer le bibliothécaire ! protestait vivement Erich contre le tueur. Les ordres étaient de conserver Flodoard vivant !

454

Alp s'approcha. Il comprit la faute impardonnable de son homme, sortit une lame et lui trancha la nuque. Le mercenaire tomba à terre et se vida de son sang entre leurs pieds.

– Nous avons les textes et les instruments, c'est ce qui importe le plus, dit-il à Erich en considérant les chariots de matériel. Et celui-là ?

Il montrait Anx du doigt.

– C'est une fille.

– Une fille ?

Anx sursauta. Elle ignorait qu'Erich le traître l'avait démasquée. Malecorne s'approcha et arracha son haut de robe de clerc.

– Pourquoi doit-on l'épargner ? demanda-t-il.

– Flodoard l'a enrôlée et me la préfère depuis Troyes. Il avait commencé à m'initier avant le départ, je devais aisément récolter les nouvelles dispositions prises depuis la mort d'Ismale Gui, mais subitement il m'a écarté. Je suis pourtant certain de ne pas avoir été démasqué. J'ignore qui est cette fille. Il faut l'interroger, elle doit savoir ce que le maître avait dans la tête.

– Emmenez-la et qu'on l'interroge à la place de Flodoard, gronda la voix de l'Homme. Revêtez tous les habits des pèlerins, faites brûler leurs corps et gardez les outils et les manuscrits. Nous partons pour Jérusalem.

On ligota Anx. Elle jeta un regard désolé sur la dépouille de son maître et un œil assassin vers Erich. Un homme la prit sur un cheval et ils partirent accompagnés de deux gardes.

Au bout d'une course effrénée, ils finirent par arriver après plusieurs relais dans une prison nichée en plein désert.

Anx Columban était incarcérée au Crâne de Baphomet. Comme Cosimo Gui.

# VI

## Les Souterrains

Des sphères brillantes en nombre infini, dans
l'espace illimité, une douzaine environ de sphères
plus petites et éclairées, qui se meuvent autour de
chacune d'elles, des êtres vivants et intelligents sortis de l'espèce de moisissure qui les enduit – voilà la
vérité empirique, voilà le monde. Cependant c'est
une situation bien critique pour un être qui pense,
que d'appartenir à une de ces sphères, sans savoir
d'où il vient et où il va, perdu dans la foule d'autres
êtres semblables, qui se pressent, travaillent, se
tourmentent, naissent et disparaissent sans trêve
dans le temps. Là, rien de fixe que la matière, et le
retour des mêmes formes organiques, suivant certaines lois, données une fois pour toutes. Tout ce
que la science empirique peut nous apprendre, c'est
la nature et les règles de l'apparition de ces formes.

SCHOPENHAUER, *Supplément au livre premier*
*du « Monde comme volonté et représentation »*

*A* Jérusalem, les convois de pèlerins de Hugo
de Payns arrivaient enfin, sains et saufs.
Les milliers de marcheurs entrèrent dans
la cité, pendant que les armées de la Milice
restaient au-dehors de l'enceinte. Une telle force
ne pouvait investir la ville. Les chevaliers pénétrèrent seulement avec leurs gardes les plus aguer-
ris. Le roi Baudouin II était en guerre au loin, à

Damas, Hugo et ses hommes se présentèrent au patriarche Gorimond. Ce vieux religieux se montra abasourdi par le volume de pénitents qu'ils avaient réussi à conduire en Terre sainte. Il leur promit un soutien indéfectible pour aider à leur installation et à la prospérité de leur ordre.

– Vous nous apportez de nouveaux fidèles, dit-il. Grâce à vous, le royaume va pouvoir s'étendre enfin, se repeupler. Si vous réussissez à protéger les pèlerinages et à nettoyer les routes des brigands et des infidèles, la survie de ce royaume tout entier vous sera attribuée !

Hugues de Champagne et Hugo de Payns avaient admirablement établi leur « couverture ». Seuls, ils ne pouvaient rien espérer accomplir en paix. Maîtres des routes, sauveurs de la Terre sainte, ils pouvaient *œuvrer* en secret.

Jérusalem fêtait l'arrivée de ses nouveaux frères. La liesse et les transports du peuple étaient incomparables. Les rues se bondèrent. Le patriarche fit dresser des pavois pieux. La joie des accueillants était aussi forte que celle des arrivés. Les Occidentaux sanglotaient. Le bonimenteur Marcabru n'était pas peu fier de découvrir une Jérusalem fidèle au portrait qu'il avait inventé du haut de son tonneau de Troyes ; le jeune chroniqueur Polybus recueillait des scènes pour son épopée ; la famille Columban, elle, priait pour sa fille...

Une grand-messe fut décrétée. Les églises se remplirent. Partout, les cloches répondaient aux cloches. L'abbé Soffrey fit mettre sur pied le gros bourdon des Irlandais. Il résonna magnifiquement sous les vivats et les louanges. On eût dit que le temps s'était arrêté pour la scène d'un épisode biblique.

Après leur entrevue avec le patriarche, les chevaliers se précipitèrent avec leurs gardes dans le quartier de l'Ancien Temple, vers une maison à deux étages, la même devant laquelle s'étaient présentés vingt ans plus tôt Payns avec Hugues de Champagne, Ismale Gui et son frère Abel. L'entrée aurait dû être gardée par un homme de Baudouin le Fondateur, mais il n'était plus en poste. Hugo sortit une clef et poussa la lourde porte.

Ils entrèrent.

Les huit chevaliers découvrirent, certains pour la première fois, le vestige de la Tour de Salomon !

Un moment de grâce et de recueillement les saisit à nouveau.

Hugo de Payns la regarda comme ce jour de février 1099. Il se ressouvint de tout : la découverte du sanctuaire, les années passées à décortiquer les écrits de Hincmar Ibn Jobaïr, les milliers d'ouvrages arabes traduits pour essayer de découvrir ce qui avait pu lui échapper, le recrutement des hommes de la Milice, le méticuleux façonnage des sphères, toutes les conséquences de la révélation de la Borne. Vingt ans de travail, aujourd'hui près enfin d'être récompensés.

Hugo approcha de l'ouverture pratiquée dans la Tour. Il décida d'entrer immédiatement pour vérifier que tout était inchangé dans le souterrain. Une partie des chevaliers restèrent autour du monument avec leurs gardes, Hugo gravit les marches vers la plate-forme, suivi de Robert de Craon, Pierre de Montdidier et Jean du Grand-Cellier qui emportait toujours ses quatre dernières sphères avec lui.

Au sol, il actionna les étoiles qu'avait surlignées Hincmar dans la pierre. Il avait une torche avec lui. Au bout de quelques instants, le cliquetis résonna et la partie centrale de la plate-forme s'affaissa lentement.

– Allons-y, dit-il.

Mais au moment de faire le premier pas, Hugo et ses hommes eurent une impression étrange, comme si la nuit chutait d'un coup. Toutes les issues de la maison devinrent obscures, y compris les petites brèches sur les fenêtres comblées de linges. Des bruits résonnèrent à l'extérieur de la maison, des coups d'épée, quelques cris. Puis des dizaines de silhouettes entrèrent devant la Tour avec des torches et des armes. En quelques secondes, le Mendiant du Saint-Sépulcre et ses hommes en loques envahirent et barricadèrent la maison. Les chevaliers dégainèrent, se défendirent comme ils purent avec leurs gardes, mais pressés par le nombre ils furent arraisonnés.

– Dépêchons ! dit Hugo.

Il conduisit ses trois chevaliers dans l'ouverture de la Tour. Ils se précipitèrent pour échapper à l'embuscade. Le lourd système de passage se referma derrière eux.

Dans la lueur de la torche de Hugo, ils descendirent l'escalier qui menait au début du souterrain.

– Qui cela pouvait-il être ? demanda Montdidier. C'est impossible.

– Tous mes gardes étaient dehors, dit Craon. Je ne comprends pas.

– Ne cherchons pas, dit Payns. Il faut nous mettre à l'abri. Ici nous ne risquons rien, pour un temps.

Mais il n'avait pas achevé sa phrase que le bruit de l'ouverture de la plate-forme retentit à nouveau. Leurs poursuivants connaissaient les codes de la Tour ! Hugo et ses hommes aperçurent la lumière de plusieurs torches se rapprocher.

Ils s'enfuirent.

– Attention, dès que nous quittons l'itinéraire de Hincmar, prévint Hugo, nous pouvons craindre des salles piégées encore actives. Soyez vigilants.

Ils arrivèrent au mur marqué par l'étoile. Hugo le poussa. Ils passèrent et se retrouvèrent dans la pièce ovale qui ouvrait sur les issues appelées *la Montagne de Qâf, Djâboulsâ, Magog, le royaume des Oiseaux, la muraille de Dsou'l-Qarnaïn, Djâboulqâ, l'Île des Émeraudes*. Hugo voulut planter le pommeau de son épée à la jonction du mur pivotant pour l'empêcher de se rouvrir, mais il ne trouva aucune prise. C'était ainsi que lui, Champagne et les frères Gui avaient réussi vingt ans plus tôt à échapper au piège du sanctuaire de naphte : toutes les issues du souterrain qu'ils avaient empruntées avaient été bloquées pour ne pas se refermer derrière eux. Mais il ne pouvait effectuer ici l'effet inverse.

Les hommes qui les suivaient s'approchaient du mur.

– Nous n'avons qu'une solution, dit Hugo. Évitons le chemin de la Borne, celui de *l'Île des Émeraudes*.

Il jeta sa torche à terre et l'éteignit.

– Avançons chacun dans une direction. Ils ne nous rattraperont pas tous les quatre ; avec l'obscurité c'est impossible.

Dans le noir le plus total, les chevaliers se séparèrent, longeant lentement les murs des différentes galeries.

Pierre de Montdidier s'engagea dans le passage de *la muraille de Dsou'l-Qarnaïn*. Il avait sorti sa gigantesque épée. Montdidier était un géant, un guerrier de sang. Il n'aimait pas reculer devant le danger. Il entendit le mur pivoter. Décidément, ces inconnus savaient parfaitement par où ils passaient. Montdidier vit la lueur des torches reparaître dans sa direction. Comme le chemin du souterrain était très sinueux, les éclats apparaissaient et disparaissaient presque aussitôt. Il se blottit dans un renfoncement lorsqu'il vit des lueurs apparaître partout, tout autour de lui !

« Ils connaissent chaque chemin de ce souterrain ! » se dit Montdidier.

En effet, même au plus profond, des torches approchaient. Montdidier eut près de lui assez de luminosité pour voir qu'il était pris au piège. Il voulut faire une sortie violente et renverser ses adversaires, mais cinq mendiants armés lui tombèrent dessus et le ligotèrent avant qu'il n'ait pu lever le bras et l'épée.

Robert de Craon était passé par *Djâboulqâ*. Il entendait les bruits de lutte et la prise de Montdidier. Lui était encore dans la nuit la plus complète. Il avançait lentement suivant le conseil de Payns à propos des pièges. C'est alors qu'il entendit un crissement de chaîne et un cri, non loin. Il devina une lumière réfléchie sur un mur d'angle. Le cri se transformait en gémissements. Craon approcha, arme au poing. Il jeta un coup d'œil et aperçut un mendiant enfoncé à mi-corps dans le sol, pris dans une trappe. Il était seul, affolé. Immédiatement Craon s'avança. Le mendiant le vit, voulut s'écrier, mais le chevalier lui trancha net la gorge. Aussitôt, il souleva le corps et lui arracha sa cape puante ainsi que son bonnet. Il s'en vêtit, prit la torche et poussa le mort dans la trappe pour qu'il disparaisse complètement. Il repartit vers le fond de la galerie.

Il progressait avec précaution ; il s'immobilisa à l'entrée d'une salle soutenue par deux piliers. Il eut un doute. Il dégrafa le fourreau de son épée et le jeta devant lui. Une volée de flèches sortit brusquement des murs pour le frapper avant même qu'il ne retouche le sol. Craon voulut reculer, mais un peu plus loin il reconnut la silhouette de deux mendiants qui approchaient dans sa direction. Il ne pouvait leur échapper. Il se laissa alors brièvement voir de dos sous son déguisement et fit demi-tour en retournant devant la salle piégée. Là, il posa sa torche au sol et se recroquevilla dans une position d'homme blessé. Il attendit. Les deux autres finirent par le voir et par approcher. Ils parlaient arabe. Lorsqu'ils furent assez prêts, Craon se dressa d'un coup, frappa le premier et renversa le second dans la salle aux piliers. Aussitôt il fut transpercé de part en part et une grille de bois cloutée lui tomba dessus et l'écrasa. Craon dégagea son épée du flanc de l'autre mendiant et le bascula d'un coup de pied pour rejoindre son compagnon. Il subit le même sort.

Craon respira. Il reprit la torche. Tout était noir autour de lui. Il allait reprendre son avancée dans la galerie... lorsqu'il reçut une fléchette en pleine gorge. Il s'écroula.

Le Mendiant du Saint-Sépulcre et trois hommes sortirent de l'obscurité.

– Emportez-le, dit le maître des gueux de la Ville sainte.

Hugo de Payns avait emprunté le passage de *Magog*. Il patientait dans le noir. Pas une seule torche ne s'était encore faite menaçante. Il n'avait pas entendu les défaites de ses chevaliers. Il préférait ne pas s'aventurer pour le moment et courir le risque de se perdre. Il tenait son arme le long de la jambe.

Il perçut soudain des pas feutrés, du sable écrasé, tout près de lui. Comme des présences dans le noir. Soudain, une flamme s'illumina. Puis une seconde, une troisième et une quatrième. Autant de torches furent jetées à ses pieds. Totalement ébloui, Hugo de Payns ne pouvait discerner ses assaillants. Pourtant, il dressa l'épée et se mit à frapper de toutes ses forces. Il sentit des fers lui répondre. Toujours à l'aveuglette, il envoyait. Il devina cinq silhouettes dans le noir. Mais dans la bousculade, son œil ne se faisait toujours pas à la lumière. Il sentit sa pointe entrer dans un corps, alors que deux coups sur ses cuisses l'immobilisèrent. Lorsqu'il put enfin revoir avec clarté, il était déjà cerné et ligoté par les mendiants.

Jean du Grand-Cellier, lui, tenait sa boîte de sphères contre son torse. Il transpirait. Les sourcils contractés. Il voyait des flammes venir de toutes parts! Il se savait pris, définitivement. Plus que quelques secondes de liberté. Il devait décider. Décider... Il ouvrit brutalement le coffret et renversa à terre les quatre prototypes qui lui restaient depuis que son navire avait sombré. Il les regarda une dernière fois, ces sphères qui avaient déjà failli lui coûter la vie. Il ferma les yeux et les brisa violemment du talon. Une à une. À chaque coup, il pensait piétiner ses entrailles. L'émeraude finement creusée de l'intérieur vola en éclats comme du verre. Personne n'ouvrirait la Borne grâce à lui.

Les mendiants le ceinturèrent.

L'attaque avait été fulgurante et parfaitement préméditée : dans les rues autour de la maison de la Tour de Salomon, les gardes qui accompagnaient les chevaliers avaient été complètement débordés en découvrant que tous les mendiants et les personnes des rues qui les entouraient étaient armés et qu'ils se ruaient sur eux simultanément! Les huit maîtres de la Milice ligotés à l'intérieur, les environs de la maison défendus par des traîne-misère avachis dans les rues adjacentes, empêchant toute approche, rien ne pouvait transpirer de l'action qui venait de se dérouler.

– Vous ne nous garderez pas longtemps, gronda Payns dès qu'il fut ramené avec ses compagnons dans la maison. Le patriarche s'inquiétera de notre disparition.

Le Mendiant du Saint-Sépulcre sourit.

– Il sera bientôt trop occupé pour penser à vous.

Le reste de sa centaine de quémandeurs s'était répandu dans les rues et allumait de petites émeutes à propos de vols ou de vilenies faussement attribués aux nouveaux pèlerins. La puissance de nuisance des mendiants était telle qu'en moins de deux heures Jérusalem se trouva prise dans des combats naissants. Le patriarche ordonna que l'on referme les portes de la ville, isolant ainsi l'armée de Hugo de Payns restée à l'extérieur.

– C'est toi sans doute l'homme qui parle aux esprits ? dit le Mendiant du Saint-Sépulcre à Carl de Ruy, qui gardait les yeux constamment clos. Toi, tu es celui qui doit descendre la machine pour extraire le sarcophage tout entier si celui-ci résiste aux sphères de... celui-là ?

Il avait parlé à Saint-Amant et désigné Jean du Grand-Cellier.

– Alors ? Où sont tous vos excellents gardes ? ironisa-t-il en regardant Craon et Montdidier. Votre armée ne peut rien contre mes vagabonds, c'est bien triste.

Tous les gueux de Jérusalem dont il avait l'autorité étaient en fait des mercenaires entraînés et soumis depuis longtemps aux ordres de l'Homme et cela faisait des mois qu'il les infiltrait un à un. Ils étaient fondus dans la vie quotidienne de la ville, avec l'apparence de chrétiens, sans que les Francs aient jamais soupçonné cette invasion lente et passive de faux quêteurs. Il avait peu à peu expulsé ou fait tuer tous les anciens mendiants. Le Mendiant du Saint-Sépulcre avait magnifiquement préparé son armée et le retour de son « maître ».

# VII

## La nuit qui ne vint pas

C'est donc au moyen de corps invisibles que la
nature accomplit son œuvre.

LUCRÈCE, *De la nature*

Dans la prison du Crâne de Baphomet,
Cosimo Gui était enfermé dans une
petite cellule obscure. Depuis son arrivée, il méditait sur sa natte de jonc dans
une vague inconscience. Plusieurs fois il lança des
imprécations à l'adresse de l'aveugle Clinamen qui
l'avait abandonné et heurta le sol d'un poing sans
force. Il refusait de se nourrir, déjà affaibli par le
voyage dans la cage.

Un matin, la porte de fer de sa cellule s'ouvrit.
Deux gardes lui apportèrent sa ration du jour. La
prison était agitée d'une rumeur sans précédent
depuis l'arrivée d'une fille.

– Sais-tu qu'une gamine nous a rejoints ? lui dit
l'un des gardes.

– Elle doit être bien malheureuse, répondit
Cosimo.

Chaque jour il était conduit près d'une fosse
sablonneuse où étaient enterrés les prisonniers

morts de la prison. Là, nu, il était interrogé et torturé pendant de longues heures.

– Que sais-tu du roi Salomon ?

– Peu.

– Que faisais-tu dans les écuries de l'Ancien Temple ?

– Rien.

– On a trouvé dans ton sac des lettres de Hugo de Payns, es-tu un envoyé secret des pèlerins ?

– Non.

– Qui t'a conduit à cet endroit de la ville ? Avec qui parlais-tu en entrant ?

– Personne.

Les coups de fouet redoublaient.

Bientôt, Cosimo vit apparaître à la fin de ses séances de torture la nouvelle prisonnière. Ils se relayaient entre les mains des bourreaux. L'effet psychologique voulait terrifier l'un en lui montrant les plaies de l'autre. Lorsqu'une séance reprenait, le torturé sentait les instruments encore chauds du sang de son prédécesseur.

Anx était aussi atrocement traitée. Le fouetteur avait d'abord hésité, c'était la première fois qu'il s'en prenait à une fille. Mais le maître de la prison lui arracha ses linges et la frappa aussi fort que Cosimo.

On lui imposa le questionnaire préparé pour Flodoard. Malgré la douleur, elle s'en tint à la version de « lectrice du bibliothécaire ».

– Qu'a-t-il appris de nouveau sur la nature du Djinn ?

– Je ne sais pas.

– Quels textes sont restés à Constantinople ? Quel matériel ?

– Je ne sais pas.

– Carl de Ruy a-t-il fait de nouvelles révélations ?

468

– Je ne sais pas.

– Est-ce que Payns a reçu le soutien de Bernard de Clairvaux ?

– Je ne sais pas.

Le tourmenteur n'entendait pas le sens de ces questions, mais Anx devinait parfaitement que son ravisseur, l'Homme sans main et sans visage, savait ce qui était indispensable sur la Borne. Elle frémit à la pensée qu'elle tombât entre ses mains. Elle désespérait.

De son côté, Cosimo pensait ne plus jamais quitter cette prison, et ne jamais voir reparaître l'Aveugle...

Les jours passèrent inchangés pour eux jusqu'à ce soir prodigieux où, comme la mémoire nomade allait en conserver longtemps le souvenir, *la nuit refusa de tomber.*

La lumière était blanc et bleu, feutrée comme de la fine vapeur d'eau. Née de nulle part, elle enveloppait le Crâne dès le crépuscule ; un mystérieux nuage éclairant, se suffisant à lui-même. Il était *partout*, se glissait sous les portes, entre les brèches et les fissures des murs, il envahissait l'espace comme les volutes d'un brûle-parfum. C'était terrifiant à voir. Des geôliers suivirent avec fascination ce qu'ils désigneraient plus tard comme étant « le nombril » : c'était un point plus intense, une boule de feu clair qui avançait lentement le long des couloirs de cellules. La sphère de gaz franchissait des parois larges de plus d'un pied sans ralentir ni corrompre sa forme ou son éclat. C'était vivant. C'était vivant et cela cherchait quelque chose.

Le « nombril » entra dans la cellule de Cosimo Gui.

Celui-ci était accroupi sur sa natte. Il leva vaguement le front. La boule de lumière était immobile, immaculée, intense mais froide. Cosimo comprit brusquement.

– Je sais que pour toi le Temps n'est rien, dit-il, il n'empêche, tu as tardé.

Il savait que cette lumière était Clinamen.

L'étoile vaporeuse se mit à enfler formidablement. Cosimo ferma les yeux. La lumière l'envahit, il la sentit lui saisir les chairs. Une fraîcheur délicieuse lui traversa le corps. La lumière devenait pleine, palpable, cotonneuse. Il rouvrit brièvement les paupières, mais, aveuglé par la blancheur sans forme et sans horizon, il ne voyait rien.

Après un temps parfaitement indéfini, la chaleur revint. Beaucoup plus cuisante que dans la cellule. La lumière changea elle aussi. Elle prit une clarté dorée, rougeoyante.

Cosimo Gui se retrouva seul, ébloui, debout dans un désert, en plein jour.

Son corps avait recouvré toute sa vigueur ; il était frais, dispos, paré, sans la moindre cicatrice sur la peau, mais incapable de comprendre ce qui lui arrivait.

Sur une petite dune voisine, une silhouette apparut. C'était Anx. L'air tout aussi perdu que Cosimo.

Elle avança, ébahie. Elle aussi vit qu'elle n'avait plus une marque de torture.

– Où sommes-nous ? demanda-t-elle.

– Je n'en sais rien. Mais surtout, *quand* sommes-nous ?

Ils avancèrent sur une crête pour observer les alentours.

– Là-bas, dit Cosimo.

Ils descendirent dans la direction d'un puits entouré d'une caravane de chameaux.

Ils atteignirent le groupe des nomades : ces hommes s'écrièrent, terrifiés de voir deux Occidentaux surgir des dunes sans eau ni monture, l'air frais.

Près du puits, une tente somptueuse était dressée. C'était celle du maître de la caravane. Cosimo et Anx furent invités à le rejoindre.

À l'intérieur, assis sur de riches tapis, devant un plateau d'argent couvert d'infusions et de mouton fumant, Cosimo reconnut son compagnon Clinamen et Anx le vieil aveugle qu'elle avait croisé dans la forêt, retrouvé près de Hugo de Payns au lac de Source-Dole et qui l'avait sauvée sur le pèlerinage.

– Nous y voilà ! dit-il, ravi de leur arrivée. Maintenant plus de temps à perdre. Ne m'interrogez pas, j'ai déjà assez rompu mes devoirs pour aujourd'hui. Buvez, mangez, je vous ai apporté les guides et les chameaux qui vous conduiront à Jérusalem. Hâtez-vous !

– Nous hâter ? Mais pourquoi ? Vers où ? demanda Anx.

– Rejoindre la Borne. Empêcher que qui que ce soit ne s'en saisisse. Chacun de vous sait ce qu'il a à faire.

– Mais la Borne, insista Anx, encore faut-il posséder les sphères pour la libérer !

Clinamen sourit.

– Ne t'inquiète pas de cela. Tout arrive dans le Temps.

– Par où passerons-nous ? demanda Cosimo.

Anx dit :

– Mon maître Flodoard m'a enseigné les deux chemins : celui de la Tour de Salomon et celui des écuries du Temple qui sont à la verticale du sanctuaire. Mais à nous deux, nous ne passerons jamais.

L'Aveugle haussa les épaules. Il tendit à Anx un feuillet où était dessiné un plan des alentours de Jérusalem.

– La Tour et le Temple ? Ces deux voies sont celles de l'histoire et de l'archéologie. Il en existe une troisième.

– Laquelle ?

– Celle de la légende.

Les jeunes gens se regardèrent sans comprendre ; mais ils firent comme l'Aveugle avait dit. Ils mangèrent et partirent.

Pendant leur traversée, Cosimo observa Anx. Clinamen avait résolu d'enfreindre ses interdits célestes, d'interférer dans le cours des hommes, pour qu'ils puissent se trouver réunis. Il avait accepté de perdre toutes les images du « monde » qu'il avait en mémoire, aujourd'hui et partout à travers les Temps, de devenir l'Aveugle des Frères des Parques pour que cette fille et lui se connaissent et aillent ensemble à la Ville sainte ! Pourquoi eux ?

Anx le surveillait aussi. La brutalité de leur rencontre la dérangeait. Elle se méfiait et éprouvait une certaine gêne à être auprès de lui. Elle se rappelait confusément l'avoir croisé à l'entrée de la forêt de l'Araignée. Mais rien ne l'attirait en lui.

Ils entraient en Judée. Au soir, dans une oasis, ils parlèrent enfin. Anx raconta son périple parti d'Irlande, Cosimo résuma son aventure depuis le Tabor. Il ne faisait aucun doute que l'un possédait une part de la vérité que l'autre ignorait : Anx connaissait la Borne et ses propriétés grâce à l'enseignement de Flodoard et de Nébo, Cosimo savait par l'Aveugle qu'elle devait rester inviolée, de l'Homme sans main et sans visage comme de la Milice de Hugo de Payns.

Ils s'observaient, s'épiaient, ne montraient encore aucune complicité, aucune familiarité ; ils ne se souriaient pas, et ne parlaient que pour dire l'essentiel. Ils attendaient de comprendre.

472

Ils atteignirent Jérusalem par la vallée du Cédron, face à la porte Dorée. Anx suivait le détail du plan de Clinamen.

Ils approchèrent d'un petit temple accroché à flanc de coteau non loin de Gethsémani, rendu presque invisible par des broussailles hautes comme des hommes.

– C'est ici, dit-elle.

Une porte de bois usée était entrouverte. À l'intérieur, deux personnages se levèrent dès leur arrivée. Ils portaient une longue robe orangée marquée d'une bande rouge. Leur visage était d'une pâleur extrême, le crâne et les sourcils rasés, les yeux clairs.

– Vous nous attendiez ? demanda Anx.

Ils acquiescèrent.

– Nous sommes les gardiens, dit l'un d'eux.

– Les gardiens ? Quels gardiens ?

– Nous entretenons le sarcophage d'émeraude...

Ces prêtres se relayaient depuis la nuit des temps pour garder le sanctuaire dans le souterrain de la Tour de Salomon. C'étaient eux qui avaient la conservation du bloc d'émeraude, eux qui le rendaient imprenable, eux qui alimentaient le mystérieux manteau de naphte et d'argile dans la loge au bas de l'interminable escalier, eux également qui avaient décidé du moment où il faudrait le faire déplacer pour sa sauvegarde. Ils disséminaient les indices de son « existence » à travers le monde, par des paroles occultes, des symboles sur des façades ou par l'empreinte poussiéreuse d'une main sur l'épaule d'une statue de bronze pour guider un savant d'Alep...

– Pourquoi n'emportez-vous pas la Borne vous-mêmes ? demanda Anx.

Les prêtres sourirent.

– Nous en sommes bien incapables !

Lorsqu'ils parlaient, ils s'adressaient toujours à eux deux. Ils ne faisaient aucune distinction entre *elle* et *lui*. Cosimo sentit fortement cette insistance. À leur commande, le fond du temple de pierre se déroula comme un sas de vaisseau. Un escalier s'enfonçait dans la nuit.

Ils pénétrèrent dans un réseau de galeries, éclairées à la torche.

Les deux prêtres les guidèrent jusqu'au bord d'un lac souterrain. L'eau était noire comme de l'encre. La caverne disparaissait dans l'obscurité. Un vent glacial courait en sifflant entre les parois de pierres brisées hautes de dizaines de mètres.

– À présent, dit l'un des deux gardiens, vous seuls pouvez vous conduire.

Ils plantèrent leur torche dans le sol sablonneux et remontèrent vers le temple sans rien ajouter. Cosimo ne comprenait rien de ce qu'ils insinuaient ; il se tourna vers Anx, qui hésitait elle aussi.

– L'aveugle Clinamen a parlé de la légende, n'est-ce pas ? dit-elle.

– C'est ce qu'il a dit. La troisième voie.

Anx s'empara de la torche et se mit à contempler les murs autour d'eux. Des stalactites pendaient de la voûte de la grotte, des éboulis s'entassaient sur la rive, la lumière des flammes semblait animer les concrétions.

– Là ! dit-elle en pointant du doigt un morceau de roche mieux proportionné que les autres. C'est lui.

Cosimo s'avança. Le rocher était arrondi comme un ventre. En approchant la torche, il se dessina plus précisément : ce n'était pas une pierre à l'état brut, elle était polie et sculptée. C'était un vase.

Géant. Un vase de pierre, gravé, encastré dans la muraille.

– Eh bien ? Qu'attends-tu ? demanda Anx.

Elle montra un éclat de roche aux pieds de Cosimo.

– Brise-le.

Sans trop comprendre, le jeune homme saisit l'éclat et heurta de toutes ses forces la sculpture qui rendit un son strident, métallique. L'écho dans la caverne fut assourdissant. Sous son effet, deux stalactites s'effondrèrent en pleine eau.

– Continue, dit Anx.

Cosimo heurta de nouveau. Plusieurs coups. De plus en plus forts, de plus en plus rugissants. Une brèche s'ouvrit. Il arrêta. Le silence se rétablit. Peu après, un bruissement, un souffle imperceptible, s'échappa du vase.

– La roche va s'effondrer, avertit Cosimo.

Ils reculèrent.

Le vase vola en morceaux ; Anx et Cosimo furent projetés au sol, la torche s'éteignit sur le sable, l'obscurité envahit la caverne. Le terrible affaissement de pierres résonna longuement avant de mourir dans un silence plus inquiétant encore.

– Anx ? Où es-tu ? Tu n'es pas blessée ? demanda Cosimo.

– Je vais bien, répondit-elle dans le noir.

Tous deux ne voyaient absolument rien. Ils restèrent à terre, muets.

Soudain, quelque chose se fit entendre.

D'abord des clappements légers d'ailes d'oiseaux, frénétiques ; puis des éclats argentins, comme une main qui perturbe une onde ou des poissons qui bondissent à fleur d'eau, enfin un grondement rauque, des craquements d'os, une haleine brûlante, et la sensation d'une présence incroyable, une masse énorme dans l'air.

– Il est là, dit Anx.

Un point rouge s'alluma tout au fond de la grotte. D'abord flou et immobile, il se mit à avancer lentement vers les deux personnages.

C'était un œil.

– Qu'est-ce que c'est ? demanda Cosimo d'une voix blanche.

Après un temps à observer cette prunelle de sang qui approchait, Anx murmura :

– C'est le Djinn condamné de la légende de Salomon...

# VIII

## La revanche

Retournons sur nos pas.

HUGO, *Han d'Islande*

À la porte de David de Jérusalem, on annonça l'arrivée de nouveaux pèlerins d'Occident. C'était l'Homme sans main et sans visage avec les convois et ses hommes déguisés à la place de Flodoard et de ses clercs. Le patriarche les autorisa à rentrer. L'Homme se dirigea aussitôt vers la maison de la Tour de Salomon.

Alp Malecorne avait reçu l'ordre de son maître d'attendre avant de le suivre dans Jérusalem. Il devait préserver plus chèrement que sa vie la boîte aux sphères déterrée dans le cimetière de Chayzar. Alp patienta le temps que l'Homme et ses mercenaires soient accueillis sans encombre. Il vit avec inquiétude toute l'armée de la Milice qui bivouaquait devant les remparts. Puis il se présenta à la porte de Saint-Stéphane.

Depuis l'arrivée des convois, les rues ne désemplissaient plus. Les émeutes créées par les hommes du Mendiant du Saint-Sépulcre suscitaient une tension brutale dans l'air. Alp avait gardé quatre de ses meilleurs hommes avec lui pour la traversée des quartiers. Il n'aimait pas ces ruelles bondées de visages inconnus. Il avançait en examinant partout, craintif. Lui aussi prit le chemin de la maison de la Tour. Devant un attroupement inquiétant, il ordonna à l'un de ses gardes de marcher devant lui, il s'aperçut alors qu'il n'avait plus que trois mercenaires ! L'un d'eux était sans doute retenu à quelques pas dans la foule. Ils attendirent un instant, mais l'homme ne reparut pas.

Alp continua. Il quitta le quartier des Arméniens ; il tourna la tête avant d'entrer dans celui des Hospitaliers. Plus que deux gardes ! Il s'arrêta net. Les hommes restants ignoraient où étaient passés les deux autres et ne les voyaient pas revenir.

Malecorne fit accélérer le pas. Il voulait quitter cette populace au plus vite, fuir dans une allée, entrer dans une maison, n'importe laquelle ! Il revoyait le corps déchiqueté d'Erichtô, son œil révulsé. En sueur, hors d'haleine, il se jeta sous un porche pour retrouver ses esprits.

Mais il n'avait plus qu'un seul garde avec lui.

– Mais où sont-ils ? cria-t-il. Où sont-ils ? Ce n'est pas possible : toi, reste là ! Protège-nous !

– Je reste, maître, dit le mercenaire d'une voix grave.

Alp lui trouva un air étrange, puis il vit dans sa main droite une lame tout ensanglantée.

– Mais qui es-tu ?

– Mon nom importe peu.

Roland s'avança et égorgea d'un geste l'ancien disciple d'Ismale Gui. Il saisit la boîte des sphères et traîna le cadavre devant la foule de la rue.

– Un espion ! annonça-t-il.

Il arracha le col noir de sa victime. Les passants découvrirent, sous son hideux visage, des affiquets en os qu'on disait propres aux infidèles. La haine populaire se déversa sur Alp. On le roua de coups et on l'écartela dans les airs, suspendu avec des cordes préalablement imbibées de pisse et de crachats. Politesse de chrétien.

Roland disparut dans les rues de Jérusalem.

Sa mission accomplie, il espérait retrouver Cosimo.

Selon leur protocole habituel, il se mit à la recherche de la taverne la plus courue de la cité. Il ne trouva qu'un bouge peu fréquenté. Jérusalem n'était pas réputée pour ses auberges.

Là, il s'installa à une table et patienta.

# IX

## Satan pardonné

Selon la tradition islamique, Allah créa les anges avec de la lumière, les Djinns avec du feu et les hommes avec de la poussière. Certains affirment que la matière des deuxièmes est un feu obscur sans fumée. Ils furent créés deux mille ans avant Adam, mais leur race n'atteindra pas le jour du Jugement dernier.

BORGES, *Le Livre des Êtres imaginaires*

Au bord du lac souterrain, Cosimo fixait l'œil qui approchait au ras de l'eau, rougissant la surface noire et glacée comme un miroir. Dans la lueur grandissante, le visage d'Anx se dessina de nouveau à côté de lui. Elle souriait, sans quitter la vision des yeux.

Sur la rive, une barque apparut soudain. Vide, elle s'échoua doucement à quelques pas du garçon et de la fille.

L'œil était maintenant proche. La pupille enflammée faisait plusieurs mètres, elle s'éclaircit, prit une blancheur éblouissante et disparut. À sa place, un homme était debout, sur les flots. Il portait une longue robe claire de catéchumène, un visage régulier, sans trait, des yeux vides d'expression, le corps lumineux, comme animé de milliers de flammèches.

– Un Djinn ? dit Cosimo.

– Nous venons de le tirer de son vase légendaire. Le célèbre Djinn qui déroba l'anneau de Salomon et qui compila tous les secrets magiques du roi et les mystères du monde...

Cosimo regardait le spectre. Il avait l'air triste.

– Le roi l'a condamné à une éternité de damnation, dit Anx. Il devait veiller à jamais sur son bien le plus précieux.

Cosimo songea au tableau de son oncle dans le bureau du Tabor.

– Ce que je ne comprends pas, ajouta Anx, c'est pourquoi il ne nous réduit pas en cendres selon la tradition ?

L'apparition déploya un bras et indiqua la barque. Puis, lentement, elle se tourna et commença à retourner vers le fond de la caverne.

– Que faisons-nous ? demanda la fille.

Ils attendirent. Au loin, l'intensité du Djinn diminuait.

Cosimo fit un pas vers l'embarcation.

– Il ne faut pas attendre. Faisons ce qu'il nous dit.

Il fit monter Anx et la suivit ; aussitôt la barque se mit à avancer d'elle-même sur l'onde immobile.

Le bateau rattrapa paisiblement le démon. Ils passaient sous les immenses stalactites qui menaçaient de s'effondrer. En dehors de l'éclat nébuleux émané du corps du Djinn, l'obscurité les environnait. Tout se taisait.

– Il nous conduit peut-être à la Borne, dit Anx.

– Pourquoi ferait-il cela ?

– Peut-être est-ce sa façon de poursuivre sa peine, ou bien... de se faire pardonner ?

– Pardonner ? Par qui ?

Anx haussa les épaules ; elle ne faisait que supposer.

Soudain, la barque buta, retenue par un objet invisible au milieu de l'eau noire.

Le Djinn se déporta en voletant sur sa droite et, à quelques mètres, s'immobilisa sur la berge sans se retourner. Cosimo vit près du bateau des lattes flottantes qui formaient une sorte de pont mobile. Ils l'empruntèrent tous deux périlleusement pour rejoindre le démon sur la terre.

Ce dernier reprit alors son avancée silencieuse, pénétrant dans un long tunnel creusé dans le roc vif.

Anx et Cosimo ne le quittèrent pas, observant autour d'eux les murs baignés de la lueur irréelle du démon de Salomon...

# X

## L'Instantanéité du Même

C'est impossible, Gilgamesh.

'Homme sans main et sans visage arrivait dans la maison de la Tour de Salomon. Ses ouvriers avaient rouvert le passage de la plate-forme, posé des torches dans les profondeurs, creusé et abattu des murets de terre afin qu'il puisse pénétrer jusqu'à la chambre de la statue de bronze de Salomon. Tout était prêt.

Il passa devant les chevaliers ligotés à terre. Ils regardèrent avec épouvante cette silhouette sombre et si souvent évoquée. Hugo en particulier.

L'Homme s'approcha de lui. Sans défaire sa capuche, il dit :

– Tu avais raison, Hugo ! Se retrouver ici après vingt ans. Quelle aventure !

La figure de Payns se figea. Il n'avait pas besoin de voir le visage de l'Homme, il avait reconnu la voix d'Ismale Gui. Il eut un regard perdu, le front contracté, comme si tous les mystères de sa vie venaient de tomber d'un seul coup.

Alp Malecorne n'était pas encore arrivé, mais le maître voulait inspecter le lieu de son triomphe et préparer l'ouverture du sarcophage.

Il entra seul dans le souterrain. Il se défit de son encombrante cape. Ismale Gui passa le mur au pentacle, traversa l'arcade de l'île aux émeraudes, marcha sans faiblir dans la salle aux pièges et entra enfin dans la loge de la statue de Salomon.

Il regarda autour de lui, prit son temps comme un homme qui sent qu'il a atteint son apogée et qui veut en goûter chaque instant.

Il approcha son avant-bras du bronze et posa ses doigts au même endroit que ceux de Hincmar Ibn Jobaïr.

Salomon et son trône s'abaissèrent et l'ouverture se fit dans l'épais nuage de poussière.

Ismale attendit que l'air s'assainisse.

Il sentait sa poitrine se gonfler, il se sentait invincible.

Il voulut faire un pas, mais, dans l'entrebâillement, en haut de l'escalier, sous les vautours aux ailes déployées, il discerna subitement une silhouette et recula.

C'était Cosimo.

Celui-ci fit un bond et plongea son épée à travers le ventre de son oncle, qui s'affaissa de tout son long.

– Comment ?... murmura Ismale.

*Au même moment*, dans la taverne, Roland attendait toujours son compagnon. Il craignait de ne jamais le revoir et de devoir retourner en Occident pour pleurer la perte de ses trois amis. Après avoir laissé Cosimo sur le port d'Otrante, il avait réussi à rattraper et incorporer la troupe de mercenaires d'Alp Malecorne pour l'avoir aidée au pillage d'une auberge. Au cours de la traversée des eaux crétoises, il avait enquêté sur Alp, mais l'homme était méfiant. Il s'en prit alors à la mystérieuse Erichtô qui ne faisait aucun secret de sa sensualité animale. Roland réussit à s'introduire dans son lit, et c'est sur l'oreiller de cette débauchée qu'il apprit les circonstances de la mort de ses amis Croitendieu et Jason. La femme riait aux descriptions de leurs tortures infligées par Alp. Pour toute réponse, Roland saisit une des lames qui servaient aux jeux lubriques de la courtisane et la larda de coups. Il s'enfuit de la chambre de la morte sans être suspecté.

Plus tard, il avait été de la troupe armée qui attaqua le convoi de Flodoard dans la passe. Là, il apprit qu'Alp et l'Homme voulaient rejoindre Jérusalem. Comme il était fort et endurant, il fut affecté à la garde personnelle de Malecorne et mesura ainsi l'importance que celui-ci accordait à une boîte retrouvée dans un cimetière. Roland guetta le moment opportun pour massacrer Alp et récupérer l'objet précieux.

Cela achevé, il espérait. Ses chances de retrouver Cosimo dans la cohue de Jérusalem étaient minces. Était-il arrivé ? Était-il seulement vivant ?

Mais soudain, il se leva dans la taverne, médusé ; Cosimo avançait calmement vers lui. Il était accompagné d'une jeune fille. Tous deux étaient environnés d'une lueur étrange. Ensemble, sans un mot, du doigt ils pointèrent la boîte que Roland avait gardée avec lui. La boîte des quatre sphères.

*Au même moment,* sur la station orbitale de Jehoshafat, un petit vaisseau quittait précipitamment l'aire de la Planète des Origines. Il piqua en hyperespace, enfreignant toutes les règles. Des chasseurs du Premier Système se mirent à sa poursuite.

Aux commandes de l'appareil, Anx Columban et Cosimo Gui s'enfuyaient de la Terre sainte.

*Au même moment,* dans le tunnel obscur, ils suivaient toujours le Djinn. Devant lui, plusieurs murs pivotants se renversèrent pour les laisser passer.

Le démon s'arrêta au pied d'une immense double porte d'airain. Il y eut un moment d'attente. Un long silence.

Anx cria.

Elle se retourna vers Cosimo, effarée. Elle tenait dans les mains une boîte de fer qui lui était apparue instantanément. Elle l'ouvrit : ils découvrirent les quatre sphères d'émeraude d'Alp Malecorne !

– C'est impossible, dit Cosimo.

– Impossible... Je ne comprends pas... Il n'y a aucune logique...

– Attendons de voir, dit Cosimo en montrant le Djinn.

Celui-ci leva une main et, sans le moindre bruit, l'immense portail s'élargit.

Rien ne préparait les deux jeunes gens à la vision fabuleuse de la « Salle de la Borne » : l'espace ouvert devant eux faisait plusieurs centaines de mètres de haut et de long. Pas un seul pilier pour soutenir cet espace gigantesque. Des parois de terre nue captaient partout la lumière émanée du Djinn.

Au milieu du vide descendait du plafond un long conduit de terre, mince, étrange, sinusoïdal, qui arrivait au centre de la pièce, en se terminant par des marches d'escalier. Ces dernières trempaient dans une tache ovale et noire, parfaitement délimitée au sol.

Au-dessus d'elle, une demi-sphère dégoulinante de pétrole était suspendue dans les airs, retenue par des filins. Au milieu de la tache, trois squelettes carbonisés étaient au sol.

Près d'eux, *le sarcophage d'émeraude.*

La stupeur d'Anx et de Cosimo allait au-delà de celle ressentie pendant l'évasion du Crâne de Baphomet ou à l'apparition du Djinn.

Celui-ci se retourna vers eux.

Il avait changé d'aspect; il semblait plus petit et montrait un visage d'enfant, son air triste disparu. Il regarda Anx et Cosimo avec des yeux reconnaissants, puis disparut dans un nuage de vapeur. Seule source de lumière jusque-là, son éclat resta pourtant sur place, dans toute la salle, partout identique.

Après un temps de doute, Cosimo fit le premier pas. Le sol était dallé, propre et lisse comme le poli d'un marbre. Le tintement de sa botte ne résonna pas.

– En vérité, où sommes-nous arrivés ?

Sa voix non plus n'eut aucun écho.

Ils avancèrent vers la Borne.

Anx ne parla pas. Ils atteignirent le centre de l'espace. Une odeur de naphte apparut. Au-dessus d'eux, la demi-sphère ruisselait et des gouttes tombaient au sol, sans émettre le moindre bruit. Ils comprirent que, ce dispositif rabaissé autour du sarcophage, la salle gigantesque devenait invisible à ceux qui entraient par le long escalier étroit.

C'était le procédé de défense des « gardiens du sarcophage ».

Ils marchèrent encore, les pas empêtrés dans les flaques.

L'énorme roche d'émeraude recouverte de sa pellicule charbonnée était proche.

Cosimo se souvenait de la simulation qu'il avait vue dans le laboratoire de Jean du Grand-Cellier, entouré de ces centaines de sphères rangées comme les livres d'une bibliothèque. C'était exactement la même.

Anx, elle, repensa aux images des livres dans le chariot blindé : le djinn au doigt de feu. Elle regarda les trois morts qui gisaient, carbonisés : Anhour, prêtre d'Amon, Tarquin, centurion de Marc Aurèle, et Hincmar Ibn Jobaïr, savant d'Alep.

Elle rouvrit la boîte de Roland et donna deux sphères à Cosimo, puis elle se mit de l'autre côté de la pierre. Ils étaient chacun devant deux ouvertures du sarcophage.

– Nous devons les introduire en même temps, prévint-elle.

Elle répétait les recommandations de Flodoard :

– Le bloc d'émeraude est inviolable. Il faudrait tant de coups pour le briser que ses éclats souilleraient inévitablement la Borne, pervertiraient sa pureté et ruineraient ses propriétés. C'est en partie ce que les chevaliers ont mis si longtemps à comprendre dans les écrits de Hincmar. Aussi, comme on ne peut casser cette carapace, il faut l'ouvrir depuis l'intérieur. C'est là que les sphères interviennent.

Le garçon et la fille placèrent leurs sphères sur les entrées.

Cosimo regarda Anx.

– Ainsi il doit y avoir impérativement *deux* personnes pour libérer la Borne, dit-il en voyant leurs positions.

Deux personnes ? Anx songea que Flodoard ne lui avait jamais rien dit à ce sujet.

Au signal de la fille, ils abandonnèrent les sphères. Elles disparurent aussitôt.

Tout d'abord, rien ne se passa.

Puis une vibration se fit entendre, progressive, d'une netteté incroyable. La roche semblait envahie par des insectes aux pattes de fer. Les vibrations se répondirent, les ondes s'amplifièrent, la masse se mit à tressaillir. C'était un processus lent mais que rien ne pouvait interrompre. Le sarcophage résonnait de plus en plus. L'absence d'écho dans la pièce accentuait l'effet de répercussions. Les vibrations se changèrent en tremblement, le tremblement devint une force, et la force libérée...

Le sarcophage explosa.

Son souffle déporta Anx et Cosimo à plusieurs dizaines de mètres, chacun dans une direction opposée. Seulement ils tombèrent sans violence, ils se sentirent comme *déposés*.

Toute la lumière de la salle avait disparu. Ou plutôt, elle s'était résorbée en un point unique.

La Borne.

Elle scintillait.

Cosimo et Anx se relevèrent.

Le jeune homme jugea qu'il devait être à une quarantaine de mètres du bloc lumineux. L'obscurité l'entourait. La lumière était blanche, légèrement bleutée, mais variante. Elle traversait insensiblement la gamme des couleurs. Son éclat luisait sans aveugler. Cosimo crut discerner qu'elle avait une forme cubique, avec des arêtes très acérées. Un cube de cristal.

Il voulut faire un pas, mais, aussitôt, il manqua de s'effondrer sous une brutale sensation de vertige et de tournis. Abominable. Il réessaya et défaillit de nouveau. Le moindre déplacement, un seul mouvement de tête, lui inspirait des nausées insupportables; il croyait voir le sol s'échapper sous ses pieds ou la masse de la voûte se renverser loin derrière lui. L'effet ne s'atténuait que lorsqu'il quittait la Borne des yeux.

– La Borne est constante telle qu'elle se montre, dit alors la voix d'Anx. Si tu tournes autour, elle te présentera toujours la même face. Que tu recules ou que tu avances, elle conservera la même proportion. Ici ou à mille lieues, à tes yeux, sa représentation ne se modifiera jamais. C'est un phénomène unique dans un état unique.

– Mais alors, comment l'atteindre ?

– Tends le bras.

Cosimo avança sa main droite et s'aperçut qu'il n'était qu'à une brève distance de la Borne ; il pouvait presque la toucher. Elle était loin et près *à la fois*. Anx était devant lui, de l'autre côté de l'émanation, son visage baigné dans les teintes changeantes de la lumière. Au sol, il reconnut une poudre verdâtre. L'émeraude atomisée.

Cosimo déplaçait lentement sa main tendue devant la Borne. Dans l'éclat lumineux, elle avait l'air de passer à travers les mailles serrées d'un tulle ou prise dans un nuage de poussières : elle était perpétuellement en train de *se faire* et de *se défaire*, morcelée en des milliards de petits grains, ses contours flous et imparfaits. Une nouvelle envie de vomir le submergea.

Il baissa le bras et tourna la tête.

Là, il vit sur sa droite, à quelques pas, un autre Cosimo Gui.

Baigné lui aussi par l'éclat de la Borne.

Il déglutit avec peine, effaré. Le Cosimo Gui qui était là lui était parfaitement identique. Les traits, le regard, l'âge, tout. Hormis le fait qu'il portait des linges du XIIᵉ siècle alors que lui était vêtu d'une combinaison spatiale. Il se tourna vers Anx. Une seconde Anx était à ses côtés.

Son cœur commença de battre terriblement. Il tourna sa tête vers la gauche.

Un troisième Cosimo Gui apparut. Celui-ci avait le même costume, mais une cicatrice lui barrait le visage. Dans le halo lumineux, un quatrième personnage se présenta, puis un cinquième, un sixième, un septième... L'espace gigantesque de la pièce commença de se remplir d'un nombre infini de Cosimo Gui et d'Anx Columban. Partout. Une foule démultipliée. Le prodige prenait les dimensions d'une foule, d'un peuple, d'un monde. Les arrivées d'incarnations étaient exponentielles. On eût dit bientôt une chute, une avalanche de corps.

– Comprends-tu ? demanda Gui.

Au moment où il parla, tous les Cosimo posèrent la même question, en même temps.

Figée sur place, Anx secoua la tête négativement. Elles furent toutes à accomplir ce mouvement intimidé, le visage ébahi.

Toutes ces images d'eux-mêmes avaient cette même propriété que Cosimo avait remarquée sur sa main : l'imperceptible morcellement, l'inachèvement continuel.

Le vertige le gagna de nouveau, il ferma les yeux.

Et hurla.

De toute son âme.

Mais pas un son ne fut émis nulle part.

Il rouvrit les yeux, il était maintenant à des dizaines de mètres, dans un rang lointain derrière d'autres Cosimo Gui. Il écarquilla les yeux. Il n'était plus vraiment lui-même ! Quelque chose avait changé. Il avait soudain des souvenirs d'une « autre » vie. Le temps d'un clignement de paupière et il se retrouva à un autre point de la salle. Un autre clignement et il avait encore voyagé. C'était durant ce temps de latence presque immédiate que son cri de douleur était poussé. Le temps illusoire du passage d'une incarnation de Cosimo Gui à une autre. Incontrôlable, cette course devint frénétique, douloureuse, insupportable, rythmée par des hurlements qui ne venaient pas. Cosimo avait la conscience écartelée d'un corps à l'autre; chaque fois qu'il rouvrait les yeux, il retrouvait la Borne inchangée, au même endroit, de la même dimension. L'immobilité face au mouvement perpétuel. Lui seul changeait.

À chaque « voyage », il comprenait un peu mieux. Il *se* comprenait un peu mieux.

Tous ces êtres représentaient, morcelé, *Cosimo Gui dans le Temps*. Non pas dans le Temps successif, chronologique, celui que l'on éprouve chaque jour, mais dans le Temps entier, intégral, plein. Ce Temps infini qui ne tenait plus compte de nos choix dans une vie, mais de tous les choix possibles et de toutes les vies possibles. Ce n'était plus l'éternité vue heure par heure, mais la « somme » de tous les événements. Le Temps, soudain entier et immédiat. Autour de la Borne, Cosimo observait les choix qu'il avait *faits* durant sa vie et aussi les choix qu'il n'avait *pas faits* dans cette vie. Là, c'était lui qui avait résolu de prendre un chemin dangereux à droite, là, c'était lui qui avait préféré prendre celui plus prudent sur la gauche et qui avait subi toutes les conséquences de cette décision : soit une autre vie. De loin en loin, ce que *lui* n'avait pas accompli, *lui* s'était chargé de l'accomplir à sa place. Toujours lui. Toujours Cosimo. Toujours Anx. Il n'existait donc pas un monde unique, mais un infini de mondes parallèles, un infini de dimensions où nous existions aussi et où tous les choix étaient pris. Et dans ce Tout, il n'y avait aucune différence ni répétition des *événements*, il y avait *simultanéité*. Tout était concomitant. Plus de passé ni de futur.

Cosimo Gui se vit en train de traverser l'Occident avec les neuf chevaliers, remontant l'étendue de la galaxie à bord de vaisseaux spatiaux ; mais il se vit aussi rejoindre Jérusalem à pied depuis la ville de Troyes comme un pèlerin du Moyen Âge ; et il avait également emprunté une infinité d'*autres routes* pour une infinité d'*autres raisons*. Mais chaque incarnation de Cosimo ne gardait que la conscience d'un seul voyage, d'un seul pèlerinage, d'une existence unique.

Dans l'éclat de la Borne, Cosimo et Anx comprirent que le Temps tel qu'ils l'expérimentaient dans le monde, conforme au bon sens des objets quotidiens, agissait comme un cadre, une loi de la physique qui les retiendrait de découvrir les autres réalités, régentant leur entendement humain comme la gravité régente le mouvement des planètes.

Alors ils saisirent l'enjeu phénoménal de la Borne !

Non seulement elle permettait de s'affranchir des lois et de se déplacer dans le Temps et l'Espace – ce qui donnait à son possesseur un pouvoir invincible dans chaque vie – mais surtout elle permettait de *changer les règles*. Changer les règles ! Bouleverser ces codes que l'Aveugle voulait tellement défendre. Créer un nouvel univers, renverser toutes les données produites jusque-là dans le Vide laissé par Dieu. Inverser le cours du Temps et faire vivre les hommes à rebours ! Reconfigurer les lois de la nature ! Les possibilités étaient sans limites. Elle faisait de l'homme un Dieu.

Pendant les révélations de ce pouvoir difficile à admettre, Cosimo se heurta aux incroyables paradoxes qui naissaient entre le Temps « classique » et le Temps de la Borne : jusqu'à ce voyage dans une autre existence où il réussit à retrouver Roland dans une taverne de Jérusalem et lui prendre la boîte des sphères indispensable pour qu'il accomplisse ledit voyage!! Ses dons l'autorisaient même de s'extraire de la simple observation de ses vies. Il explora le temps et remonta jusqu'au grand roi Salomon, le dernier homme à avoir vu la lumière irisée de la Borne. Ce monarque en fit un usage modéré, accomplissant seulement le miracle d'unir les forces du mal et du bien pour édifier un temple en l'honneur du Dieu « absent ». Cosimo le vit également faire construire le sarcophage d'éme-raude. Dans son immense sagesse, Salomon avait mis au point un système où deux personnes étaient nécessaires pour libérer le trésor. Deux personnes dans la lumière, deux personnes qui atteindraient aux mêmes facultés infinies. Si la Borne tombait entre de mauvaises mains, les acquéreurs annule-raient mutuellement leur puissance.

Cosimo quitta le temps de Salomon pour recher-cher les autres fins « possibles » à son aventure : il découvrit une fin terrible où l'Homme sans main et sans visage atteignait la Borne avant Anx et lui !

Comme dans un rêve, il vit l'Homme accompa-gné de son allié, le Mendiant du Saint-Sépulcre, libérer le sarcophage de la Borne. Mais dès qu'ils furent dans la lueur variante, l'Homme sentit le danger d'un rival si puissant et tenta de le détruire. Le Mendiant avait des moyens égaux et parait tous ses coups. Ils luttèrent comme deux dieux, boule-versant et bouleversant encore les lois du monde pour créer le moyen de vaincre l'adversaire. L'un ne voulant pas céder à l'autre, ils aboutirent à une extermination totale, et le Vide s'évanouit tout entier pour rejoindre Dieu. La fin du Temps. La fin du Tout.

Cosimo rechercha aussitôt un autre dénoue-ment : c'était celui où la Milice était victorieuse de l'Homme et atteignait la Borne en premier. Carl de Ruy et Jean du Grand-Cellier étaient dépêchés devant le sarcophage, l'un pour ses dons contre les esprits, l'autre pour sa maîtrise des sphères. Mais le même schéma se produisit : dès qu'ils surent l'étendue de leurs forces, les deux chevaliers renoncèrent à rapporter comme convenu la Borne à Hugues de Champagne et se querellèrent jusqu'à l'anéantissement final.

Cosimo se demanda alors pourquoi cette apocalypse n'avait finalement pas lieu.

Il entendit la douce voix d'Anx lui répondre :
– Parce que *nous* l'avons rendue impossible.

Sur les conseils de la jeune fille, ils décidèrent de faire disparaître du Temps ces quatre personnages. « Mourir », comme l'aveugle Clinamen le mentionnait. La Borne leur donnait le pouvoir de les effacer de l'Histoire et de la mémoire de tous les hommes. L'Homme sans main et sans visage ne prit plus jamais part à la révolte des musulmans en Terre sainte, et du Grand-Cellier et Ruy ne furent jamais des neuf premiers chevaliers qui deviendraient les Templiers [1]. Alp Malecorne *n'exista* pas. Aucun historien ne pourrait plus jamais parler d'eux.

De son côté, Anx avait visité *toutes ses vies*. Elle avait observé les causes et les effets d'elle-même, contemplant un infini de similitudes et un infini de dissemblances d'une existence à l'autre. C'étaient ces dernières les plus passionnantes à explorer. Elle pénétra même dans des destins qui n'étaient jamais passés par cette salle de la Borne ! Le temps

---

1. Carl de Ruy, Jean du Grand-Cellier et Benoît Clerc n'ayant pu être des neuf premiers Templiers, l'Histoire a gardé les noms de Rosal de Sainte-Croix, Gondemar et Godefroy de Saint-Omer.

d'un éclair de penser, elle assimilait des vies entières, elle n'était plus liée par cette nature qui « n'apprend que successivement » dont lui avait parlé Flodoard ; elle se sentait au-dehors du « cercle de connaissance » qu'il lui avait désigné à Constantinople. Elle vit toutes les Anx Columban qu'elle *était*.

C'est là que L'ANOMALIE se manifesta.

Dans l'infini de l'infini de leurs incarnations d'âmes, *Anx et Cosimo se rencontraient toujours*.

Il n'y avait pas de vie vécue sans qu'ils se rejoignent.

Tout aboutissait inévitablement à ce qu'ils se retrouvent.

Bientôt, ils n'inspectèrent plus des vies d'« Anx » et de « Cosimo », mais LEUR VIE.

L'infini de leurs actes était réduit à rien, il n'avait de sens et de valeur qu'à travers la réalisation de ce projet permanent : leur réunion.

Ils se retrouvaient à chaque renaissance, innocents et sans mémoire, pour apprendre une nouvelle fois à se découvrir.

Ils virent, dans le rayonnement diffus de la Borne, leur passion, dans sa plénitude, la même partout et toujours recommencée.

Dans la salle de la Borne, toutes les images d'eux-mêmes avaient disparu. Elles étaient réunies, assimilées en elle et lui qui avaient désormais tout *vu*, tout *vécu*, et tout *retenu*.

À travers un sentiment encore assez confus, et surtout qu'ils ne comprenaient pas entièrement en dépit de leur nouvelle sagesse, ils sentaient que *l'amour était une « anomalie », le seul lien fragile entre le vide créateur et ce Dieu qui s'était retiré.*

L'unique passerelle.

Ils comprirent qu'ils n'étaient pas les seuls. Chaque couple, chaque amour vécu sur cette terre, était mystérieusement rendu inévitable pour les hommes et les femmes concernés. L'amour, partout et toujours.

En se rencontrant plus tôt dans le désert, indécis, indifférents, gênés, Anx et Cosimo ignoraient qu'ils étaient l'exemple le plus abouti de cette « anomalie » dans l'Espace et le Temps.

Cosimo se pencha pour saisir la Borne.

Mais Anx avait posé ses mains en même temps que lui.

La Borne se laissa prendre. N'étant pas une émanation du vide, seuls des êtres ayant atteint cette distance pouvaient la toucher.

C'était leur cas à présent.

Le cube lumineux était sans *poids*.

Ils quittèrent le sanctuaire en emportant la Borne.

Ils ne revirent pas le Djinn condamné, gardien terrible du sanctuaire. Salomon l'avait châtié pour une éternité, jusqu'à ce qu'un nouvel être pénètre dans la lumière de la Borne et puisse bouleverser cette même éternité.

Cosimo et Anx avaient pardonné.

Le Djinn aux quatre livres était libre...

# XI

## Les Particules Vagabondes

> Les siècles héroïques sont favorables à la poésie,
> parce qu'ils ont cette vieillesse et cette incertitude
> de tradition que demandent les Muses, naturelle-
> ment un peu menteuses. Nous voyons chaque jour
> se passer sous nos yeux des choses extraordinaires
> sans y prendre aucun intérêt ; mais nous aimons à
> entendre raconter des faits obscurs qui sont déjà
> loin de nous. C'est qu'au fond les plus grands évé-
> nements de la terre sont petits en eux-mêmes :
> notre âme, qui sent ce vice des affaires humaines, et
> qui tend sans cesse à l'immensité, tâche de ne les
> voir que dans le vague, pour les agrandir.
>
> CHATEAUBRIAND, *Génie du christianisme*

**D**ans le souterrain de la Tour, au pied de la niche ouverte de la statue de Salomon, Ismale Gui vagissait toujours sous l'œil de Cosimo, son épée au travers du corps. Le jeune homme la regagna d'un coup sec.

– C'est l'assassinat de Draguan qui t'a perdu, lui dit-il. Il était trop propre. Trop évident. Pas de témoin possible. Pas de fuite, pas de trace. Le meurtre parfait. Cela te *ressemblait* trop. Et pourtant je n'osais y croire.

Ismale maugréa quelque chose d'inaudible, la gorge étranglée dans son sang.

– Tu aurais dû me tuer enfant, dit Cosimo. En même temps que mon père lorsqu'il a démasqué tes menées et ton ambition de garder la Borne pour toi seul, dès les premiers jours à Jérusalem. Tu as maquillé la mort de mes parents en embuscade comme tu as maquillé la tienne propre.

Dans le parcours de ses vies infinies autour de la Borne, Cosimo avait tout appris des agissements de son oncle.

Pour cette vie en particulier, il avait décidé de se mettre à la porte du souterrain pour le surprendre.

– Je t'ai longtemps protégé, bredouilla Ismale.

– Oui, la cosmologie, les sciences anciennes, faire de moi un savant inoffensif. Ta colère devant mon apprentissage des armes s'explique désormais. Avais-je trop le tempérament de mon père ? Ce que je ne comprends pourtant pas, c'est que tu aies pensé à tout, sauf à emporter les lettres que j'ai retrouvées au Tabor. Elles t'ont été fatales. Hugo de Payns était-il trop près de te démasquer ? Le vol des écrits de Hincmar sur les sphères ? T'es-tu précipité ? Il fallait disparaître tout de suite, n'est-ce pas ? Toi pris, que devenait l'Homme sans main et sans visage ? Tu as fui sans rien faire qui puisse compromettre définitivement ton identité cachée. Il suffisait ensuite d'envoyer Alp à la Ghilde pour rattraper cette erreur. Mais j'étais passé avant. Tu as échoué.

Ismale marmonna. Un horrible rictus au coin des lèvres.

– Dans cette vie seulement...

Cosimo dressa son arme.

– Non, dans toutes tes vies.

Il trancha net le gosier d'Ismale Gui.

Et le corps de l'architecte disparut instantanément par la volonté de Cosimo.

Effacé du Temps.

∞

Cosimo retourna en Occident.

Il voyagea seul.

Toutes les routes lui étaient ouvertes.

Désormais, il saurait *toujours* par où passer.

Il était le familier du Temps.

Il savait que la sagesse n'appartient qu'à ceux qui avaient réussi à *visiter toutes leurs vies.*

De cet enseignement, Cosimo apprit à vivre pleinement dans ce monde au dieu absent.

Il était devenu un de ces Sages qui, à chacune de leurs incarnations, peuvent raconter aux étrangers une infinité de fables, et dissimuler la Vérité derrière un lutin, un oiseau bavard ou une princesse d'Orient.

Celui qui scrutait le fond de son œil y trouvait cette lumière douce et variante commune aux élus de tous les âges et de tous les mondes.

Cosimo n'était plus un homme...

... il était devenu cet « Homme Borne » dont il avait découvert l'antique définition dans un article de l'*Encyclopaedia Galactica.*

La Borne.

∞

Il choisit de remonter jusqu'au pays désolé de Draguan.

Là, la terre autrefois achetée par Ismale était en plein chantier. Balthéus et les hommes de sa secte œuvraient depuis des mois. Ils étaient les uniques rescapés du massacre qui avait frappé la Ghilde du Tabor. Les plans concernant l'église et ses treize paroisses étaient en cours de réalisation. Dans cette ébauche du nouveau diocèse, Cosimo retrouva Anx qui avait porté avant lui la Borne de Salomon jusqu'à son nouveau sanctuaire. Les prêtres séculaires en robe orange les avaient suivis. Anx avait fait revenir sa famille de Jérusalem. Roland était là aussi.

La « première communauté de Draguan » était enfin réunie.

Anx et Cosimo ne s'étaient pas encore retrouvés depuis la révélation de l'Anomalie.

Mais ils n'avaient besoin ni de se voir ni de se parler. Ils sentaient déjà qu'ils auraient bientôt à repartir, ensemble, pour une seconde histoire.

Balthéus referma avec grande cérémonie le sanctuaire de la Borne.

– Ici, *elle* sera en sécurité, dit-il.

– Oui, mais nous ignorons pour combien de temps, souligna Roland.

Anx et Cosimo sourirent.

Eux savaient...

# Épilogue

HILARION

La parole de Dieu, n'est-ce pas, nous est confirmée par les miracles ? Cependant les sorciers de Pharaon en faisaient ; d'autres imposteurs peuvent en faire ; on s'y trompe. Qu'est-ce donc qu'un miracle ? Un événement qui nous semble en dehors de la nature. Mais connaissons-nous toute sa puissance ? Et de ce qu'une chose ordinairement ne nous étonne pas, s'ensuit-il que nous la comprenions ?

ANTOINE

Peu importe ! Il faut croire l'Écriture !

HILARION

Saint Paul, Origène et bien d'autres ne l'entendaient pas litté-ralement ; mais si on l'explique par des allégories, elle devient le partage d'un petit nombre et l'évidence de la vérité disparaît. Que faire ?

ANTOINE

S'en remettre à l'Église !

HILARION

Donc l'Écriture est inutile ?

ANTOINE

Non pas ! quoique l'Ancien Testament, je l'avoue, ait... des obscurités... Mais le Nouveau resplendit d'une lumière pure.

HILARION

Cependant l'ange annonciateur, dans Matthieu, apparaît à Joseph, tandis que, dans Luc, c'est à Marie. L'onction de Jésus par une femme se passe, d'après le premier Évangile, au commencement de sa vie publique, et, selon les trois autres, peu de jours avant sa mort. Le breuvage qu'on lui offre sur la croix, c'est, dans Matthieu, du vinaigre avec du fiel, dans Marc du vin et de la myrrhe. Suivant Luc et Matthieu, les apôtres ne doivent prendre ni argent ni sac, pas même de sandales et de bâton; dans Marc, au contraire, Jésus leur défend de rien emporter si ce n'est des sandales et un bâton. Je m'y perds!...

ANTOINE (avec ébahissement) :

En effet... en effet...

HILARION

Au contact de l'hémorroïdesse, Jésus se retourna en disant : « Qui m'a touché ? » Il ne savait donc pas qui le touchait ? Cela contredit l'omniscience de Jésus. Si le tombeau était surveillé par des gardes, les femmes n'avaient pas à s'inquiéter d'un aide pour soulever la pierre de ce tombeau. Donc, il n'y avait pas de gardes, ou bien les saintes femmes n'étaient pas là. À Emmaüs, il mange avec ses disciples et leur fait tâter ses plaies. C'est un corps humain, un objet matériel, pondérable, et cependant qui traverse les murailles. Est-ce possible ?

ANTOINE

Il faudrait beaucoup de temps pour te répondre !

FLAUBERT, La Tentation de saint Antoine

# Mort suspecte

Iain Pears
Le cercle de la croix

Un crime, quatre témoins,
à chacun sa vérité

*(Pocket n° 10572)*

**E**n l'an de grâce 1663, le professeur Robert Grove de la jeune université d'Oxford est assassiné. Qui l'a tué ? Quatre personnages — un médecin vénitien, le fils d'un royaliste accusé de trahison, un mathématicien spécialiste de cryptographie et un historien — livrent chacun successivement une version contradictoire de l'événement. Ce qui semblait n'être qu'un simple fait divers s'enrichit alors de dimensions sociales, militaires et politiques.

Il y a toujours un Pocket à découvrir

# Kidnapping

Caleb Carr

L'ange
des ténèbres

Par l'auteur de
*L'aliéniste*

POCKET

*(Pocket n° 10714)*

New York, 1897.
À la veille de la guerre
hispano-américaine,
la fille d'un diplomate
espagnol est enlevée.
Une affaire politique ?
En tout cas, le docteur
Laszlo Kreizler – que
l'on appelle aussi
l'aliéniste – et son équipe
d'enquêteurs reprennent
du service. Une
mystérieuse nurse aux
airs angéliques va mettre
à rude épreuve les
ressources psychologiques
du docteur, et l'entraîner
au cœur des ténèbres…

Il y a toujours un Pocket à découvrir

# Confrèrerie secrète

Renaud Chantefable
**L'héritière des templiers**
LE FRÈRE CRAPAUD

*1 - Le Frère crapaud*
*(Pocket n°11905)*
*2- Le chevalier de Quaranteine*
*(Pocket n°11906)*
*3 - Les apôtres du nouveau Temple*
*(Pocket n°11907)*
*4 - La colombe cachée*
*(Pocket n°11908)*

**R**edoutant l'influence toujours grandissante de ses ennemis, le roi de France, Philippe Le Bel, décide d'éliminer tous les membres de l'organisation secrète des templiers. Géraud de Montgérain, chevalier de l'Ordre, tente de sauver le trésor de la confrérie et, avant de mourir, désigne comme son héritière l'enfant que son épouse attend : Marie sera l'Élue. Mais ce que Géraud ne saura jamais, c'est que Marie a un frère jumeau, l'« enfant crapaud »...

## Il y a toujours un Pocket à découvrir

*Impression réalisée sur Presse Offset par*

**BRODARD & TAUPIN**

GROUPE CPI

32675 – La Flèche (Sarthe), le 18-01-2006
Dépôt légal : février 2006

POCKET – 12, avenue d'Italie - 75627 Paris cedex 13
Tél. : 01.44.16.05.00

*Imprimé en France*